GEIRIADUR ALMAENEG

Almaeneg - Cymraeg
Cymraeg - Almaeneg

Wolfgang Greller

GEIRIADUR ALMAENEG

Cyhoeddwyd ym Mawrth 1996 gan:
Y Ganolfan Astudiaethau Addysg
Prifysgol Cymru
Yr Hen Goleg
ABERYSTWYTH, Ceredigion SY23 2AX

ISBN 1 85644 969 6

Clawr: Ceri Jones
Golygu a chysodi: Eurwen Booth

Cynnwys

Byrfoddau

g = gwrywaidd
gb = gwrywaidd neu fenywaidd
b = benywaidd
gw = berf gwan
ll = lluosog
S = Saesneg
m = maskulin (gwrywaidd)
f = feminin (benywaidd)
n = neutrum (diryw)
pl = plural (lluosog)
der = enw gwrywaidd
die = enw benywaidd neu luosog
das = enw diryw

Rhagair

Amcan y geiriadur hwn yw ateb anghenion cyffredin plant ysgol uwchradd, ond mae'r eirfa sylfaenol hefyd yn ddefnyddiol i'r cyhoedd. Mae'r llyfr yn cynnwys geirfa sylfaenol eang a modern Cymraeg ac Almaeneg. Roedden ni'n teimlo nad oedd rhestr o eiriau yn unig yn ddigon i gyflawni nod y geiriadur hwn, oherwydd y gwahaniaeth mawr rhwng y ddwy iaith. Am hynny, mae sawl dywediad ac idiom wedi eu cynnwys, er mwyn esbonio rhai geiriau ymhellach. Casglwyd y rhan Almaeneg - Cymraeg o'r gwerslyfrau sy'n cael eu defnyddio yn yr ysgolion Cymraeg. At hynny ychwanegwyd rhai termau newydd sbon, a phenderfynwyd cynnwys cenedl y geiriau Cymraeg i hwyluso'r dysgu. Yn ychwanegol, mae'r rhan gyntaf yn rhoi gwybodaeth ramadegol sylfaenol am enwau a berfau Almaeneg.

Mae'r geiriadur hwn yn cynnwys pedair rhan: (1) geirfa Almaeneg - Cymraeg; (2) geirfa Gymraeg - Almaeneg; (3) ymarferion defnyddio geiriadur; (4) cyfarwyddiadau dosbarth. Ychwanegwyd rhestr y berfau cryf Almaeneg ar ddiwedd y rhan gyntaf.

Llunwedd y llyfr

O ran argraffwaith mae'r prif-eiriau Almaeneg (e.e. **Autobahn**) yn ymddangos mewn llythrennau bras. O'u blaen mae elfennau gramadegol sy'n gysylltiedig â'r prif-air, fel y fannod neu'r gair **'sich'** o flaen rhai berfau. Yn dilyn y prif-air mae idiomau neu ddywediadau Almaeneg wedi eu hargraffu mewn llythrennau *italig*.

Mae'r fannod o flaen yr enw sy'n mynegu cenedl y gair Almaeneg. Dilynir pob enw Almaeneg gan derfyniad lluosog mewn cromfachau. Rhoddwyd ffurfiau afreolaidd ambell ansoddair hefyd mewn cromfachau. Dilynir rhai ansoddeiriau gan **(r/s)** i ddynodi'r ffurfiau gwrywaidd a diryw, e.e. **achte(r/s)**: **'achte'**; y ffurf fenywaidd, **'achter'** y ffurf wrywaidd ac **'achtes'** y ffurf ddiryw. Yn achos yr ansoddeiriau afreolaidd rhoddir y ffurfiau cyfan mewn cromfachau, e.e. **viel (mehr, am meisten)**.

Cyflwynir berfau gwan a chryf mewn dwy ffordd wahanol: Dilynir y berfau rheolaidd gan (gw), sef 'gwan'. Ar y llaw arall dilynir y berfau cryf gan dair llafariad mewn cromfachau i ddangos sut mae llafariad bôn y ferf yn newid (1) yn ail a thrydydd person unigol yr amser presennol; (2) yn yr amherffaith neu'r gorffennol syml (3) yn y gorffennol cyfansawdd, e.e. **fahren (ä-u-a)** sy'n rhoi: **er fährt** (presennol), **er fuhr** (gorffennol syml) a **gefahren** (gorffennol cyfansawdd).

Daw rhestr y berfau cryf pwysicaf ar ddiwedd y rhan Almaeneg - Cymraeg. Yn Almaeneg mae'r rhagddodiad weithiau yn datgysylltu o fôn y ferf. Dynodir hynny drwy ddangos "**/**" o fewn y gair, e.e. mae **'ab/nehmen'** yn gwahanu ac yn rhoi: **'ich nehme ab'**.

Ar ôl y geiriau Cymraeg rhoddwyd esboniad pellach weithiau mewn bracedi sgwâr, e.e. diosg [het] = yng nghyd-destun "het" yn unig mae **ab/nehmen** yn golygu "diosg".

Cydnabyddiaeth

Rwyf yn diolchgar iawn i ACAC (Awdurdod Cwricwlwm ac Asesu Cymru) am ariannu'r fenter hon. Fe hoffwn ddiolch yn arbennig i Jeff Greenidge, Swyddog Proffesiynol Ieithoedd Modern ACAC am ei arweiniad.

Roedd y gwaith cyhoeddi yn nwylo proffesiynol Glyn Saunders Jones a'r Ganolfan Astudiaethau Addysg yn Aberystwyth. Mae fy niolch mwyaf i Eurwen Booth a roddodd bob cefnogaeth i mi gyda pharatoi, adolygu a chywiro'r gyfrol. Bu'r Dr Mererid Hopwood, Dr Elin Meek, Mr Meirion Davies, William Knox a Dr Marion Löffler, o gymorth mawr wrth baratoi'r deunydd ar gyfer y wasg.

Fe hoffwn ddiolch hefyd i'r athrawon hynny a fu'n cynorthwyo gyda pharatoi'r gwaith ynghyd â Mr Steffan James AEM am gynnig sawl awgrym gwerthfawr. Fy niolch cywiraf iddynt i gyd.

Wolfgang Greller   Mawrth 1996
Coleg y Drindod
Caerfyrddin

ALMAENEG - CYMRAEG

ab	o ... ymlaen
ab und zu	nawr ac yn y man, weithiau
ab/biegen (ie-o-o)	troi [car]; plygu
ab/brechen (i-a-o)	torri
ab/danken (gw)	ymddiswyddo
der **Abend** (-e)	noswaith (b), hwyr (g)
guten Abend	noswaith dda
heute abend	heno
das **Abendbrot** (-e)	swper (gb)
das **Abendessen** (-)	swper (gb), pryd (g) nos
abends	gyda'r nos, beunos
das **Abenteuer** (-)	antur (gb), anturiaeth (b)
der **Abenteuerfilm** (-e)	ffilm (b) antur
aber	ond
oder aber	neu fel arall
aber doch	eto i gyd, er hynny
ab/fahren (ä-u-a)	ymadael, gadael
die **Abfahrt** (-en)	ymadawiad (g), cychwyn (g)
der **Abfall** (-ˤe)	sbwriel (g)
der **Abfalleimer** (-)	bin (g)
der **Abflug** (-ˤe)	cychwyn (g), ymadawiad (g) [awyren]
abgelegen	anhygyrch, anghysbell, pellennig, diarffordd
abgesehen von	heblaw, oddi eithr, ac eithrio
ab/hauen (haute ab, abgehauen)	cilio, baglu, diflannu, mynd i ffwrdd
hau ab !	dos i ganu! dos o'ma! bacha hi!
ab/heben (e-o-o)	codi; tynnu arian o'r cyfrif [banc]
ab/holen (gw)	casglu, nôl
das **Abitur** (-e)	arholiad (b) sy'n cyfateb i lefel A
die **Abkürzung** (-en)	byrfodd (g); llwybr (g) llygad, llwybr (g) tarw
ab/montieren (gw)	datgymalu, daduno
ab/nehmen (i-a-o)	colli pwysau; diosg [het]; tynnu oddi ar
der **Abort** (-e)	tŷ (g) bach, lle (g) chwech
ab/räumen (gw)	clirio, tacluso
ab/reißen (ei-i-i)	tynnu i lawr, dymchwel; rhwygo ymaith
der **Absender** (-)	anfonwr (g), anfonydd (g)
absolut	yn ddiffael, yn gyfan gwbl, hollol
der **Abstand** (-ˤe)	pellter (g), bwlch (g)

	ab/stellen (gw)	dodi i lawr; parcio; rhoi terfyn
der	**Abstellraum** (-¨e)	ystafell (b) storio, storfa (b)
der	**Absturz** (-¨e)	cwymp (g), codwm (g)
das	**Abteil** (-e)	adran (b) [mewn trên], cerbydran (b)
die	**Abteilung** (-en)	adran (b), dosbarth (g), ward (b)
	ab/trocknen (gw)	sychu gyda lliain; sychu rhywbeth [e.e. llestri]
	ab/waschen (ä-u-a)	golchi llestri
die	**Abwechslung** (-en)	adloniant (g), difyrrwch (g), amrywiaeth (gb)
	abwechslungsreich	amrywiol
	ab/wischen (gw)	sychu, rhwbio [e.e. bwrdd du]
das	**Abzeichen** (-)	bathodyn (g), medal (gb)
	ab/zeichnen (gw)	darlunio; ymddangos
	acht	wyth
	achte(r/s)	wythfed
die	**Achtung**	sylw (g); rhybudd (g)
	Achtung!	cymerwch ofal!, Gofal!
	achtzehn	un deg wyth, deunaw
	achtzig	wyth deg, pedwar ugain
	ade!	hwyl fawr!
der	**Adler** (-)	eryr (g)
die	**Adresse** (-n)	cyfeiriad (g)
das	**Adressenbuch** (-¨er)	cyfeiriadur (g), llyfr (g) cyfeiriadau
	adressiert	wedi'i gyfeirio
der	**Adventskalender** (-)	calendr (g) Adfent
	Afrika	Affrica
	ähnlich	tebyg, cyffelyb
die	**Ahnung** (-en)	teimlad (g), syniad (g)
keine	*Ahnung*	dim syniad
die	**Aktion** (-en)	gweithred (b), gweithgaredd (g)
	aktiv	heini, sionc, gweithredol, gweithgar
die	**Aktivität** (-en)	gweithgaredd (g)
	aktuell	amserol, cyfredol, cyfoes
der	**Alkohol**	alcohol (g)
	alkoholfrei	di-alcohol
	alle	holl, i gyd
	allein	ar ei ben ei hun, yn unig
	alleinstehend	yn byw ar ei ben ei hun, sengl
	allererst	y cyntaf un, y cyntaf oll

die	**Allergie** (-n)	alergedd (g)
	allergisch	alergeddus
	allerlei	amryw, bob math o
	alles	popeth (g), cyfan (g), y cwbl (g)
	alles Gute	pob dymuniad da
	allgemein	cyffredinol
im	*allgemeinen*	fel arfer, gan amlaf
	allmählich	yn araf, cam wrth gam, yn raddol
der	**Alltag** (-e)	bywyd (g) beunyddiol
das	**Almosen** (-)	cardod (b), elusen (b)
die	**Alpen** (pl)	yr Alpau (ll)
das	**Alphabet** (-e)	yr wyddor (b)
der	**Alptraum** (-¨e)	hunllef (b)
	als	pan [yn y gorffennol]; na, nag; fel, megis
älter	*als ich*	hŷn na fi
	als ich klein war	pan oeddwn i'n blentyn
	als Lehrer	fel athro
	also	felly
	alt (älter, am ältesten)	hen, hynafol
12 Jahre	*alt*	deuddeg mlwydd oed
der	**Altbau** (-ten)	hen adeilad [wedi'i droi'n fflatiau]
der/die	**Alte** (-n)	henoed (g), henwr (g), hendolyn (g)
das	**Alter**	oedran (g), oed (g), oes (b)
das	**Altglas**	hen botel (b), banc (g) poteli
	altmodisch	henffasiwn
das	**Alu(minium)**	alwminiwm (g)
	am [an + dem]	wrth, ger, ar, at, i
	am besten	y gorau
Ich mag Tee	*am liebsten*	te sydd orau gen i
	am Montag	ar ddydd Llun
	am Telefon	ar y ffôn
	Amerika	America
der	**Amerikaner** (-)	Americanwr (g)
die	**Amerikanerin** (-nen)	Americanes (b)
	amerikanisch	Americanaidd, o America
die	**Ampel** (-n)	goleuadau traffig (ll)
	an (+dat/+acc)	wrth, ger, ar, at, i
	an dich	atat ti
die	**Ananas** (-se)	pinafal (g)

11

	an/bieten (ie-o-o)	cynnig
	an/dauern (gw)	parhau
das	**Andenken** (-)	sŵfenir (g), cofrodd (b); coffa (g)
im	*Andenken an*	er cof am
	andere(r/s)	arall, y llall
	andererseits	ar yr ochr arall
einerseits ...	*andererseits*	ar un ochr ... ar y llaw arall
	ändern (gw)	cyfnewid, diwygio, newid
	anders	gwahanol
	anderthalb	un a hanner
	an/drehen (gw)	cynnau, troi ymlaen, rhoi i fynd [e.e. radio]
der	**Anfang** (-¨e)	dechrau (g), dechreuad (g)
	an/fangen (ä-i-a)	dechrau
	an/fordern (gw)	archebu, gofyn am
	an/füllen (gw)	llenwi
die	**Angabe** (-n)	gwybodaeth (b); ymffrost (g)
	an/geben (i-a-e)	datgan; ymffrostio
das	**Angebot** (-e)	cynnig (g), dewis (g)
	an/gehören (gw)	perthyn i; bod yn aelod o
	angeln (gw)	pysgota
die	**Angelegenheit** (-en)	busnes (gb), mater (gb)
auswärtige	*Angelegenheiten*	materion tramor
die	**Angelrute** (-n)	gwialen (b) bysgota
	angenehm	cysurus, cyfleus, dymunol
	angesehen	parchus
	angespannt	nerfus, tyn
der/die	**Angestellte** (-n)	gweithiwr (g), person (g) cyflogedig
	angezogen	wedi gwisgo, â dillad am
die	**Angst** (-¨e)	ofn (g), braw (g)
keine	*Angst*	paid â phoeni
	Angst haben	ofni
	an/haben *(hatte an, angehabt)*	wedi gwisgo, yn gwisgo
	an/halten (ä-ie-a)	stopio, aros
der	**Anhänger** (-)	cefnogwr (g); ôl-gerbyd (g)
	an/himmeln (gw)	addoli, dwli ar
	an/hören (gw)	gwrando ar
	an/klicken (gw)	clicio
	an/kommen (o-a-o)	cyrraedd; dibynnu

es	*kommt darauf an*	mae hi'n dibynnu ar
die	**Ankunft** (-ˀe)	dyfodiad (g), cyrhaeddiad (g)
die	**Anlage** (-n)	peiriant (g) stereo; buddsoddiad (g)
	an/legen (gw)	glanio [cwch]; cynllunio; buddsoddi; gosod
die	**Anleitung** (-en)	cyfarwyddiad (g), arweiniad (g)
	an/malen (gw)	peintio
das	**Anmeldeformular** (-e)	ffurflen (b) gofrestru
	anonym	dienw
der	**Anorak** (-s)	anorac (g)
	an/passen (gw)	addasu, cymhwyso
	an/probieren (gw)	trio, trio ymlaen [dillad]
	an/reisen (gw)	dod, cyrraedd
der	**Anreisende** (-n)	teithiwr (g)
der	**Anruf** (-e)	galwad (b) ffôn
	an/rufen (u-ie-u)	ffonio
	ans [an + das]	wrth, ger, ar, at, i
	an/schalten (gw)	cynnau, troi ymlaen
der	**Anschlag** (-ˀe)	hysbysiad (g); ymosodiad (g); taro [allweddell]
	anschließend	wedyn, dilynol
der	**Anschluß** (-ˀsse)	cyswllt (g), cysylltiad (g), trên (g) sy'n cysylltu
im	*Anschluß daran*	wedyn, yn dilyn hyn
	an/schreien (ei-ie-ie)	gweiddi ar rhywun
die	**Anschrift** (-en)	cyfeiriad (g)
	an/sehen (ie-a-e)	gwylio, edrych ar
die	**Ansicht** (-en)	golwg (g); barn (b)
meiner	*Ansicht nach*	yn fy marn i
die	**Ansichtskarte** (-n)	cerdyn (g) post
	ansonsten	fel arall
der	**Anspitzer** (-)	hogwr (g) penseli, naddwr (g)
	an/sprechen (i-a-o)	annerch
	an/springen (i-a-u)	cychwyn [modur]
	an/streichen (ei-i-i)	peintio
	anstrengend	blinedig, llafurus
das	**Antibiotikum** (-biotika)	gwrthfiotig (g)
das	**Antrag** (-ˀe) (-n)	cais (g)
	an/treiben (ei-ie-ie)	cymell, gyrru ymlaen
die	**Antwort** (-en)	ateb (g)

13

	antworten (gw)	ateb
der	**Antwortschein** (-e)	papur (g) ateb, slip (g) papur
	an/wachsen (ä-u-a)	cynyddu, tyfu
die	**Anweisung** (-en)	gorchymyn (g); cyfarwyddiad (g)
die	**Anzahl**	nifer (gb)
die	**Anzahlung** (-en)	blaendal (g), ernes (b)
die	**Anzeige** (-n)	hysbysiad (g), hysbyseb (b)
	an/ziehen (ie-o-o)	gwisgo; tynnu; denu
der	**Anzug** (-¨e)	siwt (b)
	an/zünden (gw)	cynnau, ennyn
der	**Apfel** (-¨)	afal (g)
der	**Apfelsaft** (-¨e)	sudd (g) afal
die	**Apfelsine** (-n)	oren (g)
der	**Apfelstreusel** (-)	briwsiongrwst (g) afalau, crymbl (gb) afalau
der	**Apfelstrudel** (-)	strwdl (gb) afalau
die	**Apotheke** (-n)	fferyllfa (b)
der	**Apparat** (-e)	peiriant (g), offer (ll); camera (g)
der	**Appetit** (-e)	chwant (g), archwaeth (g)
die	**Aprikose** (-n)	bricyllen (b)
der	**April**	[mis] Ebrill (g)
	arabisch	Arabaidd
die	**Arbeit** (-en)	gwaith (g), swydd (b), llafur (g), gorchwyl (gb)
	arbeiten (gw)	gweithio, llafurio
der	**Arbeiter** (-)	gweithiwr (g)
die	**Arbeiterin** (-nen)	gweithwraig (b)
der	**Arbeitgeber** (-)	cyflogwr (g)
die	**Arbeitsbedingung** (-en)	amod (gb) gweithio
der	**Arbeitsbogen** (-¨)	dalen (b) waith, taflen (b) waith
die	**Arbeitsgruppe** (-n)	tîm (g) gweithio; gweithdy (g)
	arbeitslos	di-waith, anghyflogedig
die	**Arbeitslosigkeit**	diweithdra (g)
der	**Arbeitsplatz** (-¨e)	lle (g) gwaith, swydd (b)
der	**Arbeitstag** (-e)	diwrnod (g) gwaith
	arg (ärger, am ärgsten)	difrifol, gwael, hynod
	ärgern (gw)	blino, codi gwrychyn, gwylltio
	arm (ärmer, am ärmsten)	tlawd, anghenus, truan
der	**Arm** (-e)	braich (gb)

14

das	**Armband** (-¨er)	breichled (b)
die	**Armbanduhr** (-en)	wats (b), oriawr (b)
die	**Armee** (-n)	byddin (b)
der	**Ärmel** (-)	llawes (b)
der	**Ärmelkanal**	y Sianel (b), Môr (g) Udd
	aromatisch	persawrus
die	**Art** (-en)	modd (g), ffordd (b)
auf welche	*Art*	ym mha ffordd
die	**Artischocke** (-n)	artisiog (b)
der	**Arzt** (-¨e) [b. Ärztin]	meddyg (g), doctor (g)
der	**Arzthelfer** (-)	nyrs (g), derbynydd (g) mewn meddygfa
die	**Arzthelferin** (-nen)	nyrs (b), derbynyddes (b) mewn meddygfa
die	**Ärztin** (-nen)	meddyges (b), doctores (b)
die	**Asche** (-n)	lludw (g)
der	**Aschenbecher** (-)	blwch (g) llwch
das	**Aschenputtel** (-)	Sinderela, Ulw-Ela
der	**Aschermittwoch**	Dydd Mercher [y] Lludw
	Asien	Asia
er/sie/es	**aß** [essen]	roedd e/hi'n bwyta
der	**Assistent** (-en)	cynorthwywr (g)
die	**Assistentin** (-nen)	cynorthwywraig (b)
	asthmatisch	dioddef o'r fogfa, astmatig
	Athen	Athen (prifddinas Groeg)
der	**Athlet** (-en)	athletwr (g), chwaraewr (g)
die	**Athletin** (-nen)	athletwraig (b)
	atmen (gw)	anadlu
die	**Atmosphäre** (-n)	awyrgylch (gb)
	attraktiv	atyniadol, deniadol
	auch	hefyd
wenn	*auch*	hyd yn oed, er
sowohl … als		*auch* yn ogystal â
	auch nicht	chwaith
	auf	agored
	auf (+dat/+acc)	ar, ar ben rhywbeth, i
	auf Deutsch	yn Almaeneg
	auf einmal	yn sydyn
	auf Urlaub	ar wyliau
	auf Wiederhören	da bo chi, ffarwél [ffôn]
	auf Wiedersehen	da bo chi, hwyl

	auf/bewahren (gw)	cadw, storio
der	**Aufenthalt** (-e)	arhosiad (g), stop (g)
der	**Aufenthaltsraum** (-¨e)	lolfa (b)
die	**Auferstehung** (-en)	atgyfodiad (g)
die	**Aufgabe** (-n)	gorchwyl (gb), tasg (b), gwaith (g)
	aufgelockert	wedi ymlacio
	auf/haben (hatte auf, aufgehabt)	gwisgo het; bod ar agor [siop]
	auf/hängen (gw)	hongian, gosod ar wal
	auf/hören (gw)	stopio, peidio, rhoi'r gorau i
	auf/kleben (gw)	glynu at
der	**Aufkleber** (-)	sticer (g)
	auf/machen (gw)	agor
	aufmerksam	sylwgar
die	**Aufnahmegebühr** (-en)	ffi (b) gofrestru, tâl (g) cofrestru
	auf/nehmen (i-a-o)	codi; derbyn, croesawu; recordio
ein Foto	*aufnehmen*	tynnu llun
	auf/passen (gw)	gwylio, gofalu, sylwi'n ofalus
	auf/pumpen (gw)	llenwi gyda aer [teiar, matras aer]
sich	**auf/putzen** (gw)	ymbincio
	auf/räumen (gw)	tacluso, twtio
	aufrecht	unionsyth; gonest
	aufregend	cyffrous
	auf/schauen (gw)	edrych i fyny; edmygu
	auf/schlagen (ä-u-a)	agor [llyfr]
der	**Aufschnitt** (-e)	cig (g) oer o bob math
	auf/schreiben (ei-ie-ie)	rhoi ar glawr, cofnodi, nodi
	auf/stehen (stand auf, aufgestanden)	codi
	auf/treten (i-a-e)	perfformio
	auf/wachen (gw)	deffro, dihuno
	auf/wecken (gw)	deffro
der	**Aufzug** (-¨e)	lifft (g), esgynnydd (g)
das	**Auge** (-n)	llygad (gb)
der	**August**	[mis] Awst (g)
die	**Aula** (-s)	neuadd (b)
	aus	ar ben
	aus (+dat)	allan, mas, o
kommen	*aus*	dod o
die	**Ausbildung** (-en)	addysg (b), hyfforddiant (g)

	aus/brechen (i-a-o)	torri allan/mas, dianc
	aus/breiten (gw)	estyn, lledu
sich	aus/drücken (gw)	mynegi, lleisio
der	Ausdruck (-˙e)	mynegiad (g), mynegiant (g), ymadrodd (g)
die	Ausfahrt (-en)	allanfa (b), ffordd (b) allan; gwibdaith (b), trip (g)
	aus/fallen (ä-ie-a)	torri; nid oes, peidio â chynnal, canslo
die Stunde	fällt heute aus	does dim dosbarth heddiw
der	Ausflug (-˙e)	gwibdaith (b), trip (g)
	aus/füllen (gw)	llenwi, cwblhau [ffurflen]
der	Ausgang (-˙e)	allanfa (b), drws (g) allan
	aus/geben (i-a-e)	gwario [arian]; dosbarthu
	ausgebucht	yn llawn, wedi gwerthu mas
	ausgeflippt	ecsentrig, gorffwyll
	aus/gehen (ging aus, ausgegangen)	mynd allan; dod i ben, mynd yn brin
der Wein ist	ausgegangen	mae'r gwin wedi mynd/gorffen
	ausgezeichnet	ardderchog, campus
	aus/halten (ä-ie-a)	goddef, cyd-dynnu â
	aus/kommen (o-a-o)	cael digon, ymdopi
gut	auskommen mit jemandem	tynnu'n dda gyda rhywun, dod ymlaen yn dda
die	Auskunft (-˙e)	hysbysrwydd (g), gwybodaeth (b)
	aus/lachen (gw)	chwerthin am ben rhywun
das	Ausland	gwlad (b) dramor, gwlad (b) arall
	aus/legen (gw)	gosod, dehongli; benthyca, rhoi benthyg
	aus/leihen (ei-ie-ie)	benthyca, cael benthyg
	aus/machen (gw)	diffodd; cytuno, dod i gytundeb
es	macht mir nichts aus	does dim ots gen i
	aus/packen (gw)	dadbacio
	aus/rechnen (gw)	cyfrif
die	Ausrede (-n)	esgus (g)
	aus/reichen (gw)	bod yn ddigon
	ausreichend	digon, digonol
	aus/reisen (gw)	teithio tramor, ymadael â gwlad
	aus/richten (gw)	trefnu; rhoi neges i rywun
	aus/rollen (gw)	rholio
die	Ausrüstung (-en)	cyfarpar (g)

	aus/rutschen (gw)	llithro
	aus/schneiden (ei-i-i)	clipio, torri allan â siswrn
der	**Ausschnitt** (-e)	toriad (g), rhan (b), darn (g)
	aus/schreiben (ei-ie-ie)	hysbysebu
	aus/sehen (ie-a-e)	edrych fel
	außen	tu allan, tu fas, tu maes
	außer (+dat)	ac eithrio, heblaw, ond
	außerdem	heblaw am hynny
	außerhalb	tu allan, tu fas
die	**Aussicht** (-en)	golygfa (b); rhagolwg (g)
die	**Aussprache** (-n)	ynganiad (g)
	aus/spülen (gw)	strelio, rinsio, tynnu trwy ddŵr
	aus/stechen (i-a-o)	torri (allan)
	aus/steigen (ei-ie-ie)	mynd oddi ar, disgyn oddi ar [bws a.y.y.b.]
	aus/stellen (gw)	arddangos
die	**Ausstellung** (-en)	arddangosfa (b)
	aus/strecken (gw)	ymestyn
	aus/suchen (gw)	dewis, pigo
der	**Austausch**	cyfnewid (g)
	aus/tauschen (gw)	cyfnewid
der	**Austauschgast** (-¨e)	partner (g) mewn cyfnewid
der	**Austauschpartner** (-)	partner (g) mewn cyfnewid
	aus/teilen (gw)	rhannu, dosbarthu
	aus/tragen (ä-u-a)	dosbarthu [llythyron]; cynnal
	Australien	Awstralia
	aus/üben (gw)	dilyn
einen Beruf ausüben		dilyn galwedigaeth
	ausverkauft	wedi gwerthu allan/mas
die	**Auswahl**	dewis (g)
	aus/wählen (gw)	dewis, pigo, dethol
	auswärts essen	bwyta allan/mas
	aus/weichen (ei-i-i)	osgoi
der	**Ausweis** (-e)	cerdyn (g) adnabod, cerdyn (g) aelodaeth
sich	**aus/ziehen** (zog aus, ausgezogen)	diosg, dadwisgo, tynnu i ffwrdd
der/die	**Auszubildende** (-n)	disgybl (g), prentis (g)
der	**Auszug** (-¨e)	rhan (b), toriad (g)
das	**Auto** (-s)	car (g)

die	**Autobahn** (-en)	traffordd (b)
das	**Autobahnkreuz** (-e)	croesffordd (b) ar draffordd
der	**Autobus** (-se)	bws (g)
der	**Autofahrer** (-)	gyrrwr (g) car
der	**Automat** (-en)	peiriant (g) awtomatig
die	**Autominute** (-n)	munud o daith mewn car
die	**Autopanne** (-n)	toriad (g) i lawr, methiant (g) [car]
der	**Autor** (-en)	awdur (g)
	autoritär	awdurdodus, awdurdodaidd, awdurdodol
der	**Autoscooter** (-)	sgwter (g) [modur] pedair olwyn, dodjem (gb)

B

das	**Baby** (-s)	babi (g), baban (g)
das	**Babyfoto** (-s)	llun (g) babandod
	baby/sitten (gw)	gwarchod
	backen (bäckt-backte -gebacken)	pobi
der	**Bäcker** (-)	pobydd (g)
die	**Bäckerei** (-en)	siop (b) fara; teisennau (ll)
die	**Bäckerin** (-nen)	pobyddes (b)
das	**Backpulver**	powdr (g) codi
das	**Backrohr** (-e)	ffwrn (b)
das	**Bad** (-¨er)	bath (gb), ystafell (b) ymolchi
der	**Badeanzug** (-¨e)	siwt (b) nofio, gwisg (b) nofio
die	**Badehose** (-n)	trywsus (g) nofio
der	**Bademeister** (-)	swyddog (g) pwll nofio, achubwr (g) bywyd
die	**Bademütze** (-n)	cap (g) nofio
	baden (gw)	trochi, ymolchi, ymdrochi
	Baden-Württemberg	[talaith yn ne-orllewin yr Almaen]
das	**Badetuch** (-¨er)	lliain/tywel (g) ymdrochi
die	**Badewanne** (-n)	bath (gb)
das	**Badezimmer** (-)	ystafell (b) ymolchi
das	**Badminton**	badminton (gb)
der	**Badmintonschläger** (-)	raced (g) badminton
die	**Bahn** (-en)	llwybr (g), ffordd (b); rheilffordd (b)
der	**Bahnhof** (-¨e)	gorsaf (b), stesion (b)
der	**Bahnsteig** (-e)	platfform (g), llwyfan (g) gorsaf
	bald	yn fuan, toc, cyn bo hir
bis	*bald*	hyd nes ymlaen, tan toc
so	*bald wie möglich*	cyn gynted â phosibl, mor fuan â phosibl
	baldig	buan, cyflym
	baldige Besserung	gwellhad buan
	baldigst	cyn gynted ag y bo modd
der	**Balkon** (-e)	oriel (b), balconi (gb)
der	**Ball** (-¨e)	pêl (b); gwledd (b), dawns (b)
die	**Banane** (-n)	banana (b)
die	**Bananenschale** (-n)	pil/croen (g) banana
das	**Band** (-¨er)	rhuban (g), rhwymyn (g); tâp (g)
die	**Bank** (-¨e)	mainc (b), sedd (b)
die	**Bank** (-en)	banc (g)
der/die	**Bankangestellte** (-n)	clerc (gb) banc, gweithiwr (g) banc

die	**Banknote** (-n)	arian (g) papur
die	**Bar** (-s)	bar (g), tafarn (gb)
das	**Bargeld** (-er)	arian (g) parod
der	**Bart** (-"e)	barf (b)
die	**Basilika** (-en)	basilica (g)
das	**Basketball(spiel)**	pêl-fasged (b) [gêm]
	basteln (gw)	gwneud gwaith llaw amatur, DIY, adeiladu
der	**Bastelraum** (-"e)	ystafell (b) waith, gweithdy (g)
die	**Batterie** (-n)	batri (g)
die	**Bauarbeit** (-en)	gwaith (g) adeiladu
der	**Bauarbeiter** (-)	adeiladwr (g), adeiladydd (g)
die	**Bauchschmerzen** (pl)	bola (g) tost, poen (gb) yn y bol
	bauen (gw)	adeiladu; cynhyrchu
das	**Bauernhaus** (-"er)	ffermdy (g), tyddyn (g)
der	**Bauernhof** (-"e)	fferm (b)
der	**Baum** (-"e)	coeden (b), pren (g)
die	**Baumwolle**	cotwm (g)
die	**Baustelle** (-n)	safle (gb) adeiladu
der	**Baustoff** (-e)	deunydd (g) adeiladu
	Bayern	Bafaria, [talaith yn ne'r Almaen]
	beabsichtigen (gw)	bwriadu, arfaethu
	beachten (gw)	gwylio, talu sylw
der	**Beamte** (-n)	gwas (g) sifil
	beantworten (gw)	ateb
der	**Becher** (-)	bicer (g), mwg (g)
der	**Bedarf**	galwad (g), hawliad (g), angen (g), anghenion (ll)
	bedecken (gw)	gorchuddio
	bedeckt	wedi'i orchuddio; cymylog
	bedeuten (gw)	golygu, dynodi
die	**Bedeutung** (-en)	ystyr (gb); pwysigrwydd (g)
die	**Bedienung** (-en)	gwasanaeth (g)
die	**Bedingung** (-en)	amod (gb)
sich	**beeilen** (gw)	brysio
	befehlen (ie-a-o)	gorchymyn, mynnu
	befestigen (gw)	cryfhau, sicrhau; clymu
sich	**befinden** (i-a-u)	wedi ei leoli
	befragen (gw)	holi, gofyn
die	**Befragung** (-en)	arolwg (g), pôl (g) piniwn

21

	befreundet	bod yn ffrindiau â
	befriedigend	boddhaol
sich	**begeben** (i-a-e)	mynd ymlaen, mynd ar eich ffordd
	begeistert	brwd, eiddgar
der	**Beginn** (-e)	dechrau (g), dechreuad (g)
	beginnen (i-a-o)	dechrau
	begleiten (gw)	hebrwng, cyd-deithio, danfon
der	**Begleiter** (-)	cydymaith (g), cyd-deithiwr (g)
	begraben (ä-u-a)	claddu
das	**Begräbnis** (-se)	angladd (gb)
	begrüßen (gw)	croesawu
	behalten (ä-ie-a)	cadw
der	**Behälter** (-)	cynhwysydd (g)
	behandeln (gw)	trin, ymdrin â
die	**Behandlung** (-en)	triniaeth (b)
	beharrlich	dyfal, pengaled, ystyfnig
	beheizt	wedi'i gynhesu, wedi'i wresogi, twym
	behindern (gw)	rhwystro, llesteirio
ein	*behindertes Kind*	plentyn dan anfantais
die	**Behörde** (-n)	awdurdod (gb)
	bei (+dat)	wrth, ger, yn agos i; yn nhŷ rhywun
	bei meinen Eltern	yn nhŷ fy rhieni
	bei weitem	o bell ffordd
	beide	y ddau, y ddwy
ihr	*beide*	chi eich dau
die	**Beilage** (-n)	rhywbeth amgaeëdig
	bei/legen (gw)	amgáu
	beiliegend	amgaeëdig
	beim [bei+dem]	wrth, ger, yn agos i
das	**Bein** (-e)	coes (gb)
das	**Beispiel** (-e)	enghraifft (b)
zum	*Beispiel (z.B.)*	er enghraifft (e.e.)
	beißen (ei-i-i)	brathu, cnoi
	bei/treten (i-a-e)	ymuno â
	bekannt	adnabyddus, enwog
	bekannt geben	cyhoeddi
der/die	**Bekannte** (-n)	cydnabod (gb)
sich	**beklagen** (gw)	cwyno
	bekleidet	wedi gwisgo, wedi dilledu
die	**Bekleidung** (-en)	gwisg (b)

	bekommen (o-a-o)	cael, derbyn, ennill
der	**Beleg** (-e)	derbynneb (b), taleb (b)
	belegen (gw)	meddiannu, cymryd; taenu [caws e.e. ar fara]
das	**belegte Brot** (-e)	brechdan (b)
	Belgien	Gwlad Belg
	beliebig	unrhyw
	beliebt	poblogaidd, hoff
	beliefern (gw)	dosbarthu, cyflenwi â
	bellen (gw)	cyfarth, coethi
	bemalen (gw)	peintio
	bemerken (gw)	sylweddoli; dweud
die	**Bemerkung** (-en)	sylw (g); ymadrodd (g)
sich	**bemühen** (gw)	ymdrechu, gwneud ymgais
	benutzen (gw)	defnyddio
	benützen (gw)	defnyddio
das	**Benzin**	petrol (g)
	beobachten (gw)	gwylio, sylwi
	bequem	cyfforddus, cysurus
	bereit	parod
	bereiten (gw)	paratoi, darparu; coginio
	bereits	eisoes, yn barod
	bereuen (gw)	edifarhau
der	**Berg** (-e)	mynydd (g)
der	**Bergarbeiter** (-)	mwynwr (g), glöwr (g)
das	**Bergwerk** (-e)	mwynglawdd (g), pwll (g) glo
der	**Bericht** (-e)	adroddiad (g), gohebiad (g), gohebiaeth (b)
	Bericht erstatten	adrodd, gohebu
	Berlin	prifddinas a thalaith yr Almaen
der	**Beruf** (-e)	swydd (b), galwedigaeth (b), gwaith (g)
das	**Berufsbildungszentrum** (-ren)	canolfan (gb) hyfforddiant galwedigaethol
	beruhigen (gw)	tawelu
	berühmt	enwog
	berühren (gw)	cyffwrdd â
die	**Berührung** (-en)	cyffyrddiad (g)
er/sie/es	**besaß** [besitzen]	roedd e/hi'n berchen

sich **beschäftigen** (gw)	ymwneud â; bod wrthi
die **Beschäftigung** (-en)	gweithgaredd (g), galwedigaeth (b), swydd (b)
der **Bescheid** (-e)	gwybodaeth (b), hysbysiad (g)
Bescheid sagen	rhoi gwybod
Bescheid wissen	gwybod am
bescheiden	diymhongar, gwylaidd, gostyngedig; syml
die **Bescherung** (-en)	dosbarthu anrhegion Nadolig
beschleunigen (gw)	cyflymu
beschließen (ie-o-o)	penderfynu
beschreiben (ei-ie-ie)	disgrifio, darlunio
die **Beschreibung** (-en)	disgrifiad (g); cyfarwyddiad (g)
beschriften (gw)	labelu
die **Beschwerde** (-n)	achwyn (g), cwyn (gb), achwyniad (g); poen (gb)
sich **beschweren** (gw)	cwyno, achwyn
der **Besen** (-)	ysgubell (b)
er/sie/es hat **besessen** [besitzen]	roedd e/hi'n perchen
besetzt	prysur, llawn
besichtigen (gw)	ymweld â
besitzen	eiddo, perchenogi, meddiannu
(besaß-besessen)	
der **Besitzer** (-)	perchennog (g)
besonderer	arbennig
besonders	yn arbennig, yn enwedig, yn anad dim
besorgen (gw)	mynd i gael, prynu; trefnu
besorgt	pryderus, gofidus
besprechen (i-a-o)	trafod
besser [gut]	gwell
die **Besserung** (-en)	gwellhad (g), adferiad (g) iechyd
baldige Besserung	gwellhad buan
bestätigen (gw)	cadarnhau
die **Bestätigung** (-en)	cadarnhad (g)
beste(r/s) [gut]	gorau
bestehen	pasio, llwyddo; bodoli; cynnwys; taeru,
(bestand-bestanden)	mynnu
besteigen (ei-ie-ie)	esgyn, mynd lan, mynd i fyny
bestellen (gw)	archebu, gofyn am

die	**Bestellung** (-en)	archeb (b)
	bestimmt	arbennig, yn bendant, yn sicr
der	**Besuch** (-e)	ymweliad (g); ymwelydd (g)
	besuchen (gw)	ymweld, edrych am
der	**Besucher** (-)	ymwelwr (g), ymwelydd (g)
	beten (gw)	gweddïo
der	**Beton**	concrit (g)
	betreffen (i-a-o)	ymwneud â
	betreten (i-a-e)	dod i mewn
	betreten schauen	edrych yn euog neu'n lletchwith/chwithig
die	**Betreuung** (-en)	gofal (g), ymgeledd (g), amgeledd (g)
das	**Bett** (-en)	gwely (g)
der	**Bettler** (-)	cardotyn (g)
die	**Bettwäsche** (-n)	dillad (ll) gwely
	beunruhigt	gofidus
der	**Beutel** (-)	cwd (g), cwdyn (g)
	bevor	cyn; rhag
	bevorzugen (gw)	bod yn well gan
	bewachen (gw)	gwarchod
	bewohnen (gw)	byw, preswylio, trigo
der	**Bewohner** (-)	trigolyn (g), preswyliwr (g), preswylydd (g)
	bewölkt	cymylog
	bewundern (gw)	edmygu
	bezahlen (gw)	talu am
die	**Beziehung** (-en)	perthynas (gb), cysylltiad (g)
	bezüglich	ynglŷn â, yn ymwneud â
die	**Bibliothek** (-en)	llyfrgell (b)
der	**Bibliothekar** (-e)	llyfrgellydd (g)
die	**Bibliothekarin** (-nen)	llyfrgellwraig (b)
	biegen (ie-o-o)	camu, plygu
das	**Bier** (-e)	cwrw (g)
das	**Bierfest** (-e)	gŵyl (b) gwrw
der	**Bierkrug** (-¨e)	jwg (b) gwrw
	bieten (ie-o-o)	cynnig
der	**Bikini** (-s)	bicini (g)
das	**Bild** (-er)	llun (g), darlun (g)
	bilden (gw)	ffurfio
der	**Bildschirm** (-e)	sgrîn (b)

	billig	rhad, rhesymol
ich	**bin** [sein]	rwyf fi, rydw i
	binden (i-a-u)	rhwymo, clymu
die	**Biologie**	bioleg (b), bywydeg (b)
das	**Biologielabor** (-e)	labordy (g) bioleg
das	**Biotop** (-e)	man byw (g), cynefin (g), bïotop (g)
die	**Birke** (-n)	bedwen (b)
die	**Birne** (-n)	gellygen (b), peren (b)
	bis	hyd, tan, hyd at
	bis bald	hyd nes ymlaen, wela i ti/chi cyn bo hir
	bis gleich	hyd nes ymlaen
	bis zu(m/r)	hyd y, i'r
	bisher	hyd yn hyn
ein	**bißchen**	ychydig, tipyn; braidd
ein	*bißchen früh*	braidd yn gynnar
du	**bist** [sein]	rwyt ti
	bitte	os gwelwch yn dda
	bitte!	croeso [ar ôl diolch]
wie	*bitte*	beth ddwedoch chi?
	bitte schön!	hwdiwch, dyma chi
die	**Bitte** (-n)	deisyfiad (g), dymuniad (g)
	bitten (i-a-e)	gofyn am, deisyf, erfyn
	blasen (ä-ie-a)	chwythu
das	**Blasorchester** (-)	cerddorfa (b) bres
das	**Blatt** (-¨er)	deilen (b), dalen (b)
	blau	glas
ins	**Blaue** fahren	taith (b) ddirgel
die	**Blaumeise** (-n)	titw (g) tomos las
der	**Blauwal** (-e)	morfil (g) glas
	bleiben (ei-ie-ie)	aros; parhau
	bleifrei	di-blwm
der	**Bleistift** (-e)	pensel (b)
der	**Blick** (-e)	golwg (g), trem (b)
der	**Blinddarm**	coluddyn (g) crog, pendics (g)
	blinken (gw)	dangos; fflachio, pefrio
der	**Blinker** (-)	cyfeirydd (g), cyfeiriwr (g) [car]
der	**Blitz** (-e)	mellten (b), llucheden (b); fflach (b)
	blitzen (gw)	melltennu, lluchedu; fflachio
die	**Blockflöte** (-n)	ffliwt (b) bren
	blockiert	wedi blocio, wedi'i rwystro

	blöd	hurt, twp, gwirion
	blond	gwallt golau
	bloß	dim ond
die	**Blume** (-n)	blodeuyn (g), blodyn (g)
das	**Blumenhemd** (-en)	crys â phatrwm blodau arno
der	**Blumenkohl**	blodfresychen (b)
die	**Bluse** (-n)	blows (b), crys (g) merch
das	**Blut**	gwaed (g)
die	**Bockwurst** (-¨e)	selsigen (b) wedi'i berwi
der	**Boden** (-¨)	llawr (g), daear (b)
am	*Boden*	ar y llawr
die	**Bohne** (-n)	ffäen (b), ffeuen (b)
der	**Bon** (-s)	taleb (b)
der/das	**Bonbon** (-s)	losin (g), melysion (ll), fferen (b), da-da (g)
das	**Boot** (-e)	cwch (g), bad (g)
der	**Boß** (-sse)	meistr (g), bos (g)
der	**Bouillonwürfel** (-)	ciwb (g) cawl, OXO-ciwb (g)
die	**Bowle** (-n)	pwns (g) [diod]
er/sie/es	**brachte** [bringen]	daeth e/hi â
	Brandenburg	talaith yn nwyrain yr Almaen
	Brasilien	Brasil
	braten (ä-ie-a)	ffrio
die	**Bratkartoffel** (-n)	taten (b) wedi'i ffrio
die	**Bratpfanne** (-n)	padell (b) ffrio
	brauchen (gw)	bod mewn angen
	braun	brown
	bräunen (gw)	troi'n frown; cael lliw haul, torheulo
	brav	da, ufudd
	brechen (i-a-o)	torri
	breit	llydan, eang
	Bremen	dinas a thalaith yn yr Almaen
die	**Bremse** (-n)	brêc (g)
	bremsen (gw)	brecio, arafu
	brennen (brannte-gebrannt)	llosgi, bod ar dân
das	**Brettspiel** (-e)	gêm (b) fwrdd
die	**Brezel** (-n)	pretsel (gb), toes (g) wedi'i bobi mewn siâp 8
der	**Brief** (-e)	llythyr (g)

der	**Brieffreund** (-e)	cyfaill (g) llythyru, ffrind (g) llythyru
die	**Brieffreundin** (-nen)	cyfeilles (b) lythyru, ffrind (g) llythyru
die	**Brieffreundschaft** (-en)	cyfeillach (b) drwy'r post
der	**Briefkasten** (-̈)	blwch (g) post, blwch (g) llythyrau
die	**Briefmarke** (-n)	stamp (g)
der	**Briefmarkenautomat** (-en)	peiriant (g) gwerthu stampiau
die	**Brieftasche** (-n)	ysgrepan (b), waled (b)
der	**Briefträger** (-)	postmon (g), dyn (g) post
die	**Briefträgerin** (-nen)	merch (b) bost, postmones (b)
die	**Brille** (-n)	sbectol (b)
	bringen (brachte-gebracht)	dod â
das	*bringt nichts*	does dim pwynt yn hynny
der	**Brite** (-n)	Prydeiniwr (g)
die	**Britin** (-nen)	Prydeinwraig (b)
	britisch	Prydeinig
die	**Broschüre** (-n)	llyfryn (g), pamffledyn (g)
das	**Brot** (-e)	bara (g)
das	**Brötchen** (-)	rholyn (g) bara, cwgen (b)
die	**Brücke** (-n)	pont (b)
der	**Bruder** (-̈)	brawd (g)
	Brüssel	Brwsel (b)
die	**Brust** (-̈e)	bron (b), mynwes (b)
das	**Buch** (-̈er)	llyfr (g), nofel (b)
die	**Buche** (-n)	ffawydden (b)
	buchen (gw)	bwcio, archebu
das	**Bücherregal** (-e)	silff (b) lyfrau
die	**Buchhandlung** (-en)	siop (b) lyfrau
der	**Buchstabe** (-n)	llythyren (b)
	buchstabieren (gw)	sillafu
die	**Bude** (-n)	stondin (gb)
das	**Büffet** (s)	stondin (gb) byrbryd
das	**Bügeleisen** (-)	haearn (g) smwddio
	bügeln (gw)	smwddio
	bummeln (gw)	loetran, rhodio, tindroi
das	**Bundesland** (-̈er)	talaith (b) ffederal
die	**Bundesrepublik**	Gweriniaeth (b) Gynghreiriol yr Almaen
die	**Bundesstraße** (-n)	priffordd (b), heol (b) ffederal
die	**Bundeswehr**	Byddin (b) Ffederal yr Almaen

der	**Bungalow** (-s)	byngalo (g), tŷ (g) unllawr
	bunt	lliwgar, amryliw
die	**Burg** (-en)	castell (g)
der	**Bürger** (-)	dinesydd (g)
der	**Bürgermeister** (-)	maer (g)
der	**Bürgersteig** (-e)	pafin (g), palmant (g)
das	**Büro** (-s)	swyddfa (b)
die	**Bürste** (-n)	brws (g)
der	**Bus** (-se)	bws (g)
der	**Busfahrer** (-)	gyrrwr (g) bws
die	**Bushaltestelle** (-n)	arhosfa (b) fysiau, gorsaf (b) fysiau
der	**Büstenhalter** (-)	bra (g), bronglwm (g)
die	**Butter**	menyn (g)
das	**Butterbrot** (-e)	bara (g) menyn

Café - Currywurst

das	**Café** (-s)	caffi (g)
der	**Campingartikel** (-)	darn (g) o gyfarpar gwersylla
der	**Campingbus** (-se)	fan (b) wersylla
der	**Campingplatz** (-ʺe)	maes (g) pebyll, parc (g) carafanau
der	**Campingwagen** (-)	fan (b) wersylla
der	**Caravan** (-s)	carafán (b)
die	**CD (Compact-Disc)** (-s)	cryno-ddisg (g)
der	**CD-Spieler** (-)	peiriant (g) cryno-ddisg
der	**Champagner** (-)	siampaen (gb)
die	**Chance** (-n)	cyfle (g), siawns (b)
	chaotisch	di-drefn, anhrefnus
die	**Charaktereigenschaft** (-en)	nodwedd (b) o bersonoliaeth neu o gymeriad
der	**Charterflug** (-ʺe)	ehediad (g) siarter
der	**Chauffeur** (-e)	gyrrwr (g)
der	**Chef** (-s)	bos (g), meistr (g), pennaeth (g)
die	**Chemie**	cemeg (b)
das	**Chemielabor** (-e)	labordy (g) cemeg
	chinesisch	Tsieineaidd
die	**Chips** (pl)	creision (ll) tatws, crisbs (ll)
die	**Chipstüte** (-n)	cwdyn (g) creision
der	**Chirurg** (-en)	llawfeddyg (g)
der	**Chor** (-ʺe)	côr (g)
	christlich	Cristnogol
	Christus	Crist
	circa	mwy neu lai, tua
die	**City** (-s)	canol (g) dinas
die	**Clique** (-n)	grŵp o ffrindiau
das/die	**Cola** (-s)	Coca Cola
die	**Coladose** (-n)	can (g) Cola
der	**Comic** (-s)	stribed (g) comig, cartŵn (g)
der	**Computer** (-)	cyfrifiadur (g)
das	**Computerspiel** (-e)	gêm (b) gyfrifiadur
die	**Cornflakes** (pl)	creision (ll) ŷd
die	**Couch** (-en)	soffa (b)
der	**Cousin** (-s)	cefnder (g)
die	**Cousine** (-n)	cyfnither (b)
das	**Currypulver**	cyrri (g)
der	**Curryreis**	reis (g) cyrri
die	**Currysoße** (-n)	saws (g) cyrri
die	**Currywurst** (-ʺe)	sosej (b) gyrri

da	yma/yna, dyna; oherwydd, achos, oblegid, am fod
dieser **da**	hwn fan hyn
da *drüben*	dacw, draw fan yna
dabei	yn bresennol; er bod
das **Dach** (-"er)	to (g)
der **Dachboden** (-")	taflod (b), atig (gb)
er/sie/es **dachte** [denken]	meddyliodd, credodd
dahin	yno, tuag yno
damals	pryd hynny
die **Dame** (-n)	dynes (b), boneddiges (b)
das **Damespiel** (-e)	draffts (ll) [gêm]
damit	er mwyn
der **Dampf** (-"e)	ager (g), stêm (g)
danach	wedyn, ar ôl hynny
daneben	nesa ato
Dänemark	Denmarc
danke	diolch
danke schön	diolch yn fawr
danken (gw)	diolch
nichts zu **danken**	croeso, dim o gwbl
dann	wedyn; felly
er/sie/es **darf** [dürfen]	mae ganddo ganiatâd
das	y, yr, 'r [y fannod ganolrywaidd]
daß	ei fod e; taw, mai
dasselbe	yr un
das **Datum** (Daten)	dyddiad (g)
die **Dauer**	parhad (g), cyfnod (g)
dauern (gw)	cymryd [amser]; para, parhau
der **Daumen** (-)	bawd (gb)
den **Daumen** *halten*	croesi bysedd
dazu	yn ychwanegol, at hynny
die **DDR** [Deutsche Demokratische Republik]	Gweriniaeth (b) Ddemocrataidd yr Almaen
die **Decke** (-n)	blanced (b), cwrlid (g), carthen (b); nenfwd (b)
der **Deckel** (-)	caead (g); clawr (g)
decken (gw)	gorchuddio

den Tisch decken		gosod y bwrdd, arlwyo/hulio'r bwrdd
der	**Defekt** (-e)	diffyg (g), nam (g)
die	**Definition** (-en)	diffiniad (g), ystyr (gb)
	dein [du]	dy
die	**Dekoration** (-en)	addurn (g)
	dekorieren (gw)	addurno
	dem [der, das]	y, yr, 'r
	den [der]	y, yr, 'r
	den [die]	y, yr, 'r
	denken (dachte-gedacht)	meddwl; credu
das	**Denkmal** (-¨er)	cofgolofn (b), cofeb (b)
	denn	oherwydd, achos; felly
	deprimierend	diflas, torcalonnus, trist
	deprimiert	digalon, pruddglwyfus, siomedig, diflas
	der	y, yr, 'r [y fannod wrywaidd]
	der [die]	y, yr, 'r
	derselbe	yr un (g)
	des [der, das]	y, yr, 'r
	deshalb	oherwydd hynny, am hynny
	dessen	y ... ei (g) [S. *whose*]
der Mann,	*dessen Bruder im Krieg fiel*	y dyn y lladdwyd ei frawd yn y rhyfel [S. *whose*]
	deswegen	oherwydd hynny, am hynny
das	**Detail** (-s)	manylyn (g), manylion (ll)
	detailliert	manwl
der	**Detektiv** (-e)	ditectif (g)
	deutlich	clir
	deutsch	Almaenig, Almaenaidd
	Deutsch	Almaeneg (b) [iaith]
auf	*Deutsch*	yn Almaeneg
der/die	**Deutsche**	Almaenwr (g), Almaenes (b)
	Deutschland	yr Almaen
die	**Devisen** (pl)	arian (g) estron, arian (g) tramor
der	**Dezember**	[mis] Rhagfyr (g)
das	**Diagramm** (-e)	diagram (g)
der	**Dialekt** (-e)	tafodiaith (b)
der	**Dialog** (-e)	deialog (g), sgwrs (b), ymgom (b), ymddiddan (g)

die	**Diät** (-en)	diet (g)
	dich [du]	ti
der	**Dichter** (-)	bardd (g)
	dick	tew; trwchus
	die	y, yr, 'r [y fannod fenywaidd a lluosog]
der	**Dieb** (-e)	lleidr (g)
der	**Diebstahl** (-¨e)	lladrad (g)
die	**Diebstahlsicherung** (-en)	offer (ll) gwrthladrad
die	**Diele** (-n)	cyntedd (g), ystafell (b) groeso; coridor (g)
	dienen (gw)	gweini, gwasanaethu
der	**Dienst** (-e)	gwasanaeth (g)
der	**Dienstag** (-e)	dydd Mawrth (g)
	dienstags	bob dydd Mawrth (g)
	diese(r/s)	hwn, hon, hyn
	dieselbe	yr un (b)
die	**Digitaluhr** (-en)	oriawr (b), wats (b) ddigidol
	diktieren (gw)	arddweud
das	**Ding** (-e)	peth (g)
	dir [du]	ti
	direkt	syth, uniongyrchol, diŵyro
die	**Diskette** (-n)	disg (gb) hyblyg
das	**Diskettenlaufwerk** (-e)	peiriant (g) disg hyblyg
die	**Disko** (-s)	disgo (g)
die	**Diskothek** (-en)	disgo (g)
	diskutieren (gw)	trafod, siarad
	doch	ond ie, ond wrth gwrs; beth bynnag; ond
das	**Dokument** (-e)	dogfen (b), ffeil (b)
der	**Dokumentarfilm** (-e)	ffilm (b) ddogfennol, adroddiad (g) ffeithiol
der	**Dolmetscher** (-)	cyfieithydd (g)
die	**Dolmetscherin** (-nen)	cyfieithwraig (b)
der	**Dom** (-e)	eglwys (b) gadeiriol
	donnern (gw)	taranu, tyrfo, trwsto
der	**Donnerstag** (-e)	dydd Iau (g)
	donnerstags	bob dydd Iau (g)
	doof	hurt, ffôl, twp
	Doppel-	dwbl
das	**Doppelhaus** (-¨er)	tŷ (g) pâr, tŷ (g) dan yr un to, gefeilldy (g)
	doppelt	dwbl

das	**Doppelzimmer** (-)	ystafell (b) wely dwbl
das	**Dorf** (-¨er)	pentref (g)
	dort	yna, acw, yno
	dort drüben	draw fan'na, draw fan'cw
die	**Dose** (-n)	blwch (g), bocs (g), can (g), tun (g)
die	**Dosenmilch**	llaeth (g) anwedd, llaeth (g) tun
der	**Dosenöffner** (-)	agorwr (g) tun, teclyn (g) agor tun
der	**Drache** (-n)	draig (b)
sich	**dran/machen** (gw)	mynd ati i, ymroi i
	dran sein	eich tro chi yw hi
ich bin	*dran*	fy nhro i yw hi
	drauf	uwchben, ar ei ben
	draußen	tu allan, tu fas
	dreckig	budr, brwnt
	drei	tri (g), tair (b)
das	**Dreieck** (-e)	triongl (g)
	dreieckig	trionglog
das	**Dreifamilienhaus** (-¨er)	tŷ i dri theulu
	dreißig	tri deg, deg ar hugain
	dreiunddreißig	tri deg tri
	dreizehn	un deg tri, tri (g)/tair (b) ar ddeg
der	**Drilling** (-e)	tripled (g)
	dringend	taer, pwysig; ar frys
	drinnen	tu mewn
	dritte(r/s)	trydydd (g), trydedd (b)
zu	*dritt*	tri (g)/tair (b) ohonyn nhw
das	**Drittel** (-)	traean (g), un rhan o dair
die	**Drogerie** (-n)	fferyllfa (b)
	drüben	acw, yno; ar yr ochr arall
da	*drüben*	dacw, draw fan 'na
der	**Druck** (-¨e)	gwasgedd (g), pwysedd (g)
der	**Druckbuchstabe** (-n)	llythyren (b) argraffu
	drucken (gw)	argraffu
	drücken (gw)	gwasgu, pwyso ar
der	**Drucker** (-)	argraffydd (g)
	du	ti
	dufte	bendigedig, campus, penigamp
	dumm (dümmer, am dümmsten)	twp, gwirion, dwl, hurt
der	**Dummkopf** (-¨e)	twpsyn (g), ynfytyn (g), ffŵl (g)

die **Düne** (-n)	twyn (g)
dunkel (dunkler, am dunkelsten)	tywyll
dunkelbraun	brown tywyll
dünn	tenau; main
durch (+acc)	trwy; gyda
durchbrechen (i-a-o)	mynd trwyddo, torri trwyddo
durcheinander	ffwndrus; anniben, trwy'r trwch, wedi drysu
der **Durchfall** (-¨e)	dolur (g) rhydd, rhyddni (g)
durch/führen (gw)	arwain trwyddo; cyflawni
durch/geben (i-a-e)	darlledu
die **Durchsage** (-n)	darllediad (g), cyflwyniad (g) radio
der **Durchschnitt** (-e)	cyfartaledd (g)
im Durchschnitt	ar gyfartaledd
durchschnittlich	cyffredin; ar gyfartaledd
durch/streichen (ei-i-i)	croesi allan
dürfen (darf-durfte-gedurft)	mae caniatâd ganddo
der **Durst**	syched (g)
Durst haben	bod â syched arnoch
Durst löschen	torri syched
durstig	sychedig
die **Dusche** (-n)	cawod (b)
duschen (gw)	cymryd cawod
das **Düsenflugzeug** (-e)	awyren (b) jet
sich **duzen** (gw)	dweud "ti" wrth rhywun, galw rhywun yn "ti"
dynamisch	deinamig, sionc, egnïol

	eben	fflat, gwastad; yn union, yn hollol; nawr
er ist	*eben gegangen*	mae e newydd fynd
	ebenfalls	hefyd
	echt	dilys, go iawn, gwir, diffuant
die	**Ecke** (-n)	cornel (gb), congl (b)
	egal	difater, dim ots
es ist mir	*egal*	does dim ots gennyf fi
	egoistisch	hunanol, myfïol, egoistaidd
die	**Ehe** (-n)	priodas (b)
	ehemalig	cyn-
	eher	braidd; yn hytrach
	ehrlich	gonest, didwyll
das	**Ei** (-er)	ŵy (g)
das gekochte	*Ei*	ŵy (g) wedi'i ferwi
die	**Eiche** (-n)	derwen (b)
das	**Eichhörnchen** (-)	gwiwer (b)
der	**Eierbecher** (-)	cwpan (gb) ŵy
das	**Eigelb** (-)	melynwy (g)
	eigen	ei hun
mein	*eigenes Auto*	fy nghar fy hun
	eigentlich	mewn gwirionedd, a dweud y gwir
das	**Eigentum** (-"er)	eiddo (g)
der	**Eigentümer** (-)	perchennog (g)
die	**Eigentumswohnung** (-en)	fflat (b) rhydd-daliadol
	eilig	brysiog, prysur
der	**Eilzug** (-"e)	trên (g) lled gyflym
	ein(e)	un
	eine(r/s)	un
der	*eine ... der andere*	y naill ... y llall
	ein bißchen	ychydig, tipyn; braidd
	einarmig	gyda un fraich
der	**Einbau** (-e)	arsefydliad (g)
	ein/biegen (ie-o-o)	troi mewn i stryd [mewn car]
der	**Einbruch** (-"e)	toriad (g) i mewn i dŷ, lladrad (g)
der	**Eindruck** (-"e)	argraff (b)
	einerseits	ar un ochr, ar yr un llaw
	einerseits ... andererseits	ar yr un llaw ... ar y llaw arall
	einfach	hawdd; syml, diaddurn; unffordd [tocyn]
	ein/fädeln (gw)	trefnu, cynllwynio

die	**Einfahrt** (-en)	mynedfa (b)
das	**Einfamilienhaus** (-¨er)	tŷ (g) un teulu
der	**Einfluß** (-¨sse)	dylanwad (g)
	ein/füllen (gw)	llenwi, llanw
der	**Eingang** (-¨e)	mynedfa (b)
die	**Eingangshalle** (-n)	cyntedd (g), ystafell (b) groeso , derbynfa (b)
	eingerichtet	wedi'i ddodrefnu
	ein/gießen (ie-o-o)	arllwys, tywallt
der/die	**Einheimische** (-n)	pobl (b) leol
	einheitlich	unffurf, unfarn
	ein/heizen (gw)	cynhesu, gwresogi, twymo
	einige	rhai, rhywfaint, ychydig
	einigermaßen	gweddol, i raddau
der	**Einkauf** (-¨e)	siopa (g)
	ein/kaufen (gw)	siopa
der	**Einkaufsbummel** (-)	mynd am dro (g) i siopa, crwydro siopau
die	**Einkaufsliste** (-n)	rhestr (b) siopa
die	**Einkaufstüte** (-n)	bag (g) siopa
das	**Einkaufszentrum** (-zentren)	canolfan (gb) siopa
der	**Einkaufszettel** (-)	rhestr (b) siopa
der	**Einklang** (-¨e)	cytundeb (g), unfrydedd (g)
	ein/laden (ä-u-a)	gwahodd
die	**Einladung** (-en)	gwahoddiad (g)
sich	**ein/leben** (gw)	ymgartrefu, ymsefydlu
die	**Einleitung** (-en)	rhagarweiniad (g), rhagair (g)
	ein/lösen (gw)	newid [siec]
	einmal	unwaith; un tro
auf	*einmal*	yn sydyn
noch	*einmal*	unwaith eto
	einmalig	unigryw, dihafal
	ein/nehmen (i-a-o)	cymryd, bwyta
	ein/ordnen (gw)	trefnu, rhoi mewn trefn, dosbarthu
	ein/reiben (ei-ie-ie)	rhwbio
	ein/richten (gw)	dodrefnu
die	**Einrichtung** (-en)	dodrefn (ll), celfi (ll)
	eins	un
	ein/schalten (gw)	cynnau, troi ymlaen
	ein/schlafen (ä-ie-a)	syrthio/cwympo i gysgu

37

	ein/stecken (gw)	rhoi mewn [e.e. plwg]; pocedu
	ein/steigen (ei-ie-ie)	mynd i mewn, mynd ar
der	**Einstieg** (-e)	mynedfa (b)
	ein/stürzen (gw)	torri lawr, dymchwel, llewygu, disgyn
	ein/tauchen (gw)	plymio; trochi, ymdrochi
	ein/tippen (gw)	teipio i mewn, bwydo
der	**Eintopf** (-˙e)	stiw (g), lobsgows (g)
	ein/tragen (ä-u-a)	cofrestru, cofnodi
der	**Eintritt** (-e)	tâl (g) mynediad
	Eintritt frei	mynediad (g) am ddim
die	**Eintrittskarte** (-n)	tocyn (g) mynediad
	einundzwanzig	dau ddeg un, un ar hugain
	einverstanden	iawn, cytun
	ein/wandern (gw)	mewnfudo
	ein/werfen (i-a-o)	taflu i mewn; postio
der	**Einwohner** (-)	dinesydd (g), trigolyn (g)
der	**Einwurf** (-˙e)	tafliad (g)
die	**Einzahl**	ffurf (b) unigol
der	**Einzelfahrschein** (-e)	tocyn (g) sengl
die	**Einzelheit** (-en)	manylyn (g), manylion (ll)
das	**Einzelkind** (-er)	unig blentyn (g)
	einzeln	un ar ôl y llall; rhai
das	**Einzelzimmer** (-)	ystafell (b) wely sengl
	ein/ziehen (zog ein- eingezogen)	symud i mewn
	einzig	unig
die	**Einzimmerwohnung** (-en)	fflat (b) un ystafell wely
das	**Eis**	iâ (g), rhew (g); hufen (g) iâ
die	**Eisbahn** (-en)	llwybr (g) sglefrio, neuadd (b) sglefrio
der	**Eisbecher** (-)	cwpan (gb) hufen iâ, cwpanaid hufen (gb) iâ
die	**Eisbude** (-n)	stondin (gb) hufen iâ
das	**Eiscafé** (-s)	caffi (g) hufen iâ
die	**Eisdiele** (-n)	siop (b) hufen iâ
das	**Eisen** (-)	haearn (g)
die	**Eisenbahn** (-en)	rheilffordd (b)
	eiskalt	rhewllyd
	eis/laufen (äu-ie-au)	sglefrio
die	**Eissorte** (-n)	math neu flas o hufen iâ

das	**Eisstadion** (-stadien)	stadiwm (b) iâ [ar gyfer chwaraeon ar iâ]
das	**Eiweiß**	gwynnwy (g); protein (g)
der	**Elefant** (-en)	eliffant (g)
der	**Elektriker** (-)	trydanwr (g)
	elektrisch	trydanol
die	**Elektrizität**	trydan (g), ynni (g) trydanol
der	**Elektro-Ofen** (-Öfen)	popty (g) trydanol, cwcer (gb)
der	**Elektroherd** (-e)	ffwrn (b) drydanol, cwcer (gb)
der	**Elektrotechniker** (-)	peiriannydd (g) trydan
das	**Elend**	tlodi (g); diflastod (g)
	elf	un ar ddeg, un deg un
	elfte(r/s)	unfed ar ddeg
der	**Ellbogen** (-)	penelin (gb)
der	**Ellenbogen** (-)	penelin (gb)
die	**Eltern** (pl)	rhieni (ll)
der	**Empfang** (-¨e)	derbyniad (g), croeso (g); derbynfa (b)
das	**Empfangsbüro** (-s)	swyddfa (b) groesawu, derbynfa (b)
	empfangen (ä-i-a)	derbyn, cael; croesawu
	empfehlen (ie-a-o)	argymell, cymeradwyo
das	**Ende** (-n)	diwedd (g), terfyn (g); gwaelod (g), pen (g)
zu	*Ende*	ar ben
	enden (gw)	gorffen, dod i ben, terfynu, dibennu
	endlich	o'r diwedd
	endlos	diddiwedd
der	**Endpreis** (-e)	pris (g) terfynol
	eng	cul, cyfyng; tyn
der	**Engel** (-)	angel (g)
	England	Lloegr (b)
der	**Engländer** (-)	Sais (g)
die	**Engländerin** (-nen)	Saesnes (b)
	englisch	Seisnig
	Englisch	Saesneg (b) [iaith]
der	**Enkel** (-)	ŵyr (g)
die	**Enkelin** (-nen)	wyres (b)
	enorm	enfawr, dirfawr
	entdecken (gw)	darganfod, dod o hyd i
die	**Ente** (-n)	hwyaden (b)
	entfernt	pell
die	**Entfernung** (-en)	pellter (g)

	entführen (gw)	herwgipio
	enthalten (ä-ie-a)	cynnwys
	entkommen (o-a-o)	dianc
	entlang (+dat/+acc)	ar hyd
	entnehmen (i-a-o)	cymryd
	entscheiden (ei-ie-ie)	penderfynu
die	**Entscheidung** (-en)	penderfyniad (g), dewisiad (g)
	entschuldigen (gw)	esgusodi, maddau; ymddiheuro
die	**Entschuldigung** (-en)	esgus (g)
der	**Entschuldigungszettel** (-)	nodyn (g) esgusodi
	entsetzlich	dychrynllyd
	entspannt	hamddenol, digynnwrf, wedi ymlacio
	entsprechen (i-a-o)	cyfateb
	entstehen (entstand-entstanden)	tarddu, deillio; datblygu
	enttäuscht	siomedig
	entweder ... oder	naill ai ... neu
	entwerfen (i-a-o)	dylunio, cynllunio
	entwerten (gw)	stampio, tyllu [tocyn]; gwneud yn ddiwerth
der	**Entwerter** (-)	peiriant (g) stampio tocynnau mewn bws a.y.y.b.
	entwickeln (gw)	datblygu, cynyddu
die	**Entzündung** (-en)	llid (g), enyniad (g)
die	**Epoche** (-n)	cyfnod (g), oes (b)
	er	ef, fe, fo, e, o
	erbrechen (i-a-o)	cyfogi, chwydu
die	**Erbse** (-n)	pysen (b)
die	**Erdbeere** (-n)	mefusen (b), syfïen (b)
das	**Erdbeereis**	hufen (g) iâ blas mefus
die	**Erdbeertorte** (-n)	tarten (b) mefus
die	**Erde** (-n)	pridd (g), daear (b)
das	**Erdgeschoß** (-sse)	llawr (g) isaf, daearlawr (g)
die	**Erdkunde**	daearyddiaeth (b)
die	**Erdnuß** (-̈sse)	pysgneuen (b)
sich	**ereignen** (gw)	digwydd
das	**Ereignis** (-se)	digwyddiad (g), achlysur (g)
die	**Erfahrung** (-en)	profiad (g)
	erfassen (gw)	deall, amgyffred

	erfinden (i-a-u)	dyfeisio
der	**Erfinder** (-)	dyfeisydd (g), darganfyddwr (g)
der	**Erfolg** (-e)	llwyddiant (g)
	erfolgreich	llwyddiannus
	erforderlich	angenrheidiol
	erfrischen (gw)	adfywio, dadflino, dadebru
	erfrischend	adfywiol, adfywhaol
die	**Erfrischung** (-en)	diod (b) oer
	erfüllen (gw)	cyflawni; ateb
das	**Ergebnis** (-se)	canlyniad (g)
	ergreifen (ei-i-i)	gafael
	erhalten (ä-ie-a)	derbyn, ennill; diogelu, cadw
sich	**erheben** (e-o-o)	codi, esgyn
	erhitzen (gw)	poethi, twymo
sich	**erholen** (gw)	ymlacio, hamddena
das	**Erholungsgebiet** (-e)	ardal (g) hamdden, ardal (g) wyliau
	erinnern (gw)	atgoffa
sich	**erinnern** (gw)	cofio
die	**Erinnerung** (-en)	coffâd (g), cof (g)
sich	**erkälten** (gw)	dal annwyd
	erkältet	anwydog, anwydus
die	**Erkältung** (-en)	annwyd (g)
	erkennen (erkannte, erkannt)	adnabod
	erklären (gw)	esbonio, egluro
sich	**erkundigen** (gw)	holi
	erlauben (gw)	caniatáu
die	**Erlaubnis** (-se)	caniatâd (g), cennad (b)
	erleben (gw)	profi, mynd trwy brofiad, cael profiad
das	**Erlebnis** (-se)	profiad (g)
	erledigen (gw)	cyflawni, gwneud, dwyn i ben
	erleichtern (gw)	gwneud yn haws
die	**Ermäßigung** (-en)	gostyngiad (g), pris (g) gostyngol
sich	**ernähren** (gw)	bwyta
die	**Ernährung** (-en)	diet (g), lluniaeth (g), ymborth (g)
	ernennen (ernannte-ernannt)	apwyntio, penodi
	erneuern (gw)	adnewyddu
	ernst	difrifol
	ernsthaft	difrif, o ddifrif, dwys

	ernstlich	difrifol, difrif, dwys
	eröffnen (gw)	agor [am y tro cyntaf]
	erraten (ä-ie-a)	dyfalu
	erreichen (gw)	cyrraedd; llwyddo
der	**Ersatz** (-ˈe)	amnewid (gb), ailosodiad (g); ad-daliad (g)
die	**Ersatzkasse** (-n)	yswiriant (g) iechyd preifat
	erscheinen (ei-ie-ie)	ymddangos
	erschießen (ie-o-o)	saethu, lladd
	erschöpft	wedi ymlâdd, wedi blino'n lân
	erschrecken (i-a-o)	cael braw; dychryn
	erschrocken	ofnus
	ersetzen (gw)	rhoi yn lle, ailosod; ad-dalu
	erst	dim ond
	erst heute	dim ond heddiw
	erstatten (gw)	ad-dalu
Bericht	*erstatten*	adrodd, gohebu
	erste(r/s)	cyntaf
	ersticken (gw)	mogi, mygu
	ertönen (gw)	seinio, swnio
	ertragen (ä-u-a)	goddef
	ertrinken (i-a-u)	boddi
der/die	**Erwachsene** (-n)	oedolyn (g)
	erwähnenswert	yn werth sôn amdano
	erwärmen (gw)	cynhesu, gwresogi
	erwarten (gw)	disgwyl
	erwidern (gw)	ateb
	erwischen (gw)	dal
	erzählen (gw)	adrodd, sôn am
das	**Erzeugnis** (-se)	cynnyrch (g)
	erziehen (erzog-erzogen)	magu; addysgu
die	**Erziehung** (-en)	addysg (b)
gut	**erzogen** [erziehen]	wedi'i addysgu'n dda, wedi'i fagu'n dda
	es	fe, hi
	es gibt	mae, oes, mae'na
gibt	*es noch Kuchen?*	oes rhagor o deisen?
	es kommt darauf an	mae hi'n dibynnu
	es macht mir nichts aus	does dim ots gen i
	es steht dir	mae'n dy siwtio di

	es tut mir leid	mae'n ddrwg gen i
die	**Eßecke** (-n)	bwrdd bwyta a meinciau
	essen (ißt-aß-gegessen)	bwyta
auswärts	*essen*	bwyta allan
das	**Essen** (-)	bwyd (g), pryd (g) [o fwyd]
die	**Essenz** (-en)	craidd (g), hanfod (g), rhin (b)
der	**Essig** (-e)	finegr (g)
der	**Eßlöffel** (-)	llwy (b) [gawl]
der	**Eßtisch** (-e)	bwrdd (g) bwyd
das	**Eßzimmer** (-)	ystafell (b) fwyta
die	**Etage** (-n)	llawr (g), lefel (b)
das	**Etagenbett** (-en)	gwely (g) uwchben gwely arall, gwely (g) bync
das	**Etui** (-s)	cas (g)
	etwa	tua; efallai
	etwas	rhywbeth; rhywfaint, ychydig
	euch [ihr]	chi
	euer [ihr]	eich
	Europa	Ewrop
die	**Europäische Union**	yr Undeb (g) Ewropeaidd
der	**Europarat** (-¨e)	Cyngor (g) Ewrop
	eventuell	efallai, o bosibl
	exakt	i'r dim, yn union

die	**Fabrik** (-en)	ffatri (b)
der	**Fabrikarbeiter** (-)	gweithiwr (g) mewn ffatri
das	**Fach** (-¨er)	twll (g) colomen; testun (g), pwnc (g)
die	**Fachhochschule** (-n)	coleg (g) galwedigaethol, athrofa (b)
der	**Fachmann** (-¨er)	arbenigwr (g)
	fad	diflas, glastwraidd
der	**Faden** (-¨)	edau (b), edefyn (g)
	fähig	galluog, medrus
die	**Fähigkeit** (-en)	gallu (g), dawn (gb), talent (b)
die	**Fahndung** (-en)	chwilio (gb), chwiliad (g)
die	**Fahne** (-n)	baner (b)
der	**Fahrausweis** (-e)	cerdyn (g) teithio, tocyn (g) tymor
die	**Fähre** (-n)	fferi (b), cwch (g)
	fahren (ä-u-a)	mynd, teithio; gyrru
der	**Fahrer** (-)	gyrrwr (g)
der	**Fahrgast** (-¨e)	teithiwr (g)
das	**Fahrgeld** (-er)	arian (g) am docyn teithio
die	**Fahrkarte** (-n)	tocyn (g) teithio
der	**Fahrkartenschalter** (-)	cownter (g) tocynnau
der	**Fahrplan** (-¨e)	amserlen (b) deithio
die	**Fahrplanauskunft** (-¨e)	hysbysrwydd (g) am amser teithiau
das	**Fahrrad** (-¨er)	beic (g)
das	**Fahrradlicht** (-er)	golau (g) beic
die	**Fahrradtour** (-en)	taith (b) feicio
der	**Fahrschein** (-e)	tocyn (g) teithio
die	**Fahrschule** (-n)	ysgol (b) yrru
die	**Fahrt** (-en)	taith (b), siwrnai (b)
die	**Fahrtrichtung** (-en)	cyfeiriad (g) [ffordd]
	in Fahrtrichtung	ymlaen, o flaen
das	**Fahrzeug** (-e)	cerbyd (g), car (g)
	fair	teg, cyfiawn
der	**Fall** (-¨e)	cwymp (g), disgyniad (g); achos (g); cyflwr (g)
die	**Falle** (-n)	magl (b), annel (gb)
	fallen (ä-ie-a)	cwympo, disgyn, syrthio
	fallen/lassen (ä-ie-a)	gollwng
	falls	os; rhag ofn
	falsch	anghywir, cam, ffals, ffug
die	**Falte** (-n)	plet (b), plyg (g)
	falten (gw)	pletio, plygu

	familiär	teuluol, anffurfiol
die	**Familie** (-n)	teulu (g)
der	**Familienname** (-n)	cyfenw (g)
der	**Fan** (-s)	cefnogwr (g), selogyn (g)
	fangen (ä-i-a)	dal, cydio
	fantastisch	bendigedig, anhygoel
die	**Farbe** (-n)	lliw (g)
	färben (gw)	lliwio
der	**Farbfilm** (-e)	ffilm (b) liw
	farbig	lliwgar
der	**Farbstift** (-e)	pensel (b) liw
der	**Fasching** (-e)	carnifal (g)
die	**Faschingsmaske** (-n)	mwgwd (g) carnifal, masg (g)
das	**Faß** (-¨sser)	casgen (b), baril (gb), cerwyn (b)
	fast	bron, braidd
	fasten (gw)	ymprydio
der	**Fastenmonat** (-e)	mis (g) ymprydio
die	**Fastnacht**	Ynyd (g), Dydd Mawrth Ynyd
	faul	diog, dioglyd
	faulenzen (gw)	diogi
die	**Faustregel** (-n)	synnwyr (g) y fawd
das	**Fauteuil** (-s)	cadair (b) freichiau
der	**Februar**	[mis] Chwefror (g)
die	**Feder** (-n)	pluen (b)
der/das	**Federball** (-¨e)	badminton (gb)
	fehlen (gw)	bod yn absennol, eisiau, bod yn fyr o, angen i
der	**Fehler** (-)	bai (g), camgymeriad (g), gwall (g)
die	**Feier** (-n)	dathliad (g), gwledd (b)
der	**Feierabend** (-e)	hamdden (gb) gyda'r nos, wedi gwaith
	feiern (gw)	dathlu, clodfori, gwledda
der	**Feiertag** (-e)	gŵyl (b), diwrnod (g) o wyliau
der	**Feierzug** (-¨e)	gorymdaith (b)
	feige	llwfr
	fein	mân; braf, gwych, moethus
das	**Feld** (-er)	maes (g), cae (g)
der	**Felsen** (-)	craig (b)
das	**Fenster** (-)	ffenestr (b)
der	**Fensterplatz** (-¨e)	sedd (b) wrth y ffenestr
die	**Ferien** (pl)	gwyliau (ll)

45

das	**Ferienhaus** (-¨er)	tŷ (g) gwyliau
die	**Ferienpläne** (pl)	cynlluniau ar gyfer gwyliau
das	**Ferngespräch** (-e)	galwad (b) ffôn o bell
	ferngesteuert	yn cael ei reoli o bell, pell-reoledig
das	**Fernglas** (-¨er)	ysbienddrych (g), gwydrau (ll), binocwlars (ll)
	fern/gucken (gw)	gwylio'r teledu
das	**Fernrohr** (-e)	telesgop (g), ysbienddrych (g)
	fern/sehen (ie-a-e)	gwylio'r teledu
das	**Fernsehen**	teledu (g)
im	*Fernsehen*	ar y teledu
der	**Fernseher** (-)	teledu (g), set (b) deledu
der	**Fernsehfan** (-s)	rhywun sy'n hoffi gwylio'r teledu
der	**Fernsehraum** (-¨e)	ystafell (b) deledu
die	**Fernsehsendung** (-en)	rhaglen (b) deledu
der	**Fernsehturm** (-¨e)	tŵr (g) teledu
die	**Fernsteuerung** (-en)	rheolwr (g) o bell, rheolaeth (b) o bell
die	**Ferse** (-n)	sawdl (gb)
	fertig	parod, wedi gorffen; wedi blino'n lân
das	**Fertighaus** (-¨er)	tŷ (g) parod
die	**Fessel** (-n)	llyffethair (b), gefyn (g), hual (g),
	fest	cadarn, cryf, safadwy
das	**Fest** (-e)	gwledd (b)
die	**Festnahme** (-n)	y weithred o arestio
	fest/stehen (stand fest-festgestanden)	bod yn siwr, bod yn sicr
es steht	*fest, daß* ...	mae hi'n sicr mai ...
die	**Fete** (-n)	parti (g)
	fettig	seimllyd
das	**Fett** (-e)	saim (g), bloneg (g), braster (g)
	feucht	llaith
das	**Feuer** (-)	tân (g)
die	**Feuerwehr** (-en)	brigâd (b) dân
das	**Feuerwerk** (-e)	tân (g) gwyllt
das	**Fieber**	twymyn (b), gwres (g)
	fies	cas, brwnt, drwg
der	**Film** (-e)	ffilm (b)
der	**Filmstar** (-s)	seren (b) ffilm
	filtrieren (gw)	hidlo
der	**Filzstift** (-e)	pin (g) min ffelt

	finden (i-a-u)	ffeindio, dod o hyd i, darganfod
der	**Finger** (-)	bys (g) [llaw]
	fingerfertig	deheuig, dethau, medrus
	Finnland	y Ffindir
	Finnisch	Ffinneg (b) [iaith]
die	**Firma** (-en)	cwmni (g), ffyrm (gb)
der	**Fisch** (-e)	pysgodyn (g), cytser (g) y Pysgod
	fischen (gw)	pysgota
der	**Fischer** (-)	pysgotwr (g)
	fit	heini, iach
	flach	gwastad, fflat
die	**Fläche** (-n)	arwynebedd (g)
die	**Flakes** (pl)	creision (ll) ŷd
die	**Flasche** (-n)	potel (b)
der	**Fleck** (-e / -en)	staen (g); smotyn (g)
die	**Fledermaus** (-¨e)	ystlum (g)
	flehen (gw)	erfyn, ymbil, crefu
das	**Fleisch**	cig (g); cnawd (g)
die	**Fleischerei** (-en)	siop (b) gig
die	**Fleischwurst** (-¨e)	sosej (b), selsigen (b)
	fleißig	awyddus, diwyd
	fliegen (ie-o-o)	hedfan
	fliehen (ie-o-o)	ffoi, dianc
	fließen (ie-o-o)	llifo
	fließend	llifeiriol; rhugl
	flippern (gw)	chwarae pin-bêl
der	**Floh** (-¨e)	chwannen (b)
der	**Flohmarkt** (-¨e)	sêl (b)gist car, ffair (b) sborion
der	**Florist** (-en)	siop (b) flodau
die	**Flöte** (-n)	ffliwt (b)
	flott	cyflym, bywiog; crand, talïaidd
der	**Flug** (-¨e)	ehedfa (b), ehediad (g), taith (b) mewn awyren
der	**Flügel** (-)	adain (b), asgell (b)
der	**Flughafen** (-¨)	maes (g) awyr
der	**Flugplatz** (-¨e)	maes (g) awyr
das	**Flugzeug** (-e)	awyren (b)
der	**Flugzeugpilot** (-en)	peilot (g)
der	**Flur** (-e)	cyntedd (g), coridor (gb)
der	**Fluß** (-¨sse)	afon (b)
	flüssig	hylif, hylifol

die	**Folge** (-n)	dilyniant (g), pennod (b); canlyniad (g)
	folgen (gw)	dilyn; canlyn; ufuddhau
	folgend	canlynol, sy'n dilyn
	folgendermaßen	fel hyn
die	**Folie** (-n)	ffoil (g)
	folkloristisch	gwerin, gwerinol
der	**Fön** (-e)	sychwr (g) gwallt
	fordern (gw)	hawlio, galw ar
	fördern (gw)	cefnogi, hyrwyddo
die	**Forelle** (-n)	brithyll (g)
die	**Formel** (-n)	fformiwla (b)
das	**Formular** (-e)	ffurflen (b)
der	**Forscher** (-)	ysgolhaig (g), gwyddonydd (g), ymchwilydd (g)
die	**Forscherin** (-nen)	ysgolheiges (b)
	fort/fahren (ä-u-a)	ymadael, mynd i ffwrdd; mynd ymlaen
	fort/setzen (gw)	mynd ymlaen
die	**Fortsetzung** (-en)	parhad (g)
das	**Foto** (-s)	llun (g), ffotograff (g)
das	**Fotoalbum** (-alben)	albwm (gb) ffotograffau
der	**Fotoapparat** (-e)	camera (g)
der	**Fotograf** (-en)	ffotograffydd (g)
	fotografieren (gw)	tynnu llun
das	**Fotoquiz** (-e)	cwis (g) lluniau
	Fr. (Frau)	Bns. (b) (boneddiges)
der	**Frachter** (-)	llwythleiner (m)
das	**Frachtschiff** (-e)	llong (b) nwyddau
die	**Frage** (-n)	cwestiwn (g)
der	**Fragebogen** (-¨)	holiadur (g)
	fragen (gw)	gofyn, holi
der	**Franken** (-)	ffranc (g) [arian y Swistir]
	frankieren (gw)	stampio, rhoi stamp ar amlen
	Frankreich	Ffrainc
der	**Franzose** (-n)	Ffrancwr (g)
die	**Französin** (-nen)	Ffrances (b)
	französisch	Ffrengig
	Französisch	Ffrangeg (b) [iaith]
die	**Frau** (-en)	menyw (b), benyw (b), gwraig (b), merch (b)
das	**Fräulein** (-)	gweinyddes (b); merch (b) ddibriod

	frech	digywilydd, haerllug, eofn, ewn, hy
	frei	rhydd; am ddim
Eintritt	*frei*	mynediad am ddim
das	**Freibad** (-¨er)	pwll (g) nofio awyr agored
im	**Freien**	yn yr awyr agored
	frei/halten (ä-ie-a)	cadw, cadw'n ôl, cadw'n rhydd
die	**Freiheit** (-en)	rhyddid (g)
sich	**frei/machen** (gw)	diosg, dadwisgo
	freistehend	yn sefyll yn rhydd
der	**Freitag** (-e)	dydd Gwener (g)
	freitags	bob dydd Gwener (g)
	freiwillig	gwirfoddol
die	**Freizeit**	amser (g) rhydd, hamdden (gb)
die	**Freizeitbeschäftigung** (-en)	gweithgaredd (g) amser hamdden
das	**Freizeitzentrum** (-zentren)	canolfan (gb) hamdden
	fremd	dieithr, estron
die	**Fremdsprache** (-n)	iaith (b) estron
	fressen (i-a-e)	llowcio, traflyncu,
die	**Freude** (-n)	llawenydd (g), pleser (g), mwyniant (g)
mit	*Freude*	gyda phleser, â chroeso
sich	**freuen** (gw)	bod wrth eich bodd; edrych ymlaen
der	**Freund** (-e)	cyfaill (g), ffrind (g); cariad (gb)
die	**Freundin** (-nen)	cyfeilles (b), ffrind (g); cariad (gb)
	freundlich	cyfeillgar, caredig, hynaws
der	**Friede**	hedd (g), heddwch (g)
der	**Friedhof** (-¨e)	mynwent (b)
	frieren (ie-o-o)	rhewi; rhynnu, teimlo'n oer
der	**Fries** (-e)	ffrîs (b)
die	**Frikadelle** (-n)	torth fach o gig wedi'i ffrio
	frisch	ffres
der	**Friseur** (-e)	dyn (g) trin gwallt, torrwr (g) gwallt, barbwr (g)
die	**Friseurin** (-nen)	merch (b) trin gwallt
der	**Friseursalon** (-e)	siop (b) trin gwallt, siop (b) y barbwr
die	**Friseuse** (-n)	merch (b) trin gwallt
die	**Frisur** (-en)	steil (g) gwallt
die	**Friteuse** (-n)	peiriant (g) ffrio
	froh	balch, hapus

49

	frohe Ostern	Pasg (g) hapus
	frohe Weihnachten	Nadolig (g) llawen
	fröhlich	llawen, llon, siriol, dedwydd
	fröhliche Weihnachten	Nadolig (g) llawen
	fromm	crefyddol, duwiol
der	**Frosch** (-¨e)	broga (g), llyffant (g)
der	**Frost** (-¨e)	rhew (g)
	frostig	rhewllyd
die	**Frucht** (-¨e)	ffrwyth (g)
das	**Fruchteis**	hufen (g) iâ blas ffrwythau
der	**Fruchtsaft** (-¨e)	sudd (g) ffrwythau
	früh	cynnar
	früher	gynt; amser maith yn ôl
der	**Frühling** (-e)	gwanwyn (g)
die	**Frühschicht** (-en)	stem/sifft (b) gynnar, gwaith (g) boreol
das	**Frühstück** (-e)	brecwast (g)
	frühstücken (gw)	bwyta brecwast
	frühzeitig	yn gynnar
sich	**fühlen** (gw)	teimlo
	führen (gw)	arwain, tywys
der	**Führerschein** (-e)	trwydded (b) yrru
die	**Führung** (-en)	arweiniad (g)
	füllen (gw)	llenwi
der	**Füller** (-)	pin (g) inc, ysgrifbin (g) inc
das	**Fundbüro** (-s)	swyddfa (b) eiddo coll
	fünf	pump, pum
	fünfte(r/s)	pumed
	fünfzehn	pymtheg, un deg pump
	fünfzig	hanner cant, pum deg
	funkeln (gw)	disgleirio, gwreichioni
	funktionieren (gw)	gweithio, gweithredu
	für (+acc)	i, ar gyfer, dros, am
was	*für*	pa, pa fath
	für immer	am byth
	furchtbar	ofnadwy, erchyll, dychrynllyd
sich	**fürchten** (gw)	ofni
	fürchterlich	dychrynllyd
der	**Fuß** (-¨e)	troed (gb); troedfedd (b)
zu	*Fuß*	ar droed
der	**Fußball** (-¨e)	pêl-droed (b)

der	**Fußballschuh** (-e)	esgid (b) bêl-droed
das	**Fußballspiel** (-e)	gêm (b) bêl-droed
der	**Fußballspieler** (-)	pêl-droediwr (g), chwaraewr pêl-droed (g)
der	**Fußgänger** (-)	cerddwr (g)
die	**Fußgängerzone** (-n)	ffordd (b) gerddwyr, lle i gerddwyr yn unig
das	**Fußgelenk** (-e)	migwrn (g)
der	**Fußpilz** (-e)	tarwden (b) y traed, derwreinyn (g) y traed
das	**Futter**	bwyd (g), ymborth (g) [anifeiliaid]
	füttern (gw)	bwydo
der	**Füttertisch** (-e)	bwrdd (g) bwydo adar

G

die **Gabel** (-n)	fforc (b)
die **Galerie** (-n)	oriel (b)
das **Galgenspiel** (-e)	gêm (b) ["hangman"]
der **Gang** (-¨e)	cerddediad (g); coridor (gb); gêr (gb)
die **Gans** (-¨e)	gŵydd (b)
ganz	i gyd, holl, cyfan, oll; braidd, yn weddol
gänzlich	yn llwyr, yn hollol, yn gyfan gwbl
die **Ganztagsschule** (-n)	ysgol (b) drwy'r dydd
gar	cyfan, o gwbl
gar nicht	dim o gwbl
die **Garage** (-n)	garej (gb)
die **Garnele** (-n)	corgimwch (g)
der **Garten** (-¨)	gardd (b)
das **Gas** (-e)	nwy (g)
die **Gasflasche** (-n)	potel (b) nwy, cynhwysydd (g) nwy
der **Gast** (-¨e)	gwestai (g), ymwelydd (g)
zu Gast	ar ymweliad, fel ymwelydd
der **Gastarbeiter** (-)	gweithiwr estron (g)
die **Gästetoilette** (-n)	tŷ (g) bach ar gyfer gwesteion
das **Gästezimmer** (-)	ystafell (b) ymwelwyr, llety (g)
der **Gastgeber** (-)	host (g), gwahoddwr (g), gwesteiwr (g)
das **Gasthaus** (-¨er)	tafarn (b), gwesty (g)
der **Gasthof** (-¨e)	gwesty (g), tafarn (gb)
gastieren (gw)	lletya, ymweld
der **Gatte** (-n)	gwr (g), priod (gb)
die **Gattin** (-nen)	gwraig (b), priod (gb)
gebacken	pôb, wedi pobi
gebären (ie-a-o)	geni
das **Gebäude** (-)	adeilad (g)
der **Gebäudekomplex** (-e)	casgliad o adeiladau
geben (i-a-e)	rhoi, rhoddi
es gibt	mae, oes; bodoli
gibt es noch Kuchen?	oes rhagor o deisen?
das **Gebiet** (-e)	ardal (gb); maes (g)
das **Gebirge** (-)	mynyddoedd (ll)
geboren	genedigol, wedi ei eni
geboren werden	geni
er/sie/es hat **gebracht** [bringen]	daeth e/hi â
gebraten	wedi ffrio
die **Gebühr** (-en)	ffi (b), tâl (g), taliad (g)

die	**Geburt** (-en)	genedigaeth (b)
der	**Geburtstag** (-e)	penblwydd (g)
alles Gute zum Geburtstag		penblwydd hapus
er/sie/es hat	**gedacht** [denken]	meddyliodd, credodd
	gedeihen (ei-ie-ie)	fynnu, tyfu'n dda
das	**Gedicht** (-e)	cerdd (b)
das	**Gedrängel** (-)	torf (b), tyrfa (b), hergwd (g)
die	**Geduld**	amynedd (g)
	geduldig	amyneddgar
	geeignet	addas, priodol
die	**Gefahr** (-en)	perygl (g)
	gefährdet	wedi peryglu; mewn perygl
	gefährlich	peryglus
der	**Gefallen** (-)	ffafr (b), cymwynas (b)
	gefallen (ä-ie-a)	hoffi, licio
	gefangen nehmen (i-a-o)	carcharu, caethiwo
der	**Gefangene** (-n)	carcharor (g)
das	**Geflügel**	dofednod (ll), ieir (ll), ffowlyn (g)
die	**Gefriertruhe** (-n)	rhewgell (b)
das	**Gefühl** (-e)	teimlad (g)
er/sie/es ist	**gegangen** [gehen]	aeth e/hi, cerddodd
	gegen (+acc)	erbyn; tuag at
die	**Gegend** (-en)	ardal (gb), rhanbarth (g)
der	**Gegenstand** (-ˉe)	gwrthrych (g), peth (g); testun (g), pwnc (g)
das	**Gegenteil** (-e)	gwrthwyneb (g)
	gegenüber (+dat)	cyferbyn, gyferbyn
er/sie/es hat	**gegessen** [essen]	bwytaodd
	gegrillt	wedi'i gridyllu, wedi'i grilio
das	**Gehalt** (-ˉer)	cyflog (gb)
der	**Gehalt** (-e)	ystyr (gb), cynnwys (g)
	geheim	cyfrinachol
das	**Geheimnis** (-se)	cyfrinach (b)
	gehen (ging-gegangen)	cerdded, mynd
es	*geht um*	mae sôn am, mae'n fater o
wie	*geht's*	sut mae'r hwyl, sut ydych chi
das	**Gehirn** (-e)	ymennydd (g)
das	**Gehöft** (-e)	ffermdy (g)

	gehören (gw)	perthyn
der	Gehsteig (-e)	pafin (g), palmant (g)
die	Geige (-n)	ffidl (b)
der	Geist (-er)	ysbryd (g), bwgan (g), drychiolaeth (b)
die	Geisterbahn (-en)	trên (g) bwganod
das	Gelände (-)	tir (g), tirlun (g), tirffurf (g)
	gelassen	hamddenol, digynnwrf
	gelb	melyn
das	Geld (-er)	arian (g)
der	Geldautomat (-en)	peiriant (g) arian parod, arianbwynt (g) twll (g) yn y wal,
der	Geldbeutel (-)	pwrs (g)
der	Geldschein (-e)	arian (g) papur
das	Geldstück (-e)	darn (g) arian
die	Geldsumme (-n)	swm (g) o arian
der	Geldwechsel	cyfnewidfa (b); cyfnewidiad (g) arian
die	Gelegenheit (-en)	cyfle (g), siawns (b), achlysur (g)
die	*Gelegenheit nützen*	achub y cyfle
	gelegentlich	achlysurol
	gelingen (i-a-u)	llwyddo
er/sie/es hat	gelitten [leiden]	dioddefodd
	gelten (i-a-o)	bod yn ddilys
	gemein	cas, brwnt, drwg; cyffredin
die	Gemeinde (-n)	cymuned (b), plwyf (g)
	gemeinsam	gyda'i gilydd, ynghyd â
die	Gemeinschaft (-en)	cymuned (b)
	gemischt	cymysg
das	Gemüse	llysiau (ll)
das	Gemüsegeschäft (-e)	siop (b) ffrwythau a llysiau
	gemütlich	cyfforddus, cysurus, clyd
	genau	manwl; yn union, i'r dim
die	Genauigkeit (-en)	manyldeb (g)
	genauso	hefyd; llawn mor; yr un mor
	genehmigen (gw)	caniatáu, awdurdodi
	generell	fel arfer, yn gyffredinol
	genießen (ie-o-o)	mwynhau
	genug	digon
	genug haben von	syrffedu, cael llond bol
	genügen (gw)	digoni

	geöffnet	agored, wedi agor, ar agor
das	Gepäck	bagiau (ll)
die	Gepäckaufbewahrung (-en)	swyddfa (b) adael bagiau
das	Gepäcknetz (-e)	rhwyd (b) ar gyfer bagiau
das	Gepäckschließfach (-¨er)	locer (gb) bagiau
	gepflegt	taclus, trwsiadus, gwâr, gwaraidd
	gepolstert	gyda chlustog
	gerade	syth; newydd, jest
	geradeaus	syth ymlaen
das	Gerät (-e)	teclyn (g)
das	Geräusch (-e)	sŵn (g)
das	Gerede	mân (gb) siarad, clec (b), cleber (gb)
das	Gericht (-e)	llys (g); pryd (g) o fwyd
	gern (lieber, am liebsten)	yn dda gennych, hoffi
	gern geschehen	gyda phleser, croeso
	gern haben	hoffi, caru
	gesamt	cyfan
die	Gesamtschule (-n)	ysgol (b) gyfun
die	Gesamtsumme (-n)	cyfanswm (g)
das	Geschäft (-e)	siop (b), busnes (g)
	geschäftig	prysur, gweithgar
der	Geschäftsmann (-¨er/-leute)	dyn (g) busnes, masnachwr (g)
	geschehen (ie-a-e)	digwydd
das	Geschehnis (-se)	digwyddiad (g)
	gescheit	call, deallus, doeth
das	Geschenk (-e)	anrheg (b), rhodd (b)
die	Geschichte (-n)	stori (b), chwedl (b), hanes (g)
	geschickt	deheuig, dethau, medrus
	geschieden	wedi ysgaru
das	Geschirr	llestri (ll)
der	Geschirrspüler (-)	peiriant (g) golchi llestri
das	Geschirrspülbecken (-)	sinc (g)
das	Geschirrtuch (-¨er)	clwt (g) llestri, lliain (g) llestri
das	Geschlecht (-er)	cenedl (b), rhyw (b)
	geschlossen	ar gau, caeëdig
	geschmacklos	di-flas, di-chwaeth, merfaidd

	geschminkt	wedi coluro, wedi ymbincio
	geschmolzen	wedi ymdoddi
er/sie/es hat	**geschnitten** [schneiden]	torrodd
	geschwind	cyflym
die	**Geschwindigkeit** (-en)	cyflymder (g)
die	**Geschwister** (pl)	brodyr (ll) a chwiorydd (ll)
	gesellig	cymdeithasol, cymdeithasgar
die	**Gesellschaft** (-en)	cymdeithas (b); cwmni (g)
er/sie/es ist	**gesessen** [sitzen]	eisteddodd e/hi
das	**Gesicht** (-er)	wyneb (g)
	gesperrt	ar gau
das	**Gespräch** (-e)	sgwrs (b)
die	**Gestalt** (-en)	ffurf (b), ffigur (g)
er/sie/es ist	**gestanden** [stehen]	safodd e/hi
	gestatten Sie	esgusodwch fi, gadewch i mi
das	**Gestell** (-e)	ffrâm (b), rhestl (b), rhastl (b)
	gestern	ddoe
	gestorben	wedi marw
	gesund (gesünder, am gesündesten)	iach, iachus
die	**Gesundheit**	iechyd (g)
er/sie/es hat	**getan** [tun]	gwnaeth e/hi
	geteilt	rhanedig
das	**Getränk** (-e)	diod (b)
die	**Getränkekarte** (-n)	diodlen (b), rhestr (b) diodydd
das	**Getreide**	ŷd (g)
	getrennt	ar wahân
das	**Gewächshaus** (-¨er)	tŷ (g) gwydr
	gewährleisten (gw)	sicrhau
die	**Gewalt** (-en)	trais (g)
das	**Gewehr** (-e)	gwn (g), dryll (gb)
die	**Gewerkschaft** (-en)	undeb (g) llafur
er/sie/es ist	**gewesen** [sein]	bu, buodd e/hi
das	**Gewicht** (-e)	pwysau (g)
	gewinnen (i-a-o)	ennill
	gewiß	yn bendant
das	**Gewissen** (-)	cydwybod (b)
das	**Gewitter** (-)	tymestl (b), storm (b)

die	**Gewohnheit** (-en)	arfer (gb)
	gewöhnlich	fel arfer; cyffredin, arferol
	gewöhnt	cyfarwydd, cynefin
das	**Gewürz** (-e)	sbeis (g), perlysiau (ll)
er/sie/es hat	**gezogen** [ziehen]	tynnodd
er/sie/es	**ging** [gehen]	aeth e/hi, cerddodd
der	**Gipfel** (-)	copa (gb)
der	**Gips** (-e)	plastr (g)
die	**Giraffe** (-n)	jiráff (g)
die	**Gitarre** (-n)	gitâr (g)
	glänzen (gw)	sgleinio
das	**Glas** (-¨er)	gwydr (g); gwydraid (g), glasiaid (g)
die	**Glasflasche** (-n)	potel (b) wydr
	glatt	llyfn
die	**Glatze** (-n)	pen (g) moel
	glauben (gw)	credu, meddwl, coelio
	gleich	yr un fath, cyfartal; yn fuan, ar unwaith
bis	*gleich*	hyd nes ymlaen, wela i ti/chi wedyn
	gleichaltrig	yr un oedran, cyfoed
das	**Gleichgewicht** (-e)	cydbwysedd (g)
	gleichgültig	di-hid, difater
	gleichzeitig	ar yr un pryd
das	**Gleis** (-e)	cledr (b) reilffordd, rheilen (b)
	glitzern (gw)	llewyrchu, gwreichioni, disgleirio
die	**Glocke** (-n)	cloch (b)
der	**Glockenturm** (-¨e)	clochdy (g)
die	**Glotze** (-n)	"teledu" [yn yr iaith lafar]
	glotzen (gw)	rhythu, syllu
das	**Glück**	lwc (b), ffawd (b)
	glücklich	hapus, lwcus, ffodus
	glücklicherweise	yn ffodus
der	**Glückwunsch** (-¨e)	llongyfarchiad (g)
das	**Gold**	aur (g)
	golden	aur, euraid
der	**Goldfisch** (-e)	pysgodyn (g) aur
das	**Golf(spiel)**	golff (g)
der	**Gott** (-¨er)	Duw (g), duw (g)
Grüß	*Gott*	dydd da, bendith Duw arnoch chi
die	**Göttin** (-nen)	duwies (b)
	graben (ä-u-a)	cloddio, palu

der	**Grad** (-e)	canradd (b), gradd (b)
der	**Graf** (-en)	iarll (g)
die	**Grammatik** (-en)	gramadeg (b)
das	**Gras** (-¨er)	glaswellt (g), porfa (b)
	gratis	am ddim
	gratulieren (gw)	llongyfarch
	grau	llwyd
	grauenvoll	brawychus, arswydus
	grausam	creulon
	greifen (ei-i-i)	gafael, ymafael
die	**Grenze** (-n)	ffin (b), terfyn (g), goror (gb)
	grenzen (gw)	ffinio, ymylu ar
der	**Grieche** (-n)	Groegwr (g)
	Griechenland	Gwlad Groeg (b)
die	**Griechin** (-nen)	Groeges (b)
	Griechisch	Groeg (b) [iaith]
	griechisch	Groegaidd
er/sie/es	**griff** [greifen]	gafaelodd e/hi, ymafaelodd e/hi
	grillen (gw)	rhostio, gridyllu
die	**Grillparty** (-s)	parti (g) barbeciw
die	**Grippe** (-n)	ffliw (g)
	grob	bras, cras, aflednais
der	**Groschen** (-)	ceiniog (b) [uned leiaf arian Awstria]
	groß (größer, am größten)	mawr, eang, tal
	großartig	mawreddog, bendigedig, gwych
	Großbritannien	Prydain Fawr (b)
der	**Großcousin** (-s)	cyfyrder (g)
die	**Großcousine** (-n)	cyfyrderes (b)
die	**Größe** (-n)	maint (g), taldra (g), mawredd (g)
die	**Großeltern** (pl)	taid a nain, tad-cu a mam-gu
die	**Großmutter** (-¨)	nain (b), mam-gu (b)
	groß/schreiben (ei-ie-ie)	ysgrifennu â phriflythyren
der	**Großteil** (-e)	mwyafrif (g), y rhan (b) fwyaf
der	**Großvater** (-¨)	taid (g), tad-cu (g)
	großzügig	mawrfrydig, hael
	grün	gwyrdd
der	**Grund** (-¨e)	achos (g), rheswm (g); tir (g), llain (b)
	gründen (gw)	sylfaenu, sefydlu

die	**Grundregel** (-n)	rheol (b) sylfaenol
die	**Grundschule** (-e)	ysgol (b) gynradd
das	**Grundstück** (-e)	llain (b), tir (g), darn (g) o dir
die	**Gruppe** (-n)	grŵp (g)
	gruselig	iasol, echrydus
der	**Gruß** (-̈e)	cyfarchiad (g)
	grüßen (gw)	cyfarch
	Grüß Gott	dydd da [bendith Duw arnoch chi]
	gucken (gw)	edrych, gwylio
das	**Gulasch** (-e)	gŵlash (gb) Hwngaraidd
	gültig	dilys, iawn, cyfreithlon
der/das	**Gummi** (-s)	rwber (g), gwm (g)
das	**Gummiband** (-̈er)	band (g) lastig
das	**Gummibärchen** (-)	babi (g) jeli, losin fel *'jellybaby'*
	günstig	ffafriol
die	**Gurke** (-n)	cucumer (g), ciwcymbr (g)
der	**Gürtel** (-)	gwregys (g)
das	**Gut** (-̈er)	tir (g) eiddo
	gut (besser, am besten)	da, iawn
	gute Besserung	gwellhad buan
	gute Nacht	nos da
	gute Reise	taith dda
	guten Abend	noswaith dda
	guten Morgen	bore da
	guten Tag	dydd da, pnawn da, prynhawn da
	gutaussehend	golygus, glandeg
das	**Gute**	da (g)
die	**Güte**	daioni (g)
alles	*Gute zum Geburtstag*	penblwydd hapus
der	**Güterzug** (-̈e)	trên (g) cludo nwyddau
	gutmütig	hynaws, mwyn, rhadlon
das	**Gymnasium** (-sien)	ysgol (b) ramadeg

das	**Haar** (-e)	blewyn (g), gwallt (g), blew (ll)
die	**Haarbürste** (-n)	brws (g) gwallt
der	**Haarfön** (-e)	sychwr (g) gwallt
	haben (hat-hatte-gehabt)	mae gennych rywbeth
gern	*haben*	hoffi, caru
Lust	*haben*	hoffi, ffansïo
das	**Hackfleisch**	briwgig (g), cig (g) manfriw
der	**Hafen** (-¨)	harbwr (g), porthladd (g)
die	**Hafenstadt** (-¨e)	porthladd (g)
die	**Hagebutte** (-n)	egroesen (b)
der	**Hahn** (-¨e)	ceiliog (g); tap (g)
das	**Hähnchen** (-)	cyw (g) iâr, ffowlyn (g)
der	**Haken** (-)	bach (g), bachyn (g)
	halb	hanner
	halb acht	hanner awr wedi saith
der	**Halbbruder** (-¨)	hanner (g) brawd
die	**Halbinsel** (-n)	gorynys (b)
die	**Halbpension**	llety, brecwast ag un pryd bwyd arall
die	**Halbschwester** (-n)	hanner (b) chwaer
die	**Halbtagsschule** (-n)	ysgol (b) hanner diwrnod
die	**Hälfte** (-n)	hanner (g)
die	**Halle** (-n)	neuadd (b)
das	**Hallenbad** (-¨er)	pwll (g) nofio dan do
	hallo	sut mae, helo
der	**Hals** (-¨e)	gwddf (g), gwddwg (g)
die	**Halskette** (-n)	cadwyn (b) am wddf, mwclis (ll)
die	**Halsschmerzen** (pl)	llwnc/gwddf (g) tost, gwddwg (g) tost
das	**Halstuch** (-¨er)	sgarff (b)
	halten (ä-ie-a)	cydio, dal, gafael; stopio
die	**Haltestelle** (-n)	gorsaf (b), arhosfa (b)
der	**Haltestellenplan** (-¨e)	amserlen (b) [bws neu drên]
	Hamburg	dinas a thalaith yn yr Almaen
der	**Hamburger** (-)	person o Hamburg; eidionyn (g), hambyrgyr (gb)
das	**Hammelfleisch**	cig (g) dafad
der	**Hamster** (-)	hamster (g), mochyn (g) bochdew
die	**Hand** (-¨e)	llaw (b)
von	*Hand*	gwaith (g) llaw
die	**Handarbeit** (-en)	gwaith (g) llaw

das	**Handball(spiel)**	pêl-law (g), llawbel (g)
die	**Handbremse** (-n)	brêc (g) llaw
sich	**handeln um** (gw)	ymwneud â, sôn am
die	**Handelsschule** (-n)	ysgol (b) fusnes
das	**Handgelenk** (-e)	arddwrn (g), garddwrn (g)
der	**Handschuh** (-e)	maneg (b)
die	**Handtasche** (-n)	bag (g) llaw
das	**Handtuch** (-¨er)	tywel (g), lliain (g)
	hängen (gw)	hongian, crogi
	hängen (ä-i-a)	yn hongian, bod ynghrog
das	**Häppchen** (-)	tamaid (g), brechdan (b) fach
	hart (härter, am härtesten)	caled; anodd
der	**Hase** (-n)	ysgyfarnog (b), sgwarnog (b)
die	**Haselnuß** (-¨sse)	cnau (ll) cyll
der	**Haß**	casineb (g), atgasedd (g)
	hassen (gw)	casáu, ffieiddio
	häßlich	hyll, hagr, salw
er/sie/es	**hat** [haben]	mae ganddo/ganddi
er/sie/es	**hatte** [haben]	roedd ganddo/ganddi
das	**Häufchen** (-)	twr (g) [bach], swp (g), sypyn (g), crugyn (g)
	häufig	aml, llawer gwaith
	Haupt-	prif-
der	**Hauptbahnhof** (-¨e)	prif orsaf (b) drenau
die	**Hauptreisezeit** (-en)	prif dymor (g) teithio
	hauptsächlich	gan mwyaf, yn bennaf
die	**Hauptsaison** (-en)	prif dymor (g) teithio
die	**Hauptschule** (-en)	ysgol (b) eilradd
die	**Hauptstadt** (-¨e)	prifddinas (b)
das	**Haus** (-¨er)	tŷ (g), adeilad (g)
die	**Hausaufgabe** (-n)	gwaith (g) cartref
das	**Häuschen** (-)	tŷ (g) bychan
nach	*Hause*	adref
zu	*Hause*	gartref
die	**Hausfrau** (-en)	gwraig (b) tŷ
der	**Haushalt** (-e)	popeth sy'n perthyn i'r cartref
die	**Hausnummer** (-n)	rhif (g) tŷ
das	**Haustier** (-e)	anifail (g) anwes, anifail (g) dof

die	**Hauswirtschaft** (-en)	teuluaeth (b), gwyddor (g) tŷ
die	**Haut** (-¨e)	croen (g)
der	**Hautausschlag** (-¨e)	brech (b)
die	**Hebamme** (-n)	bydwraig (b)
	heben (e-o-o)	codi, dyrchafu
das	**Heer** (-e)	byddin (b)
das	**Heft** (-e)	llyfr (g) ysgrifennu, llyfryn (g)
das	**Heftpflaster** (-)	plastr (g) gludiog
die	**Heide** (-n)	gwaun (b), rhos (b)
	heilen (gw)	iacháu, gwella
	heilig	sanctaidd
der	**Heilige Abend**	Noswyl (b) Nadolig
das	**Heilkraut** (-¨er)	perlysiau (ll) [moddion], dail (ll) llesol
das	**Heim** (-e)	cartref (g), trigfan (b); neuadd (b)
die	**Heimat** (-en)	gwlad (b) gartref, gwlad (b) enedigol
	heimatlos	heb gartref, di-gartref
	heim/kehren (gw)	dychwelyd adref
	heimlich	cudd, cyfrinachol, dirgel
das	**Heimweh**	hiraeth (g)
die	**Heirat**	priodas (b)
	heiraten (gw)	priodi
	heiß	poeth, twym
	heißen (ei-ie-ei)	eich enw yw
das	*heißt (d.h.)*	hynny yw (h.y.)
	heiter	braf, dedwydd, llawen
	heizen (gw)	poethi, cynhesu, gwresogi
die	**Heizung** (-en)	gwres (g) canolog; rheiddiadur (g), gwresogydd
die	**Hektik** (-en)	prysurdeb (g), brys (g), amser (g) hectig
	helfen (i-a-o)	helpu, cynorthwyo, cefnogi, gwneud cymwynas
	hell	disglair, gloyw, golau
	hellblau	glas golau
	hellbraun	brown golau
der	**Helm** (-e)	helmed (b)
das	**Hemd** (-en)	crys (g)
der	**Henkel** (-)	handlen (b), dolen (b)
	her	yma, i fan hyn
der	**Herbergsleiter** (-)	warden (gb) mewn neuadd breswyl

die	**Herbergsmutter** (-¨)	warden (gb) mewn neuadd breswyl
der	**Herbergsvater** (-¨)	warden (gb) mewn neuadd breswyl
der	**Herbst** (-e)	hydref (g)
der	**Herd** (-e)	ffwrn (b), cwcer (gb)
die	**Herde** (-n)	gyr (g), buches (b), diadell (b)
	herein/kommen (o-a-o)	dod i mewn
der	**Hering** (-e)	pennog (g), ysgadenyn (g)
der	**Herr** (-en)	dyn (g), bonheddwr (g)
das	**Herrenhaus** (-¨er)	maenordy (g)
die	**Herrin** (-nen)	meistres (b)
	herrlich	bendigedig, gwych, rhagorol
die	**Herrschaft** (-en)	rheolaeth (b)
	her/stellen (gw)	cynhyrchu, gwneud
die	**Herstellung** (-en)	gwneuthuriad (g)
	herum	o gwmpas, o amgylch
	herum/führen (gw)	dangos rhywun o gwmpas, arwain o gwmpas
das	**Herz** (-en)	calon (b)
der	**Herzinfarkt** (-e)	trawiad (g) ar y galon
	herzlich	calonnog, caredig, cynnes
der	**Herzog** (-¨e)	dug (g)
	Hessen	talaith yng nghanol yr Almaen
das	**Heu**	gwair (g)
	heuer	eleni
	heulen (gw)	llefain, nadu, udo
der	**Heuschnupfen**	clefyd (g) y gwair, twymyn (b) y gwair
die	**Heuschrecke** (-n)	sboncyn/sioncyn (g) y gwair, ceiliog (g) y rhedyn
	heute	heddiw
	heute abend	heno
	heute nacht	neithiwr
	heutzutage	heddiw, y dyddiau hyn
die	**Hexe** (-n)	gwrach (b)
	hier	yma, yn y fan hon
von	*hier*	oddi yma
die	**Hilfe** (-n)	help (g), cymorth (g), cefnogaeth (b)
	hilfreich	cynorthwyol
	hilfsbereit	cymwynasgar, cefnogol
die	**Himbeere** (-n)	afanen (b), mafonen (b)
das	**Himbeereis**	hufen (g) iâ blas afan

die	**Himbeertorte** (-n)	tarten (b) afan, pastai (b) afan
der	**Himmel** (-)	awyr (b), nef (b), nefoedd (b)
	hin	yno, ato
	hin und zurück	nôl a mlaen, yn ôl ac ymlaen, mynd a dod
	hinauf	i fyny
	hinaus/lehnen (gw)	pwyso allan [o ffenestr]
	hinaus/schleppen (gw)	llusgo allan, helcyd
	hinein/gehen (ging hinein- hineingegangen)	mynd i mewn
	hin/stellen (gw)	gosod
	hinten	tu ôl, tu cefn
	hinter (+dat/+acc)	tu ôl i
der	**Hintergrund** (-ˇe)	cefndir (g)
	hinunter	i lawr
der	**Hinweis** (-e)	cyfarwyddiad (g), awgrymiad (g), ensyniad (g)
	hinzu/fügen (gw)	ychwanegu
das	**Hirn** (-e)	ymennydd (g)
	historisch	hanesyddol
der	**Hit** (-s)	cân (b) bop, hit (g)
die	**Hitparade** (-n)	siartiau (ll) caneuon pop, y siartiau (ll)
die	**Hitze** (-n)	gwres (g), tes (g)
das	**Hobby** (-s)	hobi (g)
der	**Hobbyraum** (-ˇe)	gweithdy (g), ystafell (b) waith hamdden
	hoch (höher, am höchsten)	uchel
	hochachtungsvoll	yr eiddoch yn gywir
das	**Hochhaus** (-ˇer)	adeilad (g) uchel
	hochnäsig	ffroenuchel
der	**Hochsprung** (-ˇe)	naid (b) uchel
	höchst	eithaf, iawn
der	**Höchstwert** (-e)	tymheredd (g) uchaf
die	**Hochzeit** (-en)	priodas (b)
	hocken (gw)	cyrcydu, plygu'r penliniau
der	**Hof** (-ˇe)	iard (b), buarth (g)
	hoffen (gw)	gobeithio, dymuno
	hoffentlich	gobeithio
die	**Hoffnung** (-en)	gobaith (g)

	hoffnungslos	anobeithiol
	höflich	moesgar, cwrtais
die	**Höhe** (-n)	uchder (g)
in die	*Höhe*	i fyny, lan
	höher [hoch]	uwch
	holen (gw)	nôl, cyrchu, ymofyn, moyn
	Holland	yr Iseldiroedd
	Holländisch	Iseldireg (b) [iaith]
	holländisch	Iseldiraidd, o'r Iseldiroedd, Hollandaidd
das	**Holz** (-¨er)	pren (g), coed (ll)
das	**Holzdach** (-¨er)	to (g) pren
die	**Holzstange** (-n)	polyn (g) pren
der	**Honig**	mêl (g)
	horchen (gw)	gwrando ar, clustfeinio
	hören (gw)	clywed
der	**Hörer** (-)	gwrandawr (g)
die	**Hörerin** (-nen)	gwrandawraig (b)
der	**Horrorfilm** (-e)	ffilm (b) iasoer
die	**Hose** (-n)	trywsus (g), trowsus (g), llodrau (ll)
das	**Hotel** (-s)	gwesty (g)
das	**Hotelverzeichnis** (-se)	rhestr (b) gwestai
	Hr. (Herr)	Bnr., bonwr (g)
	hübsch	pert, del, tlws
der	**Hubschrauber** (-)	hofrennydd (g)
das	**Hufeisen** (-)	pedol (b)
der	**Hügel** (-)	bryn (g)
das	**Huhn** (-¨er)	iâr (b)
die	**Hühnersuppe** (-n)	cawl (g) cyw iâr, cawl (g) ffowlyn, potes (g)
der	**Hummer** (-)	cimwch (g)
	humorvoll	hwyliog, doniol, ffraeth
der	**Hund** (-e)	ci (g)
das	**Hündchen** (-)	ci (g) bach, cenau (g), colwyn (g)
	hundert	cant
der	**Hundertmeterlauf** (-¨e)	ras (b) gan metr
der	**Hunger**	chwant/eisiau (g) bwyd, newyn (g)
	hungrig	newynog, llwglyd
	hüpfen (gw)	sboncio, neidio
	husten (gw)	pesychu, peswch
der	**Hut** (-¨e)	het (b)
	hüten (gw)	gofalu, gwarchod

	ich	fi, myfi
	ideal	delfrydol
die	**Idee** (-n)	syniad (g)
der	**Idiot** (-en)	ffŵl (g), twpsyn (g), hurtyn (g)
der	**Igel** (-)	draenog (g)
	ihm [er, es]	ef, fe, fo
	ihn [er]	ef, fe, fo
	ihnen [sie]	hwy, nhw
	Ihnen [Sie]	chi, chwi [cwrtais]
	ihr	chi [lluosog "ti"]
	ihr [sie]	ei (b), eu (ll)
	Ihr [Sie]	eich [cwrtais]
	im [in + dem]	yn y
	im allgemeinen	fel arfer, gan amlaf
	im Freien	awyr (b) agored
der	**Imbiß** (-sse)	byrbryd (g), tamaid (g)
die	**Imbißstube** (-n)	bar (g) byrbryd, stondin (gb) bwyd a diod
	immer	drwy'r amser, byth
für	*immer*	am byth
was	*immer*	beth bynnag
	immer noch	o hyd
der	**Immigrant** (-en)	mewnfudwr (g)
die	**Immigrantin** (-nen)	mewnfudwraig (b)
die	**Impfung** (-en)	brechiad (g), chwistrelliad (g)
	in (+dat/+acc)	yn, mewn, tu mewn, i, i mewn i
	in Ordnung	o'r gorau, popeth yn iawn
	inbegriffen	yn cynnwys, yn gynwysiedig
das	**Individuum** (Individuen)	unigolyn (g)
die	**Industrie** (-n)	diwydiant (g)
das	**Industriegebiet** (-e)	stad (b) ddiwydiannol
	industriell	diwydiannol
die	**Informatik**	gwybodeg (b), hysbyseg (b)
die	**Information** (-en)	gwybodaeth (g); hysbysrwydd (g)
das	**Informationsbüro** (-s)	swyddfa (b) wybodaeth/hysbysrwydd
das	**Informationsmaterial** (-ien)	deunydd (g) gwybodaeth/hysbysrwydd
der	**Informationsstand** (-¨e)	stondin (gb) wybodaeth/hysbysrwydd
	informieren (gw)	hysbysu, rhoi gwybod
der	**Ingenieur** (-e)	peiriannydd (g)

der	**Inhalt** (-e)	cynnwys (g)
die	**Injektion** (-en)	chwistrelliad (g)
	inkludiert	cynwysedig
	inklusive	yn gynwysedig, yn cynnwys
	inmitten (+gen)	ymysg, ymhlith
	innen	tu mewn
die	**Innereien** (pl)	perfedd (ll), ymysgaroedd (ll), coluddion (ll)
	innerhalb (+gen)	tu mewn, yn
	ins [in+das]	i'r, i mewn i'r
der	**Insasse** (-n)	rhywun sy'n eistedd mewn rhywbeth [e.e. car]
das	**Insekt** (-en)	pryfyn (g), trychfil (g)
die	**Insel** (-n)	ynys (b)
	insgesamt	yn gyfan gwbl, yn llwyr; ar y cyfan
das	**Institut** (-e)	adran (b)
das	**Instrument** (-e)	offeryn (g)
	intelligent	deallus, call
	intensiv	dwys, trylwyr, arddwys
	interessant	diddorol
das	**Interesse** (-n)	diddordeb (g)
sich	**interessieren** (gw)	ymddiddori, bod â diddordeb
	interessiert	gan ddiddordeb
	international	rhyngwladol
die	**Interpretation** (-en)	dehongliad (g)
	interpretieren (gw)	dehongli, esbonio
das	**Interview** (-s)	cyfweliad (g)
das	**Inventar** (-e)	rhestren (b), stocrestr (b)
	inzwischen	yn y cyfamser
der	**Ire** (-n)	Gwyddel (g)
	irgendwas	unrhyw beth
	irgendwer	unrhyw un
	irgendwo	unrhyw le
die	**Irin** (-nen)	Gwyddeles (b)
	Irisch	Gwyddeleg (b) [iaith]
	irisch	Gwyddelig
	Irland	Iwerddon (b)
	isoliert	ynysu; inswleiddio
er/sie/es	**ißt** [essen]	mae e/hi'n bwyta
er/sie/es	**ist** [sein]	mae e/hi
	Italien	yr Eidal
	Italienisch	Eidaleg (b) [iaith]
	italienisch	Eidalaidd

	ja	ie, oes, do, a.y.y.b.
die	**Jacke** (-n)	siaced (b), côt/cot (b)
	jagen (gw)	hela
der	**Jäger** (-)	heliwr (g)
die	**Jägerwurst** (-¨e)	sosej (b) heliwr [math o sosej]
das	**Jahr** (-e)	blwyddyn (b), blwydd (b)
dieses	*Jahr*	eleni
letztes	*Jahr*	llynedd
die	**Jahreswende** (-n)	troad (g) y flwyddyn, Nos (b) Galan
die	**Jahreszeit** (-en)	tymor (g) [o'r flwyddyn]
das	**Jahrhundert** (-e)	canrif (b)
der	**Jahrmarkt** (-¨e)	diwrnod (g) marchnad, ffair (b)
der	**Januar**	[mis] Ionawr (g)
	Japan	Japan (b)
	Japanisch	Japaneg (b) [iaith]
	japanisch	Japaneaidd
	jawohl	ie, wrth gwrs
der	**Jazz**	jazz (g)
	je mehr . . . desto	gorau po fwyaf
die	**Jeans** (pl)	jîns (ll)
die	**Jeansjacke** (-n)	siaced (b) ddenim
	jede(r/s)	pawb, pob
	jede Menge	mwy na digon, llawer
	jeden Tag	bob dydd, beunydd
auf	**jedenfall**	ar bob cyfrif
	jedenfalls	sut bynnag, beth bynnag
	jedermann	pawb
	jedoch	ond, fodd bynnag
	jemand	rhywun
	jene(r/s)	hwnnw, honno, hynny
	jenseits (+gen)	tu hwnt i
	jetzt	nawr, rŵan, ar hyn o bryd
	jeweils	pob un; ar y tro
der	**Job** (-s)	swydd (b), gwaith (g)
der/das	**Joghurt** (-s)	iogwrt (g)
der	**Journalist** (-en)	gohebydd (g), newyddiadurwr (g)
die	**Journalistin** (-nen)	gohebydd (g), newyddiadurwraig (b)
	jubeln (gw)	llonni, dathlu, llawenhau
	jucken (gw)	cosi, ysu
der	**Jude** (-n)	Iddew (g)

	jüdisch	Iddewig
das	**Judo**	jiwdo (g)
die	**Jugend** (-en)	ieuenctid (g)
die	**Jugendgruppe** (-n)	grŵp (g) o bobl ifanc
die	**Jugendherberge** (-n)	hostel (gb) ieuenctid
der	**Jugendklub** (-s)	clwb (g) ieuenctid
der	**Jugendliche** (-n)	llanc (g), hogyn (g)
das	**Jugendzentrum** (-zentren)	canolfan (gb) ieuenctid
	Jugoslawien	Iwgoslafia
der	**Juli**	[mis] Gorffennaf (g)
	jung (jünger, am jüngsten)	ieuanc, ifanc
der	**Junge** (-n)	bachgen (g)
die	**Jungendusche** (-n)	cawod (b) bechgyn
die	**Jungentoilette** (-n)	toiled (b) bechgyn
	jünger [jung]	iau [ifanc]
die	**Jungfrau** (-en)	gwyryf (b), morwyn (b), cytser (g) y Forwyn
der	**Juni**	[mis] Mehefin (g)
der	**Juwelier** (-e)	siop (b) emau

der	**Kaffee** (-s)	coffi (g)
die	**Kaffeekanne** (-n)	pot (g) coffi, llestr (g) coffi
der	**Kaffeelöffel** (-)	llwy (b) fach, llwy (b) de
das	**Kaffeeservice**	set (b) o lestri coffi
	kahl	moel
der	**Kakao**	coco (g), diod (b) siocled
das	**Kalb** (-¨er)	llo (g)
der	**Kalender** (-)	calendr (g)
die	**Kalorie** (-n)	calori (g)
die	**Kalorientabelle** (-n)	tabl (g) calorïau
	kalt (kälter,	oer, oerllyd
	am kältesten)	
die	**Kälte**	oerfel (g)
er/sie/es	**kam** [kommen]	daeth e/hi
der	**Kamerad** (-en)	cymrawd (g), cyfaill (g)
der	**Kamin** (-e)	pentan (g), simnai (b)
der	**Kamm** (-¨e)	crib (gb)
der	**Kampf** (-¨e)	brwydr (b)
	kämpfen (gw)	ymladd
der	**Kanal** (-¨e)	camlas (b), carthffos (b); sianel (b)
der	**Kanarienvogel** (-¨)	caneri (g)
das	**Kaninchen** (-)	cwningen (b)
er/sie/es	**kann** [können]	mae e/hi'n gallu/medru
das	**Kännchen** (-)	pot (g), jwg (gb)
die	**Kanne** (-n)	pot (g), llestr (g), tegell (g)
die	**Kantine** (-n)	ffreutur (gb), cantîn (g)
der	**Kanton** (-e)	sir (b) [yn y Swistir]
der	**Kanzler** (-)	canghellor (g)
	kapieren (gw)	deall, dirnad, amgyffred
das	**Kapitel** (-)	pennod (b)
die	**Kapsel** (-n)	capsiwl (g)
	kaputt	wedi torri
die	**Kapuze** (-n)	cwcwll (g)
das	**Karate**	carate (gb)
	kariert	gyda phatrwm sgwâr, sgwarog, siecrog
der	**Karneval** (-e)	carnifal (g)
die	**Karotte** (-n)	moronen (b)
der	**Karpfen** (-)	llynbysg (g), cerpyn (g), carp (g)
die	**Karriere** (-n)	gyrfa (b)

die **Karte** (-n)	carden (b), cerdyn (g); map (g); tocyn (g)
die **Kartoffel** (-n)	taten (b), tatws (ll)
die **Kartoffelchips** (pl)	creision (ll) tatws
das **Kartoffelpüree** (-s)	tatws (ll) stwnsh, tatws (ll) pwnio, piwrî (g) tatws
der **Kartoffelsalat** (-e)	salad (g) tatws
die **Kartoffelschale** (-n)	crafion (ll) tatws
der **Karton** (-e)	cardbord (g), bocs (g) cardbord, carton (g)
das **Karussell** (-e)	ceffylau (ll) bach [mewn ffair]
der **Käse**	caws (g)
das **Käsebrot** (-e)	bara (g) a chaws
der **Käsekuchen** (-)	cacen (b) gaws, teisen (b) gaws
die **Kaserne** (-n)	baracs (ll), gwersyll (g) milwyr
die **Kasse** (-n)	man (gb) talu, cownter (g) siop, til (g)
die **Kassette** (-n)	casét (g)
der **Kassettenrecorder** (-)	peiriant (g) casét, recordydd (g) tâp
der **Kassier** (-e)	ariannwr (g), ariannydd (g)
die **Kastanie** (-n)	castan (b) [ffrwyth]; castanwydden (b) [coeden]
das **Kästchen** (-)	cwpwrdd (g) bach
der **Kasten** (-¨)	cwpwrdd (g)
die **Katastrophe** (-n)	trychineb (gb)
der **Kater** (-)	gwrcath (g), cwrcath (g); pen (g) mawr
die **Katze** (-n)	cath (b)
kaufen (gw)	prynu
die **Kauffrau** (-en)	gwraig (b) fusnes, masnachwraig (b)
das **Kaufhaus** (-¨er)	siop (b) adrannol, masnachdy (g)
der **Kaufmann** (-¨er)	masnachwr (g), groser (g), gwr (g) busnes
der **Kaugummi** (-s)	gwm (g) cnoi
kaum	prin, go brin, nemor, odid
kegeln (gw)	bowlio
kehren (gw)	ysgubo
kein(e)	dim un
keine Ahnung	dim syniad
keine Angst	paid â phoeni, paid â becso
keine(r/s)	neb, dim un

der **Keks** (-e)	bisgeden (b), bisgïen (b)
der **Keller** (-)	seler (b)
der **Kellner** (-)	gweinydd (g)
die **Kellnerin** (-nen)	gweinyddes (b)
kennen (kannte-gekannt)	adnabod, gwybod am
kennen/lernen (gw)	dod i adnabod, cwrdd â
die **Kenntnis** (-se)	gwybodaeth (b)
das **Kennzeichen** (-)	arwydd (gb), marc (g)
kennzeichnen (gw)	marcio, labelu
die **Kerze** (-n)	cannwyll (b)
der **Kessel** (-)	tegell (g), crochan (g)
der **Kesselstein** (-e)	cen (g) [haenen ar degell]
das **Ketchup**	saws (g) coch, saws (g) tomato, cetshyp (g)
die **Kette** (-n)	cadwyn (b)
das **Keyboard** (-s)	allweddell (b), bysellfwrdd (g)
der **Kiesel** (-)	carreg (b) lefn, cerigyn (g)
das **Kilo(gramm)** (-e)	cilogram (g)
der **Kilometer** (-)	cilomedr (g)
das **Kind** (-er)	plentyn (g)
die **Kinderpflege**	gofalaeth (b) blant, hylendid (g) plant
das **Kinderschwimmbecken** (-)	pwll (g) nofio i blant
die **Kindersendung** (-en)	rhaglen (b) deledu i blant
das **Kinn** (-e)	gên (b)
das **Kino** (-s)	sinema (b)
die **Kirche** (-n)	eglwys (b), capel (g)
die **Kirsche** (-n)	ceiriosen (b)
das **Kirschwasser** (-)	diod (b) alcoholig o geirios
die **Kiste** (-n)	cist (b), blwch/bocs (g) mawr
klagen (gw)	achwyn, cwyno, conan
die **Klammer** (-n)	cromfach (b), braced (gb)
die **Klamotten** (pl)	dillad (ll), hen ddillad (ll)
klappen (gw)	plygu; llwyddo
es klappt	mae'n gweithio
klappern (gw)	cloncian, clecian, clindarddach
mit den Zähnen klappern	rhincian dannedd
klar	clir, gloyw, eglur, amlwg
die **Klarinette** (-n)	clarinét (g)

	klar/kommen (o-a-o)	ymdopi, dod i ben
	klasse	gwych, ardderchog, bendigedig
die	**Klasse** (-n)	dosbarth (g)
die	**Klassenarbeit** (-en)	gwaith (g) ysgol; arholiad ysgrifenedig (g)
der	**Klassenkamerad** (-en)	cyfaill (g) ysgol, cyd-ddisgybl (g)
der	**Klassenraum** (-¨e)	ystafell (b) ddosbarth
das	**Klassenzimmer** (-)	ystafell (b) ddosbarth
	klassisch	clasurol
die	*klassische Musik*	cerddoriaeth (b) glasurol
	klauen (gw)	dwyn, dwgyd, bachu
das	**Klavier** (-e)	piano (g)
	kleben (gw)	gludio, glynu, sticio
der	**Klebestift** (-e)	glud (g)
der	**Klebstoff** (-e)	glud (g), adlyn (g)
der	**Klecks** (-e)	staen (g), smotyn (g), brycheuyn (g)
das	**Kleeblatt** (-¨er)	meillionen (b)
das	**Kleid** (-er)	ffrog (b), gwisg (g) i fenywod
sich	**kleiden** (gw)	dilladu, gwisgo
die	**Kleider** (pl)	dillad (ll)
der	**Kleiderbügel** (-)	pren (g) hongian dillad, cambren (g)
das	**Kleidergeschäft** (-e)	siop (b) ddillad
der	**Kleiderschrank** (-¨e)	cwpwrdd (g) dillad
die	**Kleidung** (-en)	dillad (ll), gwisg (b)
	klein	bach, bychan
das	**Kleingeld** (-er)	arian (g) parod, arian (g) mân
die	**Kleinigkeit** (-en)	rhywbeth (g) bach/dibris/dibwys
	klettern (gw)	dringo
das	**Klima** (-s)	hinsawdd (gb)
die	**Klimaanlage** (-n)	system (b) awyru, system (b) dymheru
die	**Klingel** (-n)	cloch (b)
	klingeln (gw)	canu cloch
	klingen (i-a-u)	seinio, swnio
die	**Klinik** (-en)	clinig (g), ysbyty (g)
das	**Klo(sett)** (-e)	tŷ (g) bach, lle (g) chwech, toiled (g)
das	**Kloster** (-¨)	mynachlog (b), lleiandy (g), clas (g)
	klug (klüger, am klügsten)	doeth, deallus, call, synhwyrol
die	**Klugheit** (-en)	doethineb (g), synnwyr (g), pwyll (g), callineb (g)

	knausern (gw)	bod yn grintachlyd/gybyddlyd, tolio
die	Kneipe (-n)	tafarn (gb)
das	Knie (-)	pen-glin (g), glin (g)
der	Knoblauch	garlleg (ll)
die	Knoblauchzehe (-n)	ewin (g) garlleg
der	Knochen (-)	asgwrn (g)
der	Knopf (-¨e)	botwm (g)
	knusprig	crimp
der	Koch (-¨e)	cogydd (g)
	kochen (gw)	coginio; berwi
die	Köchin (-nen)	cogyddes (b)
das	Kochrezept (-e)	rysait (b)
der	Kochtopf (-¨e)	sosban (b)
der	Köder (-)	abwydyn (g), pryf (g) genwair, baet (g)
der	Koffer (-)	bag (g) dillad, cês (gb)
der	Kofferkuli (-s)	troli (gb) [ar gyfer bagiau]
der	Kohl	bresychen (b), cabatsien (b)
die	Kohle (-n)	glo (g)
das	Kohlehydrat (-e)	carbohydrad (g)
die	Kohlensäure (-n)	asid (g) carbon, nwy (g) byrlymus
der	Kohleofen (-¨)	stôf (b) lo, ffwrn (b) lo
der	Kohlkopf (-¨e)	bresychen (g)
der	Kollege (-n)	cydweithiwr (g)
die	Kollegin (-nen)	cydweithwraig (b)
	Köln	Cologne
der	Komfort (-s)	cysur (g)
	komisch	rhyfedd, od; doniol, ysmala, comig
	kommandieren (gw)	gorchymyn, mynnu
	kommen (o-a-o)	dod, dyfod
die	Kommode (-n)	cist (b) ddroriau, cist (b) ddillad
die	Kommunikation (-en)	cyfathrebiad (g), neges (b)
die	Komödie (-n)	comedi (b)
	kompakt	cryno
	komplett	cyfan, cyflawn, llawn, llwyr; yn gyfan gwbl
der	Komplize (-n)	affeithiwr (g), acwmplydd (g), cydleidr (g)
	komponieren (gw)	cyfansoddi
der	Komponist (-en)	cyfansoddwr (g)
der	Kompost (-e)	gwrtaith (g), achles (b)

der	**Komposthaufen** (-)	tomen (b) wrtaith, tŵr (g) achles
die	**Kondensmilch**	llaeth (g) cyddwys
der	**Konditor** (-en)	teisennwr (g), cyffeithiwr (g)
die	**Konditorei** (-en)	siop (b) basteiod, siop (b) gyffaith
die	**Konfitüre** (-n)	cyffaith (g), jam (g)
der	**König** (-e)	brenin (g)
die	**Königin** (-nen)	brenhines (b)
	können (kann-konnte-gekonnt)	gallu, medru
nicht	*können*	methu
die	**Konserve** (-n)	tun (g) o fwyd, bwyd (g) mewn tun
	konstruieren (gw)	adeiladu
der	**Kontinent** (-e)	cyfandir (g)
das	**Konto** (-s)	cyfrif (g) [banc]
der	**Kontrabaß** (-¨sse)	bas (g) dwbl, basgrwth (g)
der	**Kontrast** (-e)	cyferbyniad (g)
der	**Kontrolleur** (-e)	archwiliwr (g), archwilydd (g)
	kontrollieren (gw)	rheoli; profi, archwilio
die	**Konversation** (-en)	sgwrs (b), ymddiddan (g)
das	**Konzert** (-e)	cyngerdd (gb)
der	**Kopf** (-¨e)	pen (g); arweinydd (g)
der	**Kopfhörer** (-)	ffôn (g) pen
der	**Kopfsalat** (-e)	letysen (b), letys (ll)
die	**Kopfschmerzen** (pl)	pen (g) tost, cur (g) pen
die	**Kopie** (-n)	copi (g)
	kopieren (gw)	copïo
der	**Korb** (-¨e)	basged (gb)
das	**Korbball(spiel)**	pêl-fasged (b)
der	**Korken** (-)	corcyn (g)
der	**Korkenzieher** (-)	tynnwr (g) corcyn, teclyn (g) tynnu cyrcs
der	**Körper** (-)	corff (g)
	korrespondieren (gw)	llythyru
	korrigieren (gw)	cywiro
	kosmetisch	cosmetig
	kosten (gw)	costio; profi [bwyd]
die	**Kosten** (pl)	cost (b), pris (g)
	kostenlos	am ddim, yn rhad
	köstlich	blasus, danteithiol
	kostspielig	costus, drud
die	**Krabbe** (-n)	cranc (g)

der	**Krach**	twrw (g), dadwrdd (g)
	krachen (gw)	cracio, clecian
die	**Kraft** (-¨e)	nerth (g), grym (g)
	kräftig	nerthol, cryf, grymus
das	**Kraftrad** (-¨er)	beic (g) modur
die	**Kralle** (-n)	crafanc (b), ewin (gb)
	krank (kränker,	sâl, claf, tost
	am kränksten)	
das	**Krankenhaus** (-¨er)	ysbyty (g)
die	**Krankenkasse** (-n)	yswiriant (g) iechyd
der	**Krankenpfleger** (-)	nyrs (g)
die	**Krankenpflegerin**	nyrs (b)
	(-nen)	
der	**Krankenschein** (-e)	tystysgrif (b) yswiriant iechyd
die	**Krankenschwester** (-n)	nyrs (b)
der	**Krankenwagen** (-)	ambiwlans (g)
die	**Krankheit** (-en)	afiechyd (g), salwch (g), clefyd (g)
der	**Krapfen** (-)	toesen (b), cneuen (b) does
	kratzen (gw)	crafu
das	**Kraut** (-¨er)	llysieuyn (g), llysiau (ll), perlysiau (ll)
die	**Krawatte** (-n)	tei (gb)
	kreativ	creadigol
der	**Krebs** (-e)	corgimwch (g), cranc (g),
		cytser (g) y Cranc
die	**Kreditkarte** (-n)	cerdyn (g) credyd
die	**Kreide** (-n)	sialc (g)
der	**Kreis** (-e)	cylch (g), cylchyn (g)
die	**Kresse** (-n)	berwr (g)
das	**Kreuz** (-e)	croes (b)
	kreuzen (gw)	croesi
die	**Kreuzfahrt** (-en)	mordaith (b)
die	**Kreuzung** (-en)	croesffordd (b)
das	**Kreuzworträtsel** (-)	croesair (g), pôs (g) croeseiriau
	kriechen (ie-o-o)	cropian, ymlusgo
der	**Krieg** (-e)	rhyfel (g)
	kriegen (gw)	cael, ennill, derbyn
der	**Krimi** (-s)	stori (b) dditectif, hanes (g) llofruddio
der	**Krimskrams**	pethau (ll), mân bethau (ll)
der	**Krug** (-¨e)	jwg (gb)
die	**Kruste** (-n)	crwst (g), crystyn (g), crofen (b)

die	**Küche** (-n)	cegin (b)
der	**Kuchen** (-)	cacen (b), teisen (b), pastai (b)
der	**Kuckuck** (-e)	cwcw (b), cog (b)
die	**Kugel** (-n)	pelen (b), cronnell (b), sffêr (b)
der	**Kugelschreiber** (-)	ysgrifbin (g) pêl, beiro (gb)
die	**Kuh** (-¨e)	buwch (b)
	kühl	oeraidd, oerllyd
der	**Kühlschrank** (-¨e)	oergell (b)
der	**Kuli** (-s)	ysgrifbin (g) pêl, beiro (gb)
die	**Kulisse** (-n)	cefndir (g), darn (g) o olygfa [theatr, ffilm]
sich	**kümmern** (gw)	edrych ar ôl, gofalu
der	**Kunde** (-n)	cwsmer (g)
die	**Kundin** (-nen)	cwsmer (g) benywaidd
die	**Kunst** (-¨e)	celf (b), celfyddyd (b)
der	**Kunststoff** (-e)	plastig (g)
das	**Kupfer**	copr (g)
das	**Kurhaus** (-¨er)	tŷ (g) iachâd
der	**Kurs** (-e)	cwrs (g)
der	**Kurort** (-e)	tref (b) sba, tref (b) ffynhonnau
die	**Kurtaxe** (-n)	tâl (g) am iachâd
die	**Kurve** (-n)	troad (g), trofa (b), tro (g); cromlin (b)
	kurz (kürzer, am kürzesten)	byr, cwta
in	**Kürze**	cyn bo hir
	kürzen (gw)	byrhau, cwtogi
	kürzlich	yn ddiweddar
die	**Kurzschrift** (-en)	llaw-fer (b)
der	**Kuß** (-¨sse)	cusan (gb)
die	**Küste** (-n)	arfordir (g), glan (b) y môr

das	**Labor** (-e)	labordy (g)
	lächeln (gw)	gwenu
	lachen (gw)	chwerthin
der	**Laden** (-¨)	siop (b)
die	**Lage** (-n)	lleoliad (g), safle (gb); sefyllfa (b)
das	**Lager** (-)	gwersyll (g), stordy (g)
der	**Laib** (-e)	torth (b)
das	**Laken** (-)	cynfas (b) wely, lliain (g) gwely
die	**Lakritze** (-n)	licris (g)
das	**Lamm** (-¨er)	oen (g)
das	**Lammfleisch**	cig (g) oen
die	**Lampe** (-n)	lamp (b), golau (g)
das	**Land** (-¨er)	tir (g), gwlad (b), bro (b); cefn (g) gwlad
auf dem Land		yng nghefn gwlad
	landen (gw)	glaniad (g), cyrraedd tir
die	**Landesgemeinde** (-n)	cymuned (b), cyngor (g) bro
die	**Landkarte** (-n)	map (g)
die	**Landschaft** (-en)	tirlun (g), tirffurf (g), tirwedd (b)
die	**Landstraße** (-n)	ffordd (b) gefn gwlad
der	**Landtag** (-e)	cyngor (g) sir
die	**Landung** (-en)	glaniad (g) [awyren]
der	**Landwirt** (-e)	ffermwr (g), amaethwr (g)
	lang (länger, am längsten)	hir; maith; am gyfnod
drei Tage lang		am dri diwrnod
wie lange		pa mor hir, faint o amser
die	**Länge** (-n)	hyd (g)
	langsam	araf
	längst	eisoes, yn barod; ers talwm
sich	**langweilen** (gw)	diflasu, syrffedu, cael llond bol
	langweilig	diflas, blinderus, maith, glastwraidd
der	**Lappen** (-)	clwt (g), clwtyn (g), cerpyn (g)
der	**Laptop** (-s)	cyfrifiadur (g) pen-glin
der	**Lärm**	sŵn (g), twrw (g)
	lassen (ä-ie-a)	gadael
	lässig	hamddenol
die	**Last** (-en)	llwyth (g), baich (g)
der	**Lastwagen** (-)	lori (b), wagen (b)
	Latein	Lladin (gb)
die	**Laterne** (-n)	llusern (g), lantarn (b)

die **Latte** (-n)	astell (b)
der **Lauch** (-¨e)	cenhinen (b)
der **Lauf** (-¨e)	rhediad (g)
die **Laufbahn** (-en)	gyrfa (b)
laufen (äu-ie-au)	rhedeg; cael ei dangos [ffilm]
die **Laune** (-n)	hwyl (b), tymer (b)
launisch	oriog, pwdlyd
laut	swnllyd, uchel
lauwarm	llugoer, claear
leben (gw)	byw
das **Leben** (-)	bywyd (g)
ums Leben kommen	marw
lebendig	byw, bywiog
die **Lebenserwartung** (-en)	hyd (g) bywyd, disgwyliad (g) einioes
das **Lebensmittel** (-)	bwyd (g)
das **Lebensmittelgeschäft** (-e)	siop (b) fwyd, groser (g)
die **Leber** (-n)	afu (gb), iau (g)
der **Leberkäse**	torth (g) o gig afu/iau
lebhaft	bywiog, llawn bywyd
der **Lebkuchen** (-)	teisen (b) sinsir
lecker	blasus
der **Leckerbissen** (-)	danteithfwyd (g)
das **Leder**	lledr (g)
der **Ledergürtel** (-)	gwregys (g) lledr
die **Lederjacke** (-n)	siaced (b) ledr
ledig	dibriod, sengl
leer	gwag
leeren (gw)	gwacáu, gwagio
die **Leertaste** (-n)	bar (g) gofod [teipiadur neu brosesydd geiriau]
die **Leerung** (-en)	y weithred o wacáu; casgliad (g) [post]
legen (gw)	gosod, dodi, taenu
die **Legende** (-n)	chwedl (b)
lehren (gw)	dysgu [e.e. athro/athrawes], addysgu
der **Lehrer** (-)	athro (g)
die **Lehrerin** (-nen)	athrawes (b)
das **Lehrerzimmer** (-)	ystafell (b) athrawon
der **Leib** (-er)	corff (g)
leicht	ysgafn; hawdd, rhwydd

die	**Leichtathletik**	mabolgampau (ll), athletau (ll)
das	**Leichtfahrrad** (-¨er)	beic (g) ysgafn
	leid tun	bod yn ddrwg gennych
es tut mir	*leid*	mae'n ddrwg gen i
	leiden (litt-gelitten)	dioddef
	leiden können	goddef; cyd-dynnu/tynnu ('n dda) â rhywun
	leider	gwaetha'r modd, yn anffodus
	leihen (ei-ie-ie)	benthyca, rhoi benthyg
die	**Leine** (-n)	llinyn (g), lein (b); tennyn (g) [ci]
das	**Leinen** (-)	lliain (g)
das	**Leintuch** (-¨er)	gorchudd (g) gwely, cynfas (gb)
die	**Leinwand** (-¨e)	sgrîn (b) sinema
	leise	tawel; isel [sŵn]
	leisten (gw)	fforddio; gwneud, cyflawni
die	**Leistung** (-en)	gorchest (b), perfformiad (g)
der	**Leiter** (-)	rheolwr (g), prifathro (g)
die	**Leiter** (-n)	ysgol (b), grisiau (ll)
	lenken (gw)	cyfeirio, llywio, arwain
das	**Lenkrad** (-¨er)	olwyn (b) yrru [cerbyd], llyw (g) [car]
	lernen (gw)	dysgu, casglu gwybodaeth; adolygu
das	**Lernziel** (-e)	nod (gb), amcan (g) [dysgu]
	lesen (ie-a-e)	darllen
	letzte(r/s)	olaf; diwethaf
das	*letzte Mal*	y tro diwethaf; y tro olaf
	letzte Woche	wythnos (b) diwethaf
	letztes Jahr	y llynedd
	leuchten (gw)	disgleirio, sgleinio, goleuo
der	**Leuchtturm** (-¨e)	goleudy (g)
die	**Leute** (pl)	pobl (b); tyrfa (b)
die	**Libelle** (-n)	gwas (g) y neidr
das	**Licht** (-er)	golau (g), goleuni (g); lamp (b)
	lieb	annwyl, cu, serchus, cariadus, mwyn
die	**Liebe** (-n)	cariad (g), serch (g), hoffter (g)
	lieben (gw)	caru, hoffi
	liebenswert	hoffus, cariadus, hawddgar
	lieber [gern]	bod yn well gan, yn hytrach na
	Lieber Freund !	annwyl gyfaill [dechrau llythyr]

80

	Liebe Freundin !	annwyl gyfeilles [dechrau llythyr]
der	**Liebhaber** (-)	cariad (gb)
	Lieblings-	hoff
das	**Lieblingsfach** (-¨er)	hoff bwnc (g)
die	**Lieblingsgruppe** (-n)	hoff grŵp (g) pop
das	**Lieblingshaustier** (-e)	hoff anifail (g) anwes
das	**Lieblingshobby** (-s)	hoff hobi (g)
am	**liebsten** [gern]	gorau gennych, hoffi fwyaf
	Liechtenstein	Liechtenstein (b)
das	**Lied** (-er)	cân (b)
	liefern (gw)	dosbarthu, danfon; cyflenwi â, darparu
	liegen (ie-a-e)	gorwedd; wedi ei leoli
	liegen/lassen (ä-ie-a)	gadael ar ôl, anghofio
der	**Liegewagen** (-)	cerbyd (g) cysgu mewn trên
er/sie/es	**ließ** [lassen]	roedd e/hi'n gadael
der	**Lift** (-e)	lifft (g), esgynnydd (g)
	lila	porffor golau, lliw lelog
die	**Limonade** (-n)	lemonêd (g)
das	**Lineal** (-e)	pren (g) mesur
die	**Linie** (-n)	llinell (b), rhes (b), lein (b)
der	**Linienflug** (-¨e)	ehedfa (b) reolaidd, ehediad rheolaidd (g)
der	**Linienplan** (-¨e)	amserlen (b) [bws neu drên]
der	**Linienrichter** (-)	llumanwr (g), ystlyswr (g)
	links	chwith, ar y chwith
die	**Linse** (-n)	gwydryn (g), lens (g); ffacbysen (b), corbysen (b)
die	**Lippe** (-n)	gwefus (b)
der	**Lippenstift** (-e)	minlliw (g), lipstic (g)
die	**Liste** (-n)	rhestr (b)
der	**Liter** (-)	litr (g)
er/sie/es	**litt** [leiden]	roedd e/hi'n dioddef
der	**LKW** (-s)	lori (b)
das	**Lob** (-e)	canmoliaeth (b)
das	**Loch** (-¨er)	twll (g), agoriad (g)
	locker	llac, rhydd; hamddenol, wedi ymlacio
	lockig	cyrliog
der	**Löffel** (-)	llwy (b)
sich	**lohnen** (gw)	bod yn werth chweil

	London	Llundain (b)
	los	rhydd, llac
	löschen (gw)	diffodd
Durst	*löschen*	torri syched
	lösen (gw)	datrys; prynu [tocyn]
die	**Lösung** (-en)	ateb (g) [pos, croesair a.y.y.b.]
	los/werden (wird- wurde-geworden)	cael gwared â
das	**Lotto** (-s)	loteri (b), hapchwarae (g)
der	**Löwe** (-n)	llew (g), cytser (g) y Llew
die	**Lücke** (-n)	bwlch (g), agen (b), agendor (gb)
die	**Luft** (-ˮe)	awyr (b), aer (g)
der	**Luftballon** (-s)	balŵn (gb)
der	**Luftdruck** (-e)	pwysedd (g) aer/awyr, gwasgedd (g) aer/awyr
das	**Luftkissenboot** (-e)	hofranlong (b)
die	**Luftmatratze** (-n)	matras (gb) aer/awyr, gwely (g) awyr
die	**Luftpumpe** (-n)	pwmp (g) aer
die	**Lüge** (-n)	celwydd (g)
	lügen (ü-o-o)	dweud celwydd
der	**Lumpen** (-)	rhacsyn (g), cerpyn (g)
	Lust haben	hoffi, ffansïo
	lustig	doniol, digrif
das	**Lustspiel** (-e)	comedi (b)
	Luxemburg	Lwcsembwrg (b)
der	**Luxus**	moethusrwydd (g)
die	**Luxuswohnung** (-en)	fflat (b) foethus

M

	machen (gw)	gwneud; cynhyrchu
die	**Macht** (-¨e)	pŵer (g), gallu (g), grym (g)
	mächtig	pwerus, grymus
das	**Mädchen** (-)	merch (b), geneth (b), hogan (b), croten (b)
die	**Mädchendusche** (-n)	cawod (b) merched
die	**Mädchentoilette** (-n)	tŷ (g) bach merched
er/sie/es	**mag** [mögen]	mae e/hi'n hoffi
das	**Magazin** (-e)	cylchgrawn (g); stordy (g)
der	**Magen** (-¨)	stumog (b), cylla (g)
die	**Magenschmerzen** (pl)	poenau (ll) yn y stumog; llosg (g) cylla
	mager	tenau, main; [cig] coch
die	**Magermilch**	llaeth (g) sgim
	mähen (gw)	lladd [gwair], torri [gwair]
die	**Mahlzeit** (-en)	pryd (g) o fwyd
die	**Mähne** (-n)	mwng (g)
	mahnen (gw)	atgoffa, rhybuddio
der	**Mai**	[mis] Mai (g)
das	**Make-up**	colur (g)
	mal	gwaith (b) [unwaith, dwywaith, a.y.y.b.]
noch	*mal*	unwaith eto, drachefn
	dreimal	teirgwaith
das	**Mal** (-e)	tro (g)
das letzte	*Mal*	y tro diwethaf
	malen (gw)	peintio, darlunio
	malerisch	darluniadol
	man	rhywun, chi
	manchmal	weithiau, ambell waith, o bryd i'w gilydd
der	**Mangel** (-¨)	diffyg (g); eisiau (g), prinder (g)
	mangelhaft	annigonol, diffygiol
der	**Mann** (-¨er)	dyn (g), gŵr (g)
	männlich	gwrywaidd
die	**Mannschaft** (-en)	tîm (g), criw (g)
der	**Mantel** (-¨)	côt/cot (b)
das	**Märchen** (-)	chwedl (b), stori (b)
die	**Margarine** (-n)	margarîn (g)
die	**Marine**	llynges (b)
die	**Marionette** (-n)	pyped (g)
die	**Mark**	marc (g) [uned arian yr Almaen]

die	**Marke** (-n)	gwneuthuriad (g), math (g)
	markieren (gw)	marcio
der	**Markt** (-¨e)	marchnad (b)
der	**Marktplatz** (-¨e)	marchnad (b), sgwâr (gb) y farchnad
die	**Marmelade** (-n)	jam (g), marmalêd (g)
der	**März**	[mis] Mawrth (g)
die	**Maschine** (-n)	peiriant (g)
das	**Maschinenschreiben**	y weithred (b) o deipio
die	**Maske** (-n)	mwgwd (g), masg (g)
das	**Maßband** (-¨er)	mesurydd (g)
	mäßig	cymedrol, canolig
die	**Mathe(matik)**	mathemateg (b)
die	**Matratze** (-n)	matras (gb)
die	**Mauer** (-n)	wal (b), mur (g)
das	**Maul** (-¨er)	ceg (b) [anifail]
der	**Maurer** (-)	briciwr (g), gosodwr (g) brics
die	**Maus** (-¨e)	llygoden (b)
die	**Mayonnaise** (-n)	hufen (g) salad, mayonnaise (g)
der	**Mechaniker** (-)	peiriannydd (g)
	Mecklenburg-Vorpommern	talaith yng ngogledd-ddwyrain yr Almaen
die	**Medaille** (-n)	medal (gb)
das	**Medienzentrum** (-zentren)	canolfan (b) gyfryngau
die	**Medien** (pl)	y cyfryngau (ll)
das	**Medikament** (-e)	meddyginiaeth (b)
das	**Meer** (-e)	môr (g)
die	**Meeresfrüchte** (pl)	bwyd (g) môr
das	**Meerschweinchen** (-)	mochyn (g) cwta
das	**Mehl**	blawd (g), fflŵr (g), can (g)
	mehr [viel]	rhagor, mwy
nicht	*mehr*	dim eto; dim mwy
	mehrere	rhai, nifer o; amryw, gwahanol
die	**Mehrfahrtenkarte** (-n)	tocyn amldeithio (g)
die	**Mehrheit** (-en)	mwyafrif (g)
die	**Mehrwertsteuer** (-n)	T.A.W. [treth (b) ar werth]
die	**Mehrzahl** (-en)	rhan (b) fwyaf, mwyafrif (g); lluosog (g)
	meiden (ei-ie-ie)	osgoi
die	**Meile** (-n)	milltir (b)
	mein [ich]	fy

	meinen (gw)	meddwl, credu; dweud
die	**Meinung** (-en)	barn (b), tyb (gb)
meiner	*Meinung nach*	yn fy marn i
	meist	gan amlaf, fynychaf
am	**meisten** [viel]	mwyaf
	meistens	gan amlaf, gan mwyaf, fynychaf
der	**Meister** (-)	meistr (g); pencampwr (g)
die	**Meisterschaft** (-en)	pencampwriaeth (b)
das	**Meisterwerk** (-e)	campwaith (g), gorchest (b)
	melden (gw)	adrodd, gohebu
sich	**melden** (gw)	cysylltu, rhoi gwybod; gwirfoddoli
	melken (e-o-o)	godro
	melodisch	melodaidd, persain
die	**Melone** (-n)	melon (g)
die	**Menge** (-n)	maint (g), nifer (gb); torf (b), tyrfa (b)
jede	*Menge*	mwy na digon
der	**Mensch** (-en)	dyn (g) neu fenyw (b), person (g), pobl (b)
	menschlich	dynol, dyngarol
das	**Menü** (-s)	bwydlen (b); pryd (g)/saig (g) arbennig y dydd
	merken (gw)	sylwi
sich	**merken** (gw)	cofio
die	**Messe** (-n)	ffair (b); gwasanaeth (g) [eglwys], offeren (b)
	messen (i-a-e)	mesur
das	**Messer** (-)	cyllell (b)
das	**Messing**	efydd (g), pres (g)
der	**Meter** (-)	metr (g)
der	**Metzger** (-)	cigydd (g)
die	**Metzgerei** (-en)	siop (b) gig, cigydd (g)
	mich [ich]	fi
	mies	gwael, diflas
die	**Miete** (-n)	rhent (g)
	mieten (gw)	rhentu, llogi
die	**Mietwohnung** (-en)	fflat (b) i'w rhentu
die	**Migräne** (-n)	pen (g) tost, cur (g) pen, meigryn (g)
das	**Mikrofon** (-e)	microffon (g), meic (g)
das	**Mikroskop** (-e)	microsgop (g)
die	**Mikrowelle** (-n)	micro-don (b)
die	**Milch**	llaeth (g), llefrith (g)

	mild	mwyn, gwan, ysgafn
die	**Million** (-en)	miliwn (b)
der	**Millionär** (-e)	miliynydd (g)
die	**Minderheit** (-en)	lleiafrif (g)
	mindestens	o leiaf
das	**Mineralwasser** (-ˮ)	dŵr (g) mwynol
der	**Minirock** (-ˮe)	sgert (b) fini
das	**Ministerium** (-ien)	gweinidogaeth (b)
der	**Ministerpräsident** (-en)	Prif Weinidog (g) [talaith]
die	**Minute** (-n)	munud (gb)
	mir [ich]	fi
	mischen (gw)	cymysgu
die	**Mischung** (-en)	cymysgedd (g)
der	**Mißbrauch** (-ˮe)	camddefnydd (g)
der	**Mist**	sbwriel (g); tail (g), dom (b)
	mit (+dat)	gyda, efo, gan, â
	mit/bringen (brachte mit-mitgebracht)	dod â
	miteinander	gyda'i gilydd
das	**Mitglied** (-er)	aelod (gb)
	mit/helfen (i-a-o)	helpu, cynorthwyo
	mit/kommen (o-a-o)	dod gyda rhywun
der	**Mitschüler** (-)	cyd-ddisgybl (g)
der	**Mittag** (-e)	canol (g) dydd, hanner (g) dydd
zu	*Mittag*	amser cinio
das	**Mittagessen** (-)	cinio (gb)
	mittags	bob hanner dydd
die	**Mitte** (-n)	canol (g)
	mit/teilen (gw)	rhoi gwybod am, dweud am, sôn am
das	**Mittel** (-)	modd (g), cyfrwng (g)
mit allen	*Mitteln*	ar bob cyfrif, ym mhob ffordd bosibl
	mittelalterlich	canoloesol
	Mittelengland	Canolbarth (g) Lloegr
	mittelgroß	cymedrol dal, gweddol fawr
das	**Mittelmeer**	Môr (g) y Canoldir
die	**Mitternacht** (-ˮe)	canol (g) nos, hanner (g) nos
	mittlerer	canolig, cymedrol
die	*Mittlere Reife*	T.G.A.U.
der	**Mittwoch** (-e)	dydd Mercher (g)
	mittwochs	bob dydd Mercher (g)

das	**Möbel** (-)	dodrefn (ll), celfi (ll)
das	**Möbelstück** (-e)	dodrefnyn (g), celficyn (g)
	möbliert	wedi'i ddodrefnu
er/sie/es	**mochte** [mögen]	roedd e/hi'n hoffi
ich	**möchte** [mögen]	hoffwn i
die	**Mode** (-n)	ffasiwn (b)
das	**Modellauto** (-s)	model (g) o gar
die	**Modelleisenbahn** (-en)	model (g) o drên, trên (g) tegan
der	**Moderator** (-en)	cyflwynydd (g) [radio neu deledu]
die	**Modeschau** (-en)	sioe (b) ffasiwn
der	**Modeschöpfer** (-)	cynllunydd (g) dillad
	modern	modern, diweddar
	modernisiert	wedi'i adnewyddu, wedi'i foderneiddio
die	**Modewaren** (pl)	gwisg (b) ffasiwn, dillad (ll)
	modisch	ffasiynol
das	**Mofa** (-s)	moped (g)
	mögen (mag-mochte-gemocht)	hoffi, licio, caru
	möglich	posibl; tebygol
	möglicherweise	efallai, o bosibl
die	**Möglichkeit** (-en)	posibilrwydd (g)
	mohammedanisch	Mwslimaidd, Islamaidd
der	**Mohn**	pabi (g)
der	**Mokka** (-s)	coffi (g) du cryf
das	**Mokkaeis**	hufen (g) iâ blas coffi
die	**Molkerei** (-en)	hufenfa (b) laeth, ffatri (b) laeth
der	**Moment** (-e)	moment (b), eiliad (gb), ysbaid (gb)
	momentan	ar y foment, ar hyn o bryd
der	**Monat** (-e)	mis (g)
die	**Monatskarte** (-n)	tocyn (g) mis
der	**Mönch** (-e)	mynach (g)
der	**Mond** (-e)	lleuad (b), lloer (b)
der	**Mondschein**	lloergan (g), golau (g)'r lleuad
der	**Montag** (-e)	dydd Llun (g)
	montags	bob dydd Llun (g)
der	**Monteur** (-e)	ffitiwr (g), peiriannydd (g), peiriannwr (g)
das	**Moped** (-s)	moped (g)
	morgen	yfory
der	**Morgen** (-)	bore (g)

87

guten Morgen	bore da
morgens	bob bore, yn y bore
Moskau	Moscow
der **Motor** (-en)	modur (g), injan (b)
das **Motorrad** (-¨er)	beic (g) modur
die **Mücke** (-n)	gwybedyn (g)
müde	wedi blino, blinedig, lluddedig
das **Müesli** (-s)	miwsli (gb), grawnfwyd (g)
die **Mühe** (-n)	ymdrech (b)
der **Müll**	sbwriel (g)
die **Mullbinde** (-n)	rhwymyn (g) rhwyllog
der **Mülleimer** (-)	bin (g) sbwriel
die **Mülltonne** (-n)	cynhwysydd (g) sbwriel
der **Müllwagen** (-¨)	lori (b) ludw, lori (b) sbwriel
München	Miwnic [dinas ym Mafaria]
der **Mund** (-¨er)	ceg (b)
die **Mundharmonika** (-s)	organ (b) geg
munter	llon, effro
die **Münze** (-n)	darn (g) arian
die **Muschel** (-n)	cragen (b) las, misglen (b), cocosen (b)
das **Museum** (Museen)	amgueddfa (b)
die **Musik** (-en)	cerddoriaeth (b)
die klassischeMusik	cerddoriaeth (b) glasurol
der **Musiker** (-)	cerddor (g)
das **Musikinstrument** (-e)	offeryn (g) cerdd
der **Musikraum** (-¨e)	ystafell (b) gerdd
die **Musiksendung** (-en)	rhaglen (b) gerddorol [radio, teledu]
der **Muskel** (-n)	cyhyr (g)
der **Muskelkater** (-)	cyhyr (g) briw
ich habe einen Muskelkater	rwy fi'n boenau drosof
müssen (muß- mußte-gemußt)	bod rhaid, gorfod
der **Mut**	dewrder (g)
die **Mutter** (-¨)	mam (b)
die **Muttersprache** (-n)	mamiaith (b)
die **Mutti** (-s)	mam (b)
die **Mütze** (-n)	cap (g)

	nach (+dat)	ar ôl, yn ôl, i, tua, wedi
der	**Nachbar** (-n)	cymydog (g)
die	**Nachbarin** (-nen)	cymdoges (b)
	nach/denken (dachte nach-nachgedacht)	meddwl dros, ystyried
	nach/eifern (gw)	dilyn, copïo
	nach/geben (i-a-e)	ildio, gafael yn
	nachher	wedyn
die	**Nachhilfe** (-n)	gwersi (ll) preifat
	nachlässig	diofal, esgeulus
	nach/legen (gw)	rhoi mwy o lo neu goed ar y tân
der	**Nachmittag** (-e)	prynhawn (g)
	nachmittags	bob prynhawn
die	**Nachricht** (-en)	neges (b)
die	**Nachrichten** (pl)	newyddion (ll)
die	**Nachsaison** (-en)	ôl-dymor (g), adeg (b) dawel
	nach/schauen (gw)	edrych am, gwirio, archwylio
	nach/sehen (ie-a-e)	edrych am, gwirio, archwylio
	nächste(r/s) [nah]	nesaf
die	**Nacht** (-¨e)	nos (b)
gute	*Nacht*	nos da
der	**Nachteil** (-e)	anfantais (b)
das	**Nachthemd** (-en)	crys (g) nos, coban (b)
der	**Nachtisch** (-e)	pwdin (g)
der	**Nachtklub** (-s)	clwb (g) nos
das	**Nachtmahl** (-¨er)	swper (gb), cinio (gb) nos
der	**Nachttisch** (-e)	bwrdd (g) erchwyn gwely
der	**Nagel** (-¨)	hoelen (b); ewin (gb)
	nah (näher, am nächsten)	agos
	nähen (gw)	gwnïo
das	**Nähen**	gwniad (g)
	näher [nah]	nes
sich	**nähern** (gw)	nesáu at, mynd at
die	**Nähmaschine** (-n)	peiriant (g) gwnïo
die	**Nahrung** (-en)	maeth (g), bwyd (g)
das	**Nahrungsmittel** (-)	bwyd (g)
der	**Nahverkehrszug** (-¨e)	trên (g) lleol
der	**Name** (-n)	enw (g)
	nämlich	sef

der	**Narr** (-en)	ynfytyn (g), ffŵl (g), hurtyn (g)
die	**Narzisse** (-n)	narsisws (g), gylfinog (b) [blodyn]
die	**Nase** (-n)	trwyn (g)
	naß	gwlyb
die	**Nationalität** (-en)	cenedl (b)
die	**Natur** (-en)	natur (b)
	natürlich	naturiol; wrth gwrs
die	**Naturwissenschaft** (-en)	gwyddoniaeth (b)
der	**Naturwissenschaftler** (-)	gwyddonydd (g)
der	**Nebel** (-)	niwl (g), tarth (g), nudden (b)
	nebelig	niwlog
	neben (+dat/+acc)	gerllaw, wrth ochr, wrth, ar bwys
	nebenan	drws nesaf
	nebenbei	gyda llaw
die	**Nebenstraße** (-n)	stryd (b) gefn, lôn (b) wledig, heol (b) gefn
	neblig	niwlog
der	**Neffe** (-n)	nai (g)
	negativ	negyddol, nacaol
	nehmen (i-a-o)	cymryd, gafael
	nein	nage, naddo, a.y.y.b.
	nennen (nannte-genannt)	enwi
	nerven (gw)	poeni/blino rhywun, mynd ar nerfau rhywun
	nervös	nerfus, anniddig
	nett	caredig, mwyn, tirion; twt, taclus
das	**Netz** (-e)	rhwyd (b)
das	**Netzwerk** (-e)	rhwydwaith (g)
	neu	newydd, ffres
die	**Neugierde**	chwilfrydedd (g)
	neugierig	chwilfrydig
die	**Neuigkeit** (-en)	newydd (g)
das	**Neujahr** (-e)	Calan (g), blwyddyn (b) newydd
der	**Neujahrstag** (-e)	Dydd (g) Calan
	neun	naw
	neunte(r/s)	nawfed
	neunzehn	un deg naw, pedwar/pedair ar bymtheg

	neunzig	naw deg, deg a phedwar ugain
	neutral	niwtral, amhleidiol; canolrywaidd, diryw
	nicht	dim, nid, nad
auch	*nicht*	chwaith
noch	*nicht*	ddim eto
warum	*nicht*	pam lai
	nicht mehr	dim mwyach, dim rhagor
	nicht nur ... sondern auch	nid ... yn unig ... ond hefyd
	nicht wahr	on'd yw, on'd e, ynte
die	**Nichte** (-n)	nith (b)
der	**Nichtraucher** (-)	person nad yw'n smygu
das	**Nichtraucherabteil** (-e)	cerbyd (g) dim smygu
die	**Nichtraucherin** (-nen)	menyw (b) nad yw'n smygu
	nichts	dim, dim byd
	nichts zu danken	croeso, dim o gwbl [ar ôl diolch]
	nicken (gw)	nodio, amneidio
	nie	erioed, byth
	nieder	isel
die	**Niederlande** (pl)	yr Iseldiroedd (ll)
sich	**nieder/legen** (gw)	gorwedd i lawr, mynd i'r gwely
	Niedersachsen	Sacsoni Leiaf [talaith yng ngogl-orll. yr Almaen]
der	**Niederschlag** (-¨e)	gwlybaniaeth (g)
	niederschlagsfrei	sych, heb wlybaniaeth
	niedlich	hyfryd, annwyl, pert, tlws
	niedrig	isel
	niemals	erioed, byth
	niemand	neb, dim un
die	**Niere** (-n)	aren (b)
das	**Nilpferd** (-e)	hipopotamws (g)
er/sie/es	**nimmt** [nehmen]	mae e/hi'n cymryd
das	**Niveau** (-s)	safon (b), lefel (b)
die	**Nixe** (-n)	môr-forwyn (b)
	noch	o hyd, eto
	noch einmal	unwaith eto
	noch nicht	ddim eto
	noch mal	unwaith eto, drachefn
die	**Nonne** (-n)	lleian (b)
	Nordafrika	Gogledd Affrica

	Nordamerika	Gogledd America
der	**Norden**	gogledd (g)
	Nordirland	Gogledd Iwerddon
	nördlich	gogleddol
der	**Nordosten**	gogledd-ddwyrain (g)
	Nordrhein-Westfalen	talaith (b) yng ngorllewin yr Almaen
der	**Nordwesten**	gogledd-orllewin (g)
	normal	cyffredin, arferol
	normalerweise	yn gyffredinol, fel arfer
	Norwegen	Norwy
	Norwegisch	Norwyeg (b) [iaith]
	norwegisch	Norwyaidd
die	**Not** (-¨e)	eisiau (g), angen (g)
der	**Notausgang** (-¨e)	allanfa (b) dân, allanfa (b) frys
der	**Notdienst** (-e)	gwasanaeth (g) argyfwng
die	**Note** (-n)	marc (g); nodyn (g)
die	**Notiz** (-en)	nodyn (g), neges (b)
der	**Notizblock** (-¨e)	pad (g) ysgrifennu
das	**Notizbuch** (-¨er)	llyfr (g) nodiadau
	Notizen machen	nodi, cofnodi
der	**Notruf** (-e)	galwad (b) frys, galwad (b) argyfwng
	notwendig	angenrheidiol
der	**November**	[mis] Tachwedd (g)
die	**Nudel** (-n)	pasta (g), nwdl (b)
der	**Nudelsalat** (-e)	salad (g) pasta, salad (g) nwdl
	null	dim
die	**Nummer** (-n)	rhif (g), rhifyn (g)
die	**Nummerntafel** (-n)	plât (g) rhif car
	nun	nawr, rŵan
	nur	dim ond, yn unig
nicht	**nur** ... *sondern auch*	nid ... yn unig ... ond hefyd
die	**Nuß** (-¨sse)	cneuen (b)
	nutzen (gw)	bod yn ddefnyddiol, defnyddio
	nützen (gw)	bod yn ddefnyddiol, defnyddio
Gelegenheit	**nützen**	achub ar gyfle, bachu ar gyfle
	nützlich	defnyddiol
	nutzlos	diwerth, da i ddim, di-fudd

O

ob	os
oben	uwchben, fry, uchod
der **Ober** (-)	gweinydd (g)
der **Oberbürgermeister** (-)	maer (g)
die **Oberfläche** (-n)	wyneb (g), arwynebedd (g)
der **Oberlippenbart** (-¨e)	mwstás[h] (g)
die **Oberstufe** (-n)	ysgol (b) uwchradd
obligatorisch	gorfodol
das **Obst**	ffrwythau (ll)
der **Obstbaum** (-¨e)	coeden (b) ffrwythau
der **Obstgarten** (-¨)	perllan (b)
obwohl	er, serch
öde	anial, diffaith, maith, diflas
oder	neu, ynteu
entweder ... *oder*	naill ai ... neu
der **Ofen** (-¨)	ffwrn (b), popty (g)
offen	agored
offenbar	mae'n debyg, mae'n amlwg
die **Offenheit**	gonestrwydd (g)
offensichtlich	amlwg, eglur
öffnen (gw)	agor
oft (öfter, am öftesten)	yn aml, yn fynych, llawer gwaith
wie **oft**	pa mor aml
öfter [oft]	amlach
ohne (+acc)	heb
das **Ohr** (-en)	clust (gb)
der **Ohrring** (-e)	clustdlws (g)
der **Oktober**	[mis] Hydref (g)
das **Öl** (-e)	olew (g)
die **Olive** (-n)	ffrwyth (g) yr olewydd, olif (b)
die **Ölkanne** (-n)	tun (g) olew, can (g) oel, tebot (g) olew
das **Olympiadorf** (-¨er)	pentref (g) Olympaidd
die **Olympischen Spiele** (pl)	y Gemau (ll) Olympaidd
die **Oma** (-s)	nain (b), mam-gu (b)
das **Omelett** (-s)	omled (g)
der **Onkel** (-)	ewythr (g)
der **Opa** (-s)	taid (g), tad-cu (g)
die **Oper** (-n)	opera (b)
operieren (gw)	llaw-drin
die **Orange** (-n)	oren (g)

der	**Orangensaft** (-¨e)	sudd (g) oren
die	**Orangenmarmelade** (-n)	marmalêd (g)
das	**Orchester** (-)	cerddorfa (b)
die	**Ordination** (-en)	meddygfa (b)
die	**Ordnung** (-en)	trefn (b)
in	*Ordnung*	o'r gorau
	organisieren (gw)	trefnu
die	**Orgel** (-n)	organ (b)
der	**Ort** (-e)	lle (g), man (gb); pentref (g)
	örtlich	lleol
die	**Ortschaft** (-en)	pentref (g)
der	**Ortsteil** (-e)	rhan (b) o bentref
der	**Osten**	dwyrain (g)
das	**Osterei** (-er)	ŵy (g) Pasg
die	**Osterferien** (pl)	gwyliau (ll)'r Pasg
das	**Osterfest** (-e)	gŵyl (g) y Pasg
die	**Osterglocke** (-n)	cenhinen (b) Bedr, cenhinen (b) Pedr
der	**Osterhase** (-n)	sgwarnog (b) y Pasg
das	**Ostern** (-)	[y] Pasg (g)
frohe	*Ostern*	Pasg hapus
	Österreich	Awstria
der	**Österreicher** (-)	Awstriad (g)
	österreichisch	Awstriaidd, yn perthyn i Awstria
	östlich	dwyreiniol
die	**Ostsee**	y Môr (g) Baltig, Môr (g) Llychlyn
	oval	hirgrwn
der	**Ozean** (-e)	cefnfor (g)
die	**Ozonschicht** (-en)	haen (b) osôn

	paar	rhai, rhywfaint
das	**Päckchen** (-)	paced (g), parsel (g)
	packen (gw)	pacio; gafael
die	**Packung** (-en)	paced (g)
das	**Paket** (-e)	parsel (g)
die	**Paketannahme** (-n)	cownter (g) parseli
der	**Palast** (-¨e)	plas (g), plasty (g)
die	**Palette** (-n)	amrediad (g)
die	**Panne** (-n)	torri [i lawr], toriad (g) i lawr
der	**Papagei** (-en)	parot (g)
das	**Papier** (-e)	papur (g)
die	*Papiere* (pl)	papurau (ll) adnabod, papurau (ll) hunaniaeth
der	**Papierkorb** (-¨e)	basged (b) sbwriel
der	**Pappbehälter** (-)	carton (g)
die	**Pappe** (-n)	cardbord (g)
der	**Pappkarton** (-s)	cardbord (g); bocs (g) cardbord
der	**Paprika** (-s)	pupur (g) gwyrdd, pupur (g) coch, paprica (g)
der	**Papst** (-¨e)	y Pab (g)
der/das	**Pardon**	maddeuant (g), pardwn (g)
das	**Parfüm** (-s)	persawr (g)
der	**Park** (-s)	parc (g)
	parken (gw)	parcio
das	**Parkhaus** (-¨er)	maes (g) parcio aml-loriog
der	**Parkplatz** (-¨e)	maes (g) parcio
der	**Parmesan-Käse**	caws (g) Parma
der	**Partner** (-)	priod (gb), cymar (g), partner (g)
die	**Partnerin** (-nen)	priod (gb), cymhares (b), partneres (g)
die	**Partnerschaft** (-en)	partneriaeth (b)
die	**Party** (-s)	parti (g)
der	**Paß** (-¨sse)	trwydded (b) deithio, pasport (g)
der	**Passagier** (-e)	teithiwr (g)
der	**Passant** (-en)	un sy'n mynd heibio, pasiwr (g)
	passen (gw)	ffitio; cyfateb; gweddu i
	passend	addas, priodol, gweddus
	passieren (gw)	digwydd
der	**Patient** (-en)	claf (g)
die	**Patientin** (-nen)	claf (g)

die	**Patrone** (-n)	cetrisen (b), casét (g)
die	**Pause** (-n)	egwyl (b), toriad (g), seibiant (g), saib (g)
der	**Pausenhof** (-¨e)	iard (b) ysgol, buarth (g) [ysgol]
das	**Pauspapier** (-e)	papur (g) dargopïo/trasio; papur (g) carbon
das	**Pech**	anffawd (b), anlwc (g)
das	**Pedal** (-e)	pedal (g), troedlath (b), padlen (b)
die	**Pelzjacke** (-n)	siaced (b) ffwr
die	**Pension** (-en)	pensiwn (g); gwely (g) a brecwast , llety (g) preifat
die	**Pensionierung** (-en)	ymddeoliad (g)
die	**Peperoni** (-)	pupur (g)
	per Anhalter reisen	bodio, ffawdheglu
	perfekt	perffaith
die	**Perlenkette** (-n)	mwclis (g) perlau
die	**Person** (-en)	person (g)
die	**Personalien** (pl)	data (ll) personol, manylion (ll) personol
der	**Personenzug** (-¨e)	trên (g) teithwyr, trên (g) araf
	persönlich	personol
die	**Persönlichkeit** (-en)	personoliaeth (b)
die	**Petersilie** (-n)	persli (g)
der	**Pfadfinder** (-)	Sgowt (g)
der	**Pfahl** (-¨e)	polyn (g), postyn (g)
die	**Pfalz**	ardal (b) yng ngorllewin yr Almaen
das	**Pfand** (-¨er)	blaendal (g), ernes (b), sicrwydd (g)
die	**Pfanne** (-n)	padell (b)
der	**Pfannkuchen** (-)	pancosen (b), crempog (b), ffroesen (b)
der	**Pfeffer**	pupur (g)
die	**Pfeife** (-n)	pibell (b), cetyn (g); chwîb (b)
	pfeifen (ei-i-i)	chwibanu
der	**Pfeil** (-e)	saeth (b)
der	**Pfennig** (-e)	ceiniog (b) [uned leiaf arian yr Almaen]
das	**Pferd** (-e)	ceffyl (g), march (g)
das	**Pferderennen** (-)	ras (b) geffylau
das	**Pfingsten** (-)	y Sulgwyn (g)
der	**Pfirsich** (-e)	eirinen (b) wlanog
die	**Pflanze** (-n)	planhigyn (g)
	pflanzen (gw)	plannu
das	**Pflaster** (-)	plastr (g)

der	**Pflaumenkuchen** (-)	teisen (b) eirin, cacen (b) blyms
	pflegen (gw)	gofal (g); arfer [gwneud rhywbeth]
	Pflicht-	gorfodol
die	**Pflicht** (-en)	dyletswydd (b), swyddogaeth (b)
das	**Pflichtfach** (-¨er)	cwrs (g) craidd , cwrs (g) gorfodol
	pflücken (gw)	cynaeafu, pigo, tynnu [ffrwythau]
das	**Pfund** (-e)	pwys (g); punt (b)
	phantasievoll	llawn dychymyg, dychmygus
	phantastisch	ffantastig, bendigedig, gwych
die	**Philosophie** (-n)	athroniaeth (b)
das	**Photo** (-s) [Foto]	llun (g), ffotograff (g)
die	**Phrase** (-n)	dywediad (g)
die	**Physik**	ffiseg (b)
das	**Physiklabor** (-e)	labordy (g) ffiseg
der	**Pickel** (-)	ploryn (g), acne (g)
das	**Picknick** (-s)	picnic (g)
der	**Pilger** (-)	pererin (g)
der	**Pilz** (-e)	madarchen (b), ffwng (g)
der	**Pinsel** (-)	brws (g) paent
die	**Pinzette** (-n)	pinsiwrn (g), gefail (b) fach
die	**Pistazie** (-n)	pistasio [math o gneuen o Syria]
das	**Pistazieneis**	hufen (g) iâ blas pistachio
die	**Piste** (-n)	trac (gb), cwrs (g), rhediad (g), rhedegfa (b) [sgïo]
die	**Pistole** (-n)	pistol (g), dryll (g), gwn (g)
die	**Pizza** (-s)	pitsa (g)
die	**Pizzeria** (-s/-ien)	pitseria (b), bwyty (g) pitsas
der	**Pkw** (-s)	car (g)
das	**Plakat** (-e)	poster (g)
der	**Plan** (-¨e)	cynllun (g); map (g)
	planen (gw)	cynllunio, bwriadu
der	**Planet** (-en)	planed (b)
	planmäßig	yn ôl y cynllun, yn ôl yr amserlen
die	**Plastiktüte** (-n)	bag (g) plastig, cwdyn (g) plastig
die	**Platte** (-n)	plât (g), dysgl (b); disg (gb), record (b)
der	**Plattenspieler** (-)	gramoffon (g), chwaraeydd (g) recordiau
der	**Platz** (-¨e)	lle (g), man (gb); gofod (g); sgwâr (gb)
das	**Plätzchen** (-)	sgwâr (gb) bach; bisgeden (b), bisgïen (b)
die	**Platzkarte** (-n)	tocyn (g) sedd gadw [trên]

der	**Plausch** (-e)	sgwrs (b) hamddenol, ymgom (b)
	plaudern (gw)	parablu, sgwrsio, ymgomio
	plötzlich	yn sydyn
der	**Po** (-s)	pen-ôl (g)
der	**Pokal** (-e)	cwpan (gb)
	Polen	Gwlad Pwyl (b)
die	**Politik** (-en)	gwleidyddiaeth (b)
der	**Politiker** (-)	gwleidydd (g)
die	**Politikerin** (-nen)	gwleidyddes (b)
die	**Polizei** (-en)	heddlu (g)
der	**Polizeibeamte** (-n)	heddwas (g)
das	**Polizeirevier** (-e)	swyddfa (b)'r heddlu
die	**Polizeiwache** (-n)	swyddfa (b)'r heddlu
der	**Polizist** (-en)	heddwas (g)
	Polnisch	Pwyleg (b) [iaith]
	polnisch	Pwylaidd, yn perthyn i Wlad Pwyl
die	**Pommes frites** (pl)	sglodion (ll) [tatws]
das	**Pony** (-s)	merlyn (g), merlen (b)
	populär	poblogaidd
der	**Porree**	cenhinen (b)
das	**Portemonnaie** (-s)	pwrs (g)
die	**Portion** (-en)	rhan (b), darn (g)
	Portugal	Portiwgal (b)
	portugiesisch	Portiwgeaidd, yn perthyn i Bortiwgal
	positiv	cadarnhaol, positif
die	**Post**	post (g), swyddfa (b) bost
das	**Postamt** (-¨er)	swyddfa (b) bost
das	**Poster** (-)	poster (g)
die	**Postkarte** (-n)	cerdyn (g) post
die	**Postleitzahl** (-en)	côd (g) post
das	**Postwertzeichen** (-)	stamp (g)
	prächtig	godidog, gwych
	praktisch	ymarferol; cyfleus; hylaw
die	**Praline** (-n)	pralin (g), melysion (ll)
	präsentieren (gw)	cyflwyno
die	**Praxis** (Praxen)	ymarfer (gb); meddygfa (b), practis (g)
der	**Preis** (-e)	pris (g); gwobr (b)
	preisgünstig	rhad, rhesymol
die	**Preislage** (-n)	costau (ll), prisiau (ll)
die	**Preisliste** (-n)	rhestr (b) brisiau
	preiswert	rhesymol, rhad

die	**Presse** (-n)	gwasg (b)
	prima	gwych, ardderchog
der	**Printer** (-)	argraffydd (g)
der	**Prinz** (-en)	tywysog (g)
die	**Prinzessin** (-nen)	tywysoges (b)
das	**Prinzip** (-ien)	egwyddor (b)
die	**Prise Salz**	pinsiaid (g) o halen, bodiaid (gb) o halen
	privat	preifat
das	**Privatquartier** (-e)	llety (g) preifat
	pro	bob, y, yr
	pro Woche	yr wythnos, bob wythnos
	probieren (gw)	ceisio, trio
das	**Problem** (-e)	problem (b), trafferth (gb), anhawster (g)
	produzieren (gw)	cynhyrchu, gwneud
das	**Produkt** (-en)	cynnyrch (g), gwneuthuriad (g)
	profitieren (gw)	elwa; cymryd mantais o
das	**Programm** (-e)	rhaglen (b)
das	**Projekt** (-e)	cynllun (g), prosiect (g)
der	**Prospekt** (-e)	pamffled (g), llyfryn (g)
das	**Prozent** (-e)	canran (b), y cant
	prüfen (gw)	arholi, holi; profi
die	**Prüfung** (-en)	arholiad (g), prawf (g)
das	**Publikum**	cynulleidfa (b)
der	**Pudding** (-e)	pwdin (g)
der	**Puderzucker** (-)	siwgr (g) powdr, siwgr (g) mân
der	**Pulli** (-s)	siwmper (b), pwlofer (gb)
der	**Pullover** (-)	siwmper (b), pwlofer (gb)
das	**Pumpernickel** (-)	bara (g) rhyg, pwmpernicl (g)
der	**Punkt** (-e)	pwynt (g); atalnod (g) llawn
	punkt	i'r dim
	punkten (gw)	sgorio
	pünktlich	prydlon, mewn da bryd
die	**Puppe** (-n)	dol (b), pyped (g)
	purpur	porffor
das	**Püree** (-s)	stwnsh (g), piwrî (g)
die	**Pute** (-n)	twrci (g)
	putzen (gw)	glanhau, tacluso
das	**Puzzle** (-s)	pôs (g)

Quadratmeter - Quizshow

der	**Quadratmeter** (-)	metr (g) sgwâr
der	**Quark**	caws (g) gwyn, caws (g) ceulaidd
	quasseln (gw)	clebran, cloncian
der	**Quatsch**	lol (b), ffwlbri (g)
	Quatsch!	twt lol !
	quatschen (gw)	gwag-siarad, clebran, rwdlan
	quer	croes, lletraws
die	**Querflöte** (-n)	ffliwt (b)
das	**Quiz** (-e)	cwis (g)
die	**Quizshow** (-s)	sioe (b) gwis [teledu]

R

	rächen (gw)	dial
das	**Rad** (-¨er)	olwyn (b); beic (g)
	rad/fahren (ä-u-a)	seiclo, beicio, mynd ar gefn beic
der	**Radfahrer** (-)	beiciwr (g)
der	**Radiergummi** (-s)	rwber (g)
das	**Radieschen** (-)	rhuddygl (g), radis (gb)
das/der	**Radio** (-s)	radio (g)
das	**Radstadion** (-stadien)	stadiwm (b) seiclo
die	**Radtour** (-en)	taith (b) feicio
der	**Radweg** (-e)	llwybr (g) seiclo
	raffiniert	coeth; ystrywgar
das	**Ragout** (-s)	stiw (g), cawl (g)
	randalieren (gw)	codi helynt, terfysgu
der	**Randalierer** (-)	hwligan (g), fandal (g)
der	**Rappen** (-)	ceiniog (b) [uned leiaf arian y Swistir]
	rasch	buan, cyflym
	rasen (gw)	rhuthro
der	**Rasen** (-)	lawnt (b)
der	**Rasierapparat** (-e)	rasel (b) drydan, eilliwr (g) trydan
sich	**rasieren** (gw)	eillio, siafio, torri barf
die	**Rasierklinge** (-n)	llafn rasel (g)
	rasiert	wedi eillio
der	**Rassismus**	hiliaeth (b), hilyddiaeth (b), rhagfarn hiliol (b)
die	**Rast** (-en)	gorffwys (b), egwyl (b)
die	**Raststätte** (-n)	gwasanaethau (ll) [traffordd]
der	**Rat** (-¨e)	cyngor (g); cyngor (g) y dref/sir; cynghorydd (g)
	raten (ä-ie-a)	cynghori; dyfalu
das	**Rathaus** (-¨er)	neuadd (b) y dref, neuadd (b) y ddinas
das	**Rätsel** (-)	pôs (g), dychymyg (g), cwestiwn (g)
die	**Ratte** (-n)	llygoden (b) Ffrengig
der	**Räuber** (-)	lleidr (g); herwgipiwr (g)
der	**Rauch**	mwg (g)
	rauchen (gw)	smocio, smygu
das	**Raucherabteil** (-e)	cerbyd (b) smygu
der	**Raum** (-¨e)	ystafell (b); gwagle (g)
	räumen (gw)	tacluso, twtio, cymhennu
das	**Raumschiff** (-e)	gwennol (b) ofod, llong (b) ofod
die	**Ravioli** (pl)	rafioli (ll), pasta (g)

die	**Realschule** (-n)	ysgol (b) uwchradd
die	**Rechenaufgabe** (-n)	problem (b) rifyddeg
der	**Rechner** (-)	cyfrifiannell (g), cyfrifiadur (g)
die	**Rechnung** (-en)	bil (g), taleb (b); anfoneb (b); cyfrifiad (g)
das	**Recht** (-e)	cyfraith (b); hawl (b)
	recht haben	bod yn iawn, bod yn gywir
das	**Rechteck** (-e)	hirsgwar (g), petryal (g)
	rechts	de, ar y dde
der	**Rechtsanwalt** (-¨e)	cyfreithiwr (g), twrnai (g)
die	**Rechtschreibung**	orgraff (b)
	reden (gw)	siarad
das	**Regal** (-e)	silff (b)
	regelmäßig	rheolaidd, cyson
der	**Regen** (-)	glaw (g)
der	**Regenmantel** (-¨)	côt/cot (b) law
der	**Regenschirm** (-e)	ymbarél (g)
die	**Regierung** (-en)	llywodraeth (b)
die	**Region** (-en)	ardal (b), rhanbarth (g), bro (b), cylch (g)
	regnen (gw)	bwrw glaw, glawio
	regnerisch	glawog
	reiben (ei-ie-ie)	rhwbio, rhwto
	reich	cyfoethog, goludog
	reichen (gw)	digoni; ymestyn; rhoi
es	*reicht*	dyna ddigon
	reif	aeddfed
die Mittlere	**Reife**	T.G.A.U. [Tystysgrif Gyffredinol Addysg Uwchradd]
der	**Reifen** (-e)	teiar (g)
die	**Reifenpanne** (-n)	teiar (g) fflat
die	**Reihe** (-n)	rhes (b), cyfres (b), rheng (b)
die	**Reihenfolge** (-n)	trefn (b)
das	**Reihenhaus** (-¨er)	tŷ (g) rhes, tŷ (g) teras
	rein	glân, pur
	reinigen (gw)	glanhau, coethi
der	**Reis**	reis (g)
die	**Reise** (-n)	taith (b), siwrnai (b)
gute	*Reise*	siwrnai dda
die	**Reiseauskunft** (-¨e)	gwybodaeth (b) am deithio

das	**Reisebüro** (-s)	swyddfa (b) deithio, asiant (g) teithio
	reiselustig	hoff o deithio
	reisen (gw)	teithio, trafaelu, trafeilio
der	**Reisescheck** (-s)	siec (b) deithio
der	**Reisetip** (-s)	cyngor (g) teithio
das	**Reiseziel** (-e) ⸴	pen (g) y daith
der	**Reissalat** (-e)	salad (g) reis
der	**Reißverschluß** (-ˉsse)	sip (g) [dillad]
die	**Reißzwecke** (-n)	pin (g) bawd
	reiten (ritt-geritten)	marchogaeth, mynd ar gefn ceffyl
der	**Reiter** (-)	marchog (g)
	reizvoll	swynol
die	**Religion** (-en)	crefydd (b)
die	**Religionslehre** (-n)	diwinyddiaeth (b), athrawiaeth grefyddol (b)
	rennen (rannte-gerannt)	rhedeg
das	**Rennen** (-)	ras (b)
das	**Rennrad** (-ˉer)	beic (g) rasio
die	**Reportage** (-n)	adroddiad (g), gohebiad (g), cyfrif (g)
der	**Reporter** (-)	gohebydd (g)
der	**Repräsentant** (-en)	cynrychiolydd (g)
	reservieren (gw)	bwcio; cadw, neilltuo
die	**Reservierung** (-en)	lle (g) cadw [e.e. sedd, ystafell a.y.y.b.]
	respektieren (gw)	parchu
das	**Restaurant** (-s)	bwyty (g), tŷ (g) bwyta
	restaurieren (gw)	adnewyddu, atgyweirio
das	**Resultat** (-e)	canlyniad (g)
	retten (gw)	achub, gwared
die	**Rettung** (-en)	achubiaeth (b); ambiwlans (g)
das	**Revier** (-e)	ardal (b), tiriogaeth (b); gorsaf (b) [heddlu]
die	**Revolution** (-en)	chwyldro (g)
das	**Rezept** (-e)	rysait (b); presgripsiwn (g), rhagnodyn (g)
der	**Rhein**	y Rhein (b) [afon]
	Rheinland-Pfalz	talaith yng ngorllewin yr Almaen
	richtig	cywir, iawn
die	**Richtung** (-en)	cyfeiriad (g)
	riechen (ie-o-o)	clywed oglau, arogli, gwynto

der	**Riegel** (-)	bar [siocled] (g); bollten (b)
der	**Riese** (-n)	cawr (g)
das	**Riesenrad** (-¨er)	yr Olwyn (b) Gawr [olwyn ffair enfawr yn Fiena]
	riesig	enfawr, anferth
die	**Rille** (-n)	rhigol (b), rhych (gb)
das	**Rind** (-er)	gwartheg (ll)
die	**Rinde** (-n)	rhisgl (ll), crwst (g), crystyn (g), crofen (b)
das	**Rindfleisch**	cig (g) eidion
der	**Ring** (-e)	cylch (g); modrwy (b)
die	**Rippe** (-n)	asen (b)
der	**Riß** (-sse)	rhwyg (g)
der	**Ritter** (-)	marchog (g)
die	**Ritze** (-n)	crac (g), hollt (gb)
der	**Rock** (-¨e)	sgert (b)
die	**Rockgruppe** (-n)	band/grŵp (g) roc
	rodeln (gw)	sledio, mynd ar sled
das	**Roggenbrot** (-e)	bara (g) rhyg
	roh	crai, amrwd, heb ei goginio
die	**Rolle** (-n)	rholyn (g); rhan (b) [e.e. mewn perfformiad]
	rollen (gw)	rholio
der	**Rollkragen** (-¨)	gwddf (g) polo
der	**Rollschuh** (-e)	esgid (b) rolio
	Rollschuh fahren (ä-u-a)	sglefrolio, troed-rolio
der	**Rollstuhl** (-¨e)	cadair (b) olwyn
	Rom	Rhufain (b)
der	**Roman** (-e)	nofel (b), stori (b)
	romantisch	rhamantus
	rosa	pinc
der	**Rosenkohl**	ysgewyllen (b), adfresychen (b)
der	**Rosenmontag** (-e)	dydd Llun cyn Dydd Mawrth Ynyd
die	**Rostwurst** (-¨e)	sosej (b) wedi'i rhostio
	rot	coch
das	*Rote Kreuz*	y Groes Goch (b)
das	**Rotkehlchen** (-)	robin goch (g)
die	**Roulade** (-n)	rholyn (g) [cig neu does]
der	**Rücken** (-)	cefn (g)

die	**Rückenschmerzen** (pl)	poen (gb) cefn
die	**Rückfahrkarte** (-n)	tocyn (g) dwyffordd
die	**Rückkehr**	dychwel (g), dychweliad (g)
das	**Rücklicht** (-er)	golau (g) ôl
die	**Rückreise** (-n)	taith (b) yn ôl, taith (b) adre
der	**Rucksack** (-¨e)	bag (g) cefn, sach (gb) deithio
der	**Rücktritt** (-e)	ymddiswyddiad (g)
	rückwärts	yn wysg eich cefn, tuag yn ôl
das	**Ruder** (-)	rhwyf (b)
das	**Ruderboot** (-e)	cwch (g) rhwyfo
	rudern (gw)	rhwyfo
	rufen (u-ie-u)	galw, gweiddi ar rywun
die	**Ruhe** (-n)	distawrwydd (g), tawelwch (g)
der	**Ruhetag** (-e)	diwrnod (g) cau [siop]
	ruhig	distaw, llonydd
	rühren (gw)	troi; cymysgu; symud
	rund	crwn
die	**Rundfahrt** (-en)	cylchdaith (b)
der	**Rundfunk**	radio (g)
	Russisch	Rwsieg (b) [iaith]
	russisch	Rwsiaidd
	Rußland	Rwsia
	rutschen (gw)	llithro

der	**Saal** (Säle)	neuadd (b)
das	**Saarland**	talaith yng ngorllewin yr Almaen
die	**Sache** (-n)	peth (g)
	Sachsen	Sacsoni [talaith yn ne-ddwyrain yr Almaen]
	Sachsen-Anhalt	talaith yng nghanol yr Almaen
der	**Sack** (-ʺe)	sach (b), cwd (g), cwdyn (g); poced (gb)
der	**Saft** (-ʺe)	sudd (g)
	sagen (gw)	dweud
Bescheid	*sagen*	rhoi gwybod
	sagenhaft	chwedlonol, anhygoel
die	**Sahne**	hufen (g)
die	**Salami** (-s)	salami (g)
der	**Salat** (-e)	salad (g)
der grüne	*Salat*	letysen (b), salad (g) gwyrdd
die	**Salatgurke** (-n)	cucumer (g), ciwcymbr (g)
die	**Salatsorte** (-n)	math (g) o salad
die	**Salbe** (-n)	eli (g), ennaint (g)
das	**Salz** (-e)	halen (g)
die	**Salzstange** (-n)	bara (g) hallt
der	**Samen** (-)	hedyn (g)
	sammeln (gw)	casglu, hel, crynhoi
die	**Sammelstelle** (-n)	man casglu (g) [e.e. sbwriel ailgylchadwy]
die	**Sammlung** (-en)	casgliad (g)
der	**Samstag** (-e)	dydd Sadwrn (g)
	samstags	bob dydd Sadwrn (g)
der	**Samt** (-e)	melfed (g)
der	**Sand**	tywod (ll)
die	**Sandale** (-n)	sandal (gb)
die	**Sandburg** (-en)	castell (g) tywod
das	**Sandsegeln**	hwylio ar dywod
	sanieren (gw)	gwella, adnewyddu
	saniert	wedi adnewyddu
	Sankt Nikolaus	Siôn Corn (g)
die	**Sardelle** (-n)	brwyniad (g), ansiofi (g), sardîn (g)
er/sie/es	**saß** [sitzen]	roedd e/hi'n eistedd
	satt	llawn, llond [bwyd]
der	**Sattel** (-ʺ)	cyfrwy (g)
der	**Satz** (-ʺe)	brawddeg (b); set (b)

das	**Satzglied** (-er)	cymal (g)
	sauber	glân
	sauber/machen (gw)	glanhau
das	**Sauerkraut**	bresych (g) picl, sauerkraut (gb)
	saugen (gw)	sugno
die	**Säule** (-n)	colofn (b)
das	**Saxophon** (-e)	sacsoffôn (g)
das	**Schach**	gwyddbwyll (b)
das	**Schachmatt**	siachmat (g)
das	**Schachspiel** (-e)	gêm (b) wyddbwyll
der	**Schacht** (-¨e)	siafft (b)
die	**Schachtel** (-n)	blwch (g), bocs (g)
	schade	trueni, hen dro
wie	*schade !*	trueni, piti
der	**Schädel** (-n)	penglog (b)
das	**Schaf** (-e)	dafad (b)
der	**Schäferhund** (-e)	bleiddgi (g) Alsás
	schaffen (a-u-a)	creu
	schaffen (gw)	llwyddo, ymdopi
der	**Schal** (-s)	sgarff (b)
die	**Schale** (-n)	plisgyn (g), cragen (b); pil (g); powlen (b)
	schälen (gw)	plicio, tynnu croen, pilio
die	**Schallplatte** (-n)	disg (gb), record (b)
die	**Schalotte** (-n)	sibols (ll), sialóts (ll), sibwns (ll)
der	**Schalter** (-)	swits (g); cownter (g)
	scharf (schärfer, am schärfsten)	miniog, llym; poeth, sbeislyd
das	**Schaschlik**	cebab (gb), cig (g) rhost ar sgiwer
der	**Schatten** (-)	cysgod (g)
der	**Schatz** (-¨e)	trysor (g)
	schätzen (gw)	amcangyfrif; gwerthfawrogi
	schauen (gw)	edrych, gwylio, sbïo
der	**Schauer** (-)	cawod (b) [glaw neu eira]
der	**Schaumwein** (-e)	siampaen (gb), gwin (g) byrlymus
das	**Schauspiel** (-e)	drama (b)
der	**Schauspieler** (-)	actor (g)
die	**Schauspielerin** (-nen)	actores (b)
der	**Scheck** (-s)	siec (b)
das	**Scheckheft** (-e)	llyfr (g) siec

die	**Scheibe** (-n)	disg (gb); paen (g), cwarel (g); tafell (b)
der	**Scheibenwischer** (-)	weipar (g), sychwr (g) ffenestr [car]
die	**Scheide** (-n)	gwain (b)
sich	**scheiden lassen** (ä-ie-a)	ysgaru
der	**Schein** (-e)	goleuni (g); tocyn (g); rhywbeth (g) ffug, rhith (g)
	scheinen (ei-ie-ie)	disgleirio, tywynnu; ymddangos
der	**Scheinwerfer** (-)	chwilolau (g), llifolau (g)
	schenken (gw)	rhoi anrheg, anrhegu
die	**Schere** (-n)	siswrn (g)
der	**Schi** (Schi/Schier)	sgi (gb) [gweler Ski]
die	**Schicht** (-en)	sifft (b), tyrn (g) o waith; trwch (g), haen (b)
die	**Schichtarbeit** (-en)	gwaith (g) stem, gwaith (g) sifft
	schick	ffasiynol, golygus
	schicken (gw)	anfon, danfon
	schieben (ie-o-o)	gwthio, hwpo
der	**Schiedsrichter** (-)	dyfarnwr (g)
	schief	cam, unochrog
	schief/gehen (ging schief-schiefgegangen)	mynd o chwith, heb lwyddo, methu
die	**Schießbude** (-n)	stondin (g) saethu
	schießen (ie-o-o)	saethu
das	**Schiff** (-e)	llong (b), cwch (g), bad (g)
die	**Schiffsreise** (-n)	taith (b) ar long, mordaith (b)
der	**Schild** (-e)	arwydd (gb); tarian (b)
die	**Schildkröte** (-n)	crwban (g)
der	**Schilling** (-e)	swllt (g) [uned arian Awstria]
der	**Schimpanse** (-n)	simpansî (g)
	schimpfen (gw)	rhegi, tyngu
der	**Schinken** (-)	cig (g) moch, ham (gb)
die	**Schlacht** (-en)	brwydr (b)
	schlachten (gw)	lladd [anifail: er mwyn cael ei gig]
der	**Schlaf**	cwsg (g), hun (b)
	schlafen (ä-ie-a)	cysgu, huno
der	**Schlafraum** (-¨e)	ystafell (b) wely
der	**Schlafsack** (-¨e)	sach (b) gysgu
das	**Schlafzimmer** (-)	ystafell (b) wely
	schlagen (ä-u-a)	taro, curo; maeddu

der	**Schläger** (-)	pastwn (g), raced (b), bat (g)
die	**Schlagsahne**	hufen (g) wedi'i chwipio
das	**Schlagzeug** (-e)	drymiau (ll), offerynnau (ll) taro
der	**Schlagzeuger** (-)	drymiwr (g)
die	**Schlange** (-n)	neidr (b); ciw (g), cwt (gb)
	Schlange stehen	ciwio, aros eich tro
	schlank	main, tenau
	schlapp	diegni, blinedig, llesg, egwan
	schlecht	drwg, gwael
	schlendern (gw)	cerdded yn hamddenol
	schleppen (gw)	llusgo, cario, halio
	Schleswig-Holstein	talaith yng ngogledd yr Almaen
	schleudern (gw)	lluchio, bwrw; troelli
	schließen (ie-o-o)	cau
	schließlich	o'r diwedd, yn y diwedd
	schlimm	drwg, gwael
der	**Schlips** (-e)	tei (gb)
der	**Schlittschuh** (-e)	esgid (b) sglefrio
	Schlittschuh laufen	sglefrio
	(äu-ie-au)	
der	**Schlitz** (-e)	hollt (gb), twll (g), toriad (g)
	schlitzen (gw)	torri, rhwygo
das	**Schloß** (-̈sser)	clo (g); plasty (g), castell (g)
	schlucken (gw)	llyncu
der	**Schluß** (-̈sse)	terfyn (g), diwedd (g); casgliad (g), canlyniad (g)
	Schluß machen	gorffen, dibennu
der	**Schlüssel** (-)	allwedd (b), agoriad (g)
der/das	**Schlüsselbund** (-e)	cwlwm/bwndel (g) o allweddi
der	**Schlüsselring** (-e)	cylch (g) allweddi
	schmal	cul, cyfyng, tenau, main
das	**Schmalz**	saim (g), lard (g)
	schmecken (gw)	blasu
	schmelzen (i-o-o)	toddi, ymdoddi
der	**Schmerz** (-en)	poen (gb), dolur (g), gwayw (g)
	schmerzhaft	poenus, dolurus
die	**Schmerztablette** (-n)	tabled (b) [leddfu poen]
der	**Schmetterling** (-e)	iâr fach yr haf (b), pili-pala (g)
der	**Schmied** (-e)	gof (g)
der	**Schmierzettel** (-)	papur (g) lloffion, papur (g) sgriblo

der	**Schmuck**	tlysau (ll); addurn (g)
	schmücken (gw)	addurno
	schmutzig	brwnt, aflan, budr, bawlyd
die	**Schnecke** (-n)	malwoden (b)
der	**Schnee**	eira (g)
der	**Schneebericht** (-e)	adroddiad (g) tywydd eira
der	**Schneefall** (-¨e)	cwymp (g) eira
der	**Schneeschauer** (-)	cawod (b) eira
das	**Schneewittchen**	Eira-wen
	schneiden (schnitt-geschnitten)	torri, clipo
	schneien (gw)	bwrw eira
	schnell	cyflym, buan
der	**Schnellimbiß** (-sse)	byrbryd (g), pryd (g) cyflym
der	**Schnellzug** (-¨e)	trên (g) cyflym
er/sie/es	**schnitt** [schneiden]	torrodd, clipiodd; torrai, clipiai
der	**Schnitt** (-e)	toriad (g)
die	**Schnitte** (-n)	tafell (b), sleisen (b)
das	**Schnitzel** (-)	snitsel (gb), golwythyn (g)
der	**Schnupfen** (-)	annwyd (g)
der	**Schnurrbart** (-¨e)	mwstás[h] (g)
die	**Schokolade** (-n)	siocled (g)
der	**Schokoriegel** (-)	bar (g) siocled
	schon	eisoes, yn barod
	schön	prydferth, teg, braf, hardd, pert
sich	*schön machen*	ymbincio
die	**Schöpfung** (-en)	creadigaeth (b)
der	**Schotte** (-n)	Albanwr (g)
die	**Schottin** (-nen)	Albanes (b)
	Schottland	yr Alban (b)
der	**Schrank** (-¨e)	cwpwrdd (g)
der	**Schraubenschlüssel** (-)	sbaner (g)
der	**Schraubenzieher** (-)	tyrnsgriw (g), sgriwdreifer (g)
der	**Schreck** (-en)	dychryn (g), braw (g), sioc (g)
	schrecklich	dychrynllyd, brawychus
	schreiben (ei-ie-ie)	ysgrifennu
die	**Schreibmaschine** (-n)	teipiadur (g)
das	**Schreibpapier** (-e)	papur (g) ysgrifennu
der	**Schreibtisch** (-e)	desg (b)
die	**Schreibwaren**	taclau (ll) ysgrifennu, offer (ll) ysgrifennu

	schreien (ei-ie-ie)	gweiddi, bloeddio, ysgrechian
	schriftlich	ysgrifenedig
der	Schriftsteller (-)	awdur (g)
die	Schriftstellerin (-nen)	awdures (b)
der	Schritt (-e)	cam (g)
im	Schrittempo	ar gyflymder cerdded
die	Schublade (-n)	drôr (g)
	schüchtern	swil
der	Schuh (-e)	esgid (b)
die	Schuhcreme (-n)	cwyr (g) esgidiau
das	Schuhgeschäft (-e)	siop (b) esgidiau
die	Schulaufgabe (-n)	gwaith (g) cartref
das	Schulbuch (-¨er)	gwerslyfr (g)
die	Schuld (-en)	euogrwydd (g); bai (g); dyled (b)
der	Schuldirektor (-en)	prifathro (g)
die	Schule (-n)	ysgol (b)
der	Schüler (-)	disgybl (g)
die	Schülerin (-nen)	disgybl (g)
das	Schülermagazin (-e)	cylchgrawn (g) ysgol
das	Schulfach (-¨er)	pwnc (g), testun (g)
	schulfrei	diwrnod (g) o wyliau [o'r ysgol]
der	Schulhof (-¨e)	buarth (g) ysgol, iard (g) ysgol
der	Schulranzen (-)	bag (g) ysgol
die	Schulter (-n)	ysgwydd (b)
	schulterlang	[gwallt] hyd yr ysgwyddau
die	Schuluniform (-en)	gwisg (b) ysgol
der	Schuß (-¨sse)	ergyd (gb), taniad (g)
in	Schuß halten	cadw, edrych ar ôl
die	Schüssel (-n)	powlen (b), dysgl (b)
	schütteln (gw)	ysgwyd, siglo
der	Schütze (-n)	saethydd (g), cytser (g) y Saethydd
	schützen (gw)	gwarchod
	schwach (schwächer, am schwächsten)	gwan, eiddil
der	Schwager (-)	brawd-yng-nghyfraith (g)
die	Schwägerin (-nen)	chwaer-yng-nghyfraith (b)
die	Schwalbe (-n)	gwennol (b)
der	Schwan (-¨e)	alarch (g)
der	Schwanz (-¨e)	cynffon (b), cwt (gb)
	schwänzen (gw)	chwarae triwant, mitsio

111

	schwarz (schwärzer, am schwärzesten)	du
	schwarz fahren (ä-u-a)	teithio heb docyn
der	**Schwarzwald**	y Fforest (b) Ddu
der	**Schwarzweißfilm** (-e)	ffilm (b) ddu a gwyn
	Schweden	Sweden (b)
	Schwedisch	Swedeg (b) [iaith]
	schwedisch	Swedaidd
das	**Schwein** (-e)	mochyn (g)
das	**Schweinefleisch**	cig (g) moch
das	**Schweineschnitzel** (-)	golwyth (g) cig moch
die	**Schweiz**	y Swistir (g)
der	**Schweizer** (-)	Swistirwr (g), Swisiad (g)
die	**Schweizerin** (-nen)	Swistirwraig (b)
	schwer	trwm; anodd
	schwerbehindert	anabl, methedig
das	**Schwert** (-er)	cleddyf (g)
die	**Schwester** (-n)	chwaer (b)
die	**Schwiegermutter** (-¨)	mam-yng-nghyfraith (b)
der	**Schwiegersohn** (-¨e)	mab-yng-nghyfraith (g)
die	**Schwiegertochter** (-¨)	merch-yng-nghyfraith (b)
der	**Schwiegervater** (-¨)	tad-yng-nghyfraith (g)
	schwierig	anodd, cymhleth, caled
die	**Schwierigkeit** (-en)	anhawster (g)
das	**Schwimmbad** (-¨er)	pwll (g) nofio
	schwimmen (i-a-o)	nofio
der	**Schwimmer** (-)	nofiwr (g)
die	**Schwimmhalle** (-n)	pwll (g) nofio dan do
die	**Schwimmweste** (-n)	siaced (b) achub bywyd
	schwitzen (gw)	chwysu
	schwören (ö-o-o)	tyngu
	schwül	clòs, mwll, trymaidd
	Schwyzerdütsch	Almaeneg (b) y Swistir
die	**Science-fiction**	ffuglen (b) wyddonol
	sechs	chwe, chwech
	sechste(r/s)	chweched
	sechzehn	un ar bymtheg, un deg chwech
	sechzig	trigain, chwe deg
der	**See** (-n)	llyn (g)
die	**See**	môr (g)

der	**Seeblick** (-e)	golygfa (b) ar y môr neu ar lyn
	seekrank	sâl môr
die	**Seekrankheit** (-en)	salwch (g) môr
der	**Seemann** (-¨er)	morwr (g)
das	**Segelboot** (-e)	cwch (g) hwylio
	segeln (gw)	hwylio
	sehen (ie-a-e)	gweld
die	**Sehenswürdigkeit** (-en)	atyniad (g) i ymwelwyr, golygfa (b)
	sehr	iawn, go
ihr	**seid** [sein]	rydych chi [anffurfiol, grŵp o ffrindiau neu blant]
die	**Seide** (-n)	sidan (g)
die	**Seife** (-n)	sebon (g)
die	**Seilbahn** (-en)	rhaffordd (b) fynydd
	sein (er)	ei (g)
	sein (ist-war-gewesen)	bod
	seit (+dat)	ers
	seit wann	ers pryd
	seitdem	ers hynny, ers
die	**Seite** (-n)	ochr (b); tudalen (gb)
der	**Sekretär** (-e)	ysgrifennydd (g)
das	**Sekretariat** (-e)	swyddfa (b) ysgrifennydd
die	**Sekretärin** (-nen)	ysgrifenyddes (b)
der	**Sekt** (-e)	siampaen (gb), gwin (g) byrlymus
die	**Sekunde** (-n)	eiliad (gb)
	selbst	hun, hunan; hyd yn oed
die	**Selbstachtung**	hunan-barch (g)
	selbständig	annibynnol
die	**Selbstbedienung** (-en)	hunan-wasanaeth (g)
die	**Selbstbeschreibung** (-en)	hunanbortread (g), hunan-ddisgrifiad (g)
	selbstverständlich	hunan-amlwg, naturiol
	Selbstverständlich!	wrth gwrs
der	**Sellerie** (-s)	seleri (b), helogan (b)
	selten	anaml, prin
	seltsam	rhyfedd, od
die	**Semmel** (-n)	rhôl (b) fara, cwgen (b)
	senden (sandte-gesandt)	anfon; darlledu
die	**Sendung** (-en)	rhaglen (b), darllediad (g)

113

der	**Senf** (-e)	mwstard (g)
	senkrecht	fertigol
der	**September**	[mis] Medi (g)
die	**Serie** (-n)	cyfres (b)
der	**Servierlöffel** (-)	llwy (b) fawr, lletwad (b)
die	**Serviette** (-n)	napcyn (g)
der	**Sessel** (-)	cadair (b), cadair (b) esmwyth
das	**Set** (-s)	set (b)
	setzen (gw)	gosod, dodi, rhoi
sich	**setzen** (gw)	eistedd i lawr
die	**Shorts** (pl)	trywsus (g) cwta, trywsus (g) byr
	sich	ei hunan, ym- [e.e. ymolchi = sich waschen]
	sicher	diogel, sicr, siwr
die	**Sicherheit** (-en)	sicrwydd (g), diogelwch (g)
der	**Sicherheitsgurt** (-en)	gwregys (g) diogelwch
	sie	hi, nhw, hwy
	Sie	chi [cwrtais]
das	**Sieb** (-e)	gogr (g), rhidyll (g)
	sieben	saith
	siebente(r/s)	seithfed
	siebte(r/s)	seithfed
	siebzehn	dau (g)/dwy (b) ar bymtheg, un deg saith
	siebzig	deg a thrigain, saith deg
	sieden (gw)	mudferwi
sich	**siezen** (gw)	dweud "chi" wrth rywun, galw rhywun yn "chi"
das	**Silber**	arian (g)
sie	**sind** [sein]	maen nhw
wir	**sind** [sein]	rydyn ni
	singen (i-a-u)	canu
	sinken (i-a-u)	suddo; gostwng
der	**Sinn** (-e)	synnwyr (g); ystyr (gb)
	sinnvoll	call, synhwyrol, ystyrlon
der	**Sitz** (-e)	sedd (b), stôl (b)
	sitzen (saß-gesessen)	eistedd
	sitzen/bleiben (ei-ie-ie)	ailsefyll [blwyddyn ysgol]
der	**Sitzplatz** (-¨e)	sedd (b)
das	**Skat**	gêm (b) gardiau
	Skateboard fahren (ä-u-a)	mynd ar fwrdd sglefrio, sgrialu

114

der	**Ski** (Ski/Skier)	sgi (gb) [gweler Schi]
	Ski fahren (ä-u-a)	sgïo
	Ski laufen (äu-ie-au)	sgïo
	Ski springen (i-a-u)	sgi-neidio
der	**Skianorak** (-s)	anorac (g)
die	**Skipiste** (-n)	rhedfa (b) sgïo
der	**Skorpion** (-e)	sgorpion (g), cytser (g) y Sgorpion
der	**Slalom** (-s)	slalom (gb)
der	**Slip** (-s)	nicer (g)
die	**Slowakei**	Slofacia (b)
	Slowenien	Slofenia (b)
	so	fel hyn; felly; mor
	so viel	cymaint
	sobald	cyn gynted â
die	**Socke** (-n)	hosan (b)
das	**Sofa** (-s)	soffa (b)
	sofort	ar unwaith, ar eich union
	sogar	hyd yn oed
	sogenannt	fel y'i gelwir, chwedl hwythau
der	**Sohn** (-¨e)	mab (g)
	solange	hyd; tra, pan
	solche(r/s)	cyfryw, hwnnw/honno
der	**Soldat** (-en)	milwr (g)
der	**Solist** (-en)	unawdydd (g)
	sollen (soll-sollte-sollen)	dylwn i, dylet ti, dylai fe/fo, a.y.y.b.
der	**Sommer** (-)	haf (g)
der	**Sommerkurs** (-e)	cwrs (g) haf
die	**Sommersprossen** (pl)	brychau (ll) haul
das	**Sonderangebot** (-e)	sêl (b), arwerthiant (g), cynnig arbennig (g)
	sondern	ond
nicht nur ...	*sondern auch*	nid yn unig ... ond hefyd
der	**Sonnabend** (-e)	dydd Sadwrn (g)
die	**Sonne** (-n)	haul (g)
sich	**sonnen** (gw)	torheulo
der	**Sonnenbrand** (-¨e)	llosg (g) haul
die	**Sonnenbrille** (-n)	sbectol (b) haul
die	**Sonnencreme** (-s)	hufen (g) haul
das	**Sonnenöl** (-e)	olew (g) haul
der	**Sonnenschein**	heulwen (b)

der	**Sonnenschirm** (-e)	ymbarél (g)
	sonnig	heulog
der	**Sonntag** (-e)	dydd Sul (g)
	sonntags	bob dydd Sul (g), ar y Sul (g)
	sonst	fel arall, os amgen
	sonst noch etwas?	unrhyw beth arall?
die	**Sorge** (-n)	pryder (g), gofid (g)
sich	**Sorgen machen** (gw)	gofidio, poeni, pryderu
	sortieren (gw)	trefnu, dosbarthu
die	**Soße** (-n)	saws (g)
	sowie	hefyd; cyn gynted â
	sowieso	sut bynnag, ta waeth, ta beth
	sowohl ... als auch	yn ogystal â
die	**Sozialkunde**	astudiaethau (ll) cyffredinol/ cymdeithasol
die	**Sozialwissenschaft** (-en)	cymdeithaseg (b)
die	**Spalte** (-n)	hollt (gb); colofn (b)
	Spanien	Sbaen (b)
	Spanisch	Sbaeneg (b) [iaith]
	spanisch	Sbaenaidd
	spannend	cyffrous, gwefreiddiol
	sparen (gw)	cynilo, arbed [arian, trydan a.y.y.b.]
die	**Sparkasse** (-n)	banc (g) a chymdeithas (b) adeiladu
	sparsam	darbodus
der	**Spaß** (-ˍe)	hwyl (b), sbri (g), jôc (b)
	spät	hwyr
wie	*spät*	faint o'r gloch
	später	yn hwyrach, wedyn, yn nes ymlaen
	spazieren (gw)	mynd am dro, cerdded
	spazieren/gehen (ging-gegangen)	mynd am dro, cerdded
die	**Spedition** (-en)	cwmni (g) cludiant, cludwr (g)
der	**Speer** (-e)	picell (b), gwaywffon (b)
der	**Speicher** (-)	stordy (g); cof (g) [cyfrifiadur]
die	**Speise** (-n)	pryd (g) o fwyd, saig (b)
die	**Speisekarte** (-n)	bwydlen (b)
der	**Speisesaal** (-säle)	ffreutur (gb)
der	**Speisewagen** (-ˍ)	cerbyd (g) bwyta [ar drên]
	spendieren (gw)	prynu i rywun, talu dros rywun

die **Sperre** (-n)	rhwystr (g), bariwns (g)
die **Spesen** (pl)	treuliau (ll)
die **Spezialität** (-en)	arbenigedd (g); dantaith (g)
speziell	arbennig, neilltuol
der **Spiegel** (-)	drych (g)
das **Spiegelbild** (-er)	adlewyrchiad (g)
das **Spiegelei** (-er)	ŵy (g) wedi'i ffrïo
das **Spiel** (-e)	gêm (b), chwarae (g)
die Olympischen Spiele (pl)	y Gêmau (ll) Olympaidd
spielen (gw)	chwarae
der **Spieler** (-)	chwaraewr (g)
das **Spielfeld** (-er)	maes (g), cae (g)
die **Spielregel** (-n)	rheol (b)
das **Spielzeug** (-e)	tegan (g)
der **Spinat** (-e)	sbigoglys (g)
die **Spinne** (-n)	corryn (g), pryf (g) copyn
spinnen (i-a-o)	gwau, nyddu; mynd yn wallgof
der **Spion** (-e)	ysbïwr (g)
das **Spital** (-¨er)	ysbyty (g)
spitz	pigfain; miniog, llym
die **Spitze** (-n)	pigyn (g), pen (g); copa (gb); ymylwe (b), les (b)
spitze	ardderchog, gwych, campus
der **Spitzer** (-)	hogwr (g) penseli
der **Spitzname** (-n)	llysenw (g), glasenw (g)
der **Sport**	chwaraeon (ll)
Sport betreiben (ei-ie-ie)	cymryd rhan mewn chwaraeon
die **Sportart** (-en)	math (g) o chwaraeon
der **Sportartikel** (-)	darn (g) o offer chwaraeon
das **Sportgeschäft** (-e)	siop (b) chwaraeon
die **Sporthalle** (-n)	campfa (b), neuadd (b) chwaraeon
der **Sportklub** (-s)	clwb (g) chwaraeon
der **Sportler** (-)	mabolgampwr (g), sbortsmon (g)
die **Sportlerin** (-nen)	mabolgampwraig (b)
sportlich	athletaidd, athletig
der **Sportplatz** (-¨e)	maes (g) chwarae
der **Sportschuh** (-e)	esgid (b) chwaraeon, esgid (b) ymarfer
die **Sportsendung** (-en)	rhaglen (b) chwaraeon [teledu, radio]
der **Sportverein** (-e)	clwb (g) chwaraeon

117

das **Sportzentrum** (-zentren)	canolfan (gb) chwaraeon
die **Sprache** (-n)	iaith (b)
das **Sprachlabor** (-e)	labordy (g) iaith
die **Sprechblase** (-n)	swigen (b) siarad, balŵn (gb) llefaru [comic]
sprechen (i-a-o)	siarad, sgwrsio, llefaru
die **Sprechstunde** (-n)	oriau (ll) ymgynghori
springen (i-a-u)	neidio, llamu
die **Spritze** (-n)	chwistrell (b), brechiad (g)
der **Spruch** (-¨e)	dywediad (g), arwyddair (g)
der **Sprudel** (-)	diod (b) fyrlymus
spucken (gw)	poeri
die **Spüle** (-n)	sinc (g)
spülen (gw)	golchi, tynnu trwy ddŵr
die **Spülmaschine** (-n)	peiriant (g) golchi llestri
das **Spülmittel** (-)	hylif (g) golchi llestri
spüren (gw)	teimlo, canfod, synhwyro
das **Squash**	sboncen (b)
der **Staat** (-en)	gwladwriaeth (b)
staatlich	gwladol
der **Stacheldraht** (-¨e)	weiren (b) bigog
das **Stadion** (Stadien)	stadiwm (b)
die **Stadt** (-¨e)	tref (b), dinas (b)
der **Stadtbummel** (-)	rhodio'r dre, tro (g) o gwmpas tre
der **Städter** (-)	dinesydd (g)
die **Stadthalle** (-n)	neuadd (b) ddinesig [ar gyfer cyngherddau a.y.y.b.]
die **Stadtmitte** (-n)	canol (g) y dref, canol (g) y ddinas
der **Stadtplan** (-¨e)	map (g) o'r dref/ddinas
der **Stadtrand** (-¨er)	maestref (b), cwr (g) dinas
der **Stadtteil** (-e)	ardal (b) o'r dref , rhan (b) o'r dref, swbwrbia (b)
der **Stahl** (-e)	dur (g)
der **Stahlarbeiter** (-)	gweithiwr (g) dur
der **Stall** (-¨e)	stabl (b)
der **Stammbaum** (-¨e)	siart (gb) achau, llinach (b)
stammen (gw)	hanu, deillio, tarddu
der **Stammkunde** (-n)	cwsmer (g) rheolaidd/cyson
der **Stammtisch** (-e)	bwrdd (g) cadw [i westeion cyson]

er/sie/es	**stand** [stehen]	roedd e/hi'n sefyll
der	**Standort** (-e)	safle (gb), man (gb)
der	**Stapel** (-)	pentwr (g), tomen (b), twmpath (g)
	stapfen (gw)	ymlwybro, troedio
	stark (stärker, am stärksten)	cryf, nerthol, cadarn, grymus
die	**Stärke** (-n)	cryfder (g), nerth (g)
der	**Start** (-s)	cychwyn (g)
	starten (gw)	cychwyn, dechrau
die	**Statistik** (-en)	ystadegaeth (b), ystadegau (ll)
	statt/finden (i-a-u)	digwydd
der	**Stau** (-s)	tagfa (b) draffig
der	**Staub**	llwch (g)
der	**Staubsauger** (-)	hwfer (g), sugnydd (g) llwch
	staunen (gw)	synnu, tybied
der	**Stausee** (-n)	cronfa (b) ddŵr
das	**Steak** (-s)	golwyth (g)
	stechen (i-a-o)	pigo, gwanu
der	**Steckbrief** (-e)	disgrifiad (g) personol, portread (g)
	stehen (stand-gestanden)	sefyll
es	*steht dir*	mae hynny'n dy siwtio di, yn dy weddu
	stehen/bleiben (ei-ie-ie)	aros, stopio
	stehlen (ie-a-o)	dwyn, lladrata
der	**Stein** (-e)	maen (g), carreg (b)
der	**Steinbock** (-¨e)	gafr (b) yr Alpau, cytser (g) yr Afr
die	**Steinzeit** (-en)	Oes (b) y Cerrig
die	**Stelle** (-n)	man (g), safle (gb); swydd (b)
auf der	*Stelle*	yn y fan, ar unwaith
	stellen (gw)	dodi, gosod
das	**Stellenangebot** (-e)	hysbyseb (b) swydd
	sterben (i-a-o)	marw [y ferf]
die	**Stereoanlage** (-n)	peiriant (g) stereo
der	**Stern** (-e)	seren (b)
das	**Sternbild** (-er)	cytser (g)
der	**Sternkreis** (-e)	sidydd (g)
das	**Sternzeichen** (-)	arwydd (gb) sidydd
	stets	wastad, yn gyson, bob tro
das	**Steuer** (-)	llyw (g)

119

die	**Steuer** (-n)	treth (b)
der	**Steward** (-s)	stiward (g)
die	**Stewardeß** (-ssen)	stiwardes (b), gweinyddes (b) ar awyren
der	**Stich** (-e)	poen (g); pwyth (g)
der	**Sticker** (-)	sticer (gb)
der	**Stiefbruder** (-¨)	llysfrawd (g)
der	**Stiefel** (-)	esgid (b), botasen (b)
die	**Stiefmutter** (-¨)	llysfam (b)
die	**Stiefschwester** (-n)	llyschwaer (b)
der	**Stiefvater** (-¨)	llystad (g)
die	**Stiege** (-n)	grisiau (ll)
der	**Stier** (-e)	tarw (g), cytser (g) y Tarw
der	**Stierkampf** (-¨e)	ymladd (g) teirw
der	**Stift** (-e)	pensil (g)
	still	tawel, distaw
die	**Stimme** (-n)	llais (g)
	stimmen (gw)	bod yn gywir; tiwnio [offeryn cerdd]
das	*stimmt*	cywir, iawn, gwir
die	**Stimmung** (-en)	hwyl (b), tymer (b); awyrgylch (gb)
in schlechter	*Stimmung*	drwg ei hwyl
	stinken (i-a-u)	drewi
	stinklangweilig	diflas dros ben
der	**Stock** (-¨e)	ffon (b)
das	**Stockwerk** (-e)	llawr (g), lefel (b) [adeilad]
der	**Stoff** (-e)	deunydd (g); testun (g) trafodaeth
das	**Stofftier** (-e)	tegan (g) meddal
	stolpern (gw)	baglu
	stören (gw)	tarfu, aflonyddu, poeni
die	**Störung** (-en)	toriad (g); aflonyddwch (g), ymyrraeth (b)
	stoßen (ö-ie-o)	gwthio
die	**Strafe** (-n)	cosb (b), dirwy (b)
der	**Strand** (-¨e)	traeth (g)
der	**Strandkorb** (-¨e)	cadair (b) fasged ar y traeth
die	**Straße** (-n)	heol (b), ffordd (b), stryd (b)
die	**Straßenbahn** (-en)	tramffordd (b), ffordd (b) dramiau
das	**Straßenschild** (-er)	arwydd (gb), mynegbost (g)
der	**Straßenübergang** (-¨e)	croesfan (b)
der	**Strauß** (-¨e)	tusw (g)
die	**Strecke** (-n)	ffordd (b); pellter (g)

	streichen (ei-i-i)	taenu [ar fara]; peintio; dileu
	streicheln (gw)	mwytho, anwesu
das	**Streichholz** (-¨er)	matsen (b)
der	**Streifen** (-)	stribed (g), streipen (b), rhes (b)
der	**Streifenwagen** (-)	car (g) hebrwng [yr heddlu]
der	**Streik** (-s)	streic (b)
der	**Streit** (-e)	ffrae (b), dadl (b), cynnen (b)
	streiten (ei-i-i)	dadlau, ffraeo
	streng	caeth, llym, gerwin
	stricken (gw)	gwau
der	**Strohhalm** (-e)	gwelltyn (g)
der	**Strohhut** (-¨e)	het (b) wellt
der	**Strohstern** (-e)	seren (b) wellt [addurn]
der	**Strom** (-¨e)	afon (b) fawr; trydan (g)
der	**Strumpf** (-¨e)	hosan (b) hir
die	**Strumpfhose** (-e)	tynion (ll), teits (ll)
	stubenrein	glân, glanwaith [anifail anwes]
das	**Stück** (-e)	darn (g), pishyn (g); drama (b)
der	**Student** (-en)	myfyriwr (g)
das	**Studentenheim** (-e)	neuadd (b) breswyl myfyrwyr
die	**Studentenwohnung** (-en)	fflat (b) myfyrwyr
die	**Studentin** (-nen)	myfyrwraig (b)
	studieren (gw)	astudio
die	**Studiodiskussion** (-en)	trafodaeth (b) mewn stiwdio [radio neu deledu]
der	**Stuhl** (-¨e)	stôl (b), cadair (b)
die	**Stunde** (-n)	awr (b); gwers (b)
	stundenlang	am oriau
der	**Stundenplan** (-¨e)	amserlen (b)
der	**Sturm** (-¨e)	storm (b), gwynt (g) cryf
	stürmisch	stormus
	stürzen (gw)	syrthio, cwympo, dymchwel
die	**Suche** (-n)	ymchwiliad (g), chwilio (gb), chwiliad (g)
	suchen (gw)	chwilio am, edrych am
	Südafrika	De Affrica
	Südamerika	De America
der	**Süden**	de (g), deheubarth (g), deau (g)
	südlich	de, deheuol

	Südwales	De Cymru (g), y Deheubarth (g)
die	**Summe** (-n)	swm (g), cyfanswm (g)
der	**Supermarkt** (-ˇe)	archfarchnad (b)
die	**Suppe** (-n)	cawl (g), potes (g)
der	**Suppentopf** (-ˇe)	sosban (b) gawl
das	**Surfbrett** (-er)	hwylfwrdd (g), bwrdd (g) brigdonni
	surfen (gw)	brigdonni, syrffio
	süß	melys
die	**Süßigkeit** (-en)	melysion (ll), losin (g), fferins (ll)
das	**Sweatshirt** (-s)	crys (g) chwys
der/das	**Sylvester**	Nos (b) Galan
das	**Symbol** (-e)	arwyddlun (g), symbol (g)
	sympathisch	hoffus, cyfeillgar, siriol
die	**Symphonie** (-n)	symffoni (gb)
das	**Symptom** (-e)	symptom (g), arwydd (gb)
das	**System** (-e)	cyfundrefn (b), system (b), trefn (b)

das **T-Shirt** (-s)	crys-t (g)
der **Tabak** (-e)	tybaco (g)
der **Tabakladen** (-¨)	siop (b) dybaco
die **Tabelle** (-n)	tabl (g)
das **Tablett** (-e)	hambwrdd (g)
die **Tablette** (-n)	tabled (b)
die **Tafel** (-n)	bwrdd (g) du; arwydd (gb); bwrdd (g)
der **Tag** (-e)	dydd (g), diwrnod (g)
guten Tag	dydd da, bore/pnawn/prynhawn da
jeden Tag	bob dydd, beunydd
das **Tagebuch** (-¨er)	dyddiadur (g)
der **Tagesablauf** (-¨e)	y drefn (b) feunyddiol
der **Tageshöchstwert** (-e)	tymheredd (g) uchaf y dydd
die **Tagesroutine**	y drefn (b) feunyddiol
die **Tagesschau** (-en)	newyddion (ll) y dydd
täglich	bob dydd, beunyddiol
tagsüber	yn ystod y dydd
die **Taille** (-n)	gwasg (gb), canol (g) [y corff]
das **Tal** (-¨er)	cwm (g), dyffryn (g)
die **Talkshow** (-s)	sioe (b) sgwrsio [teledu]
das **Tamburin** (-e)	tambwrîn (g)
tanken (gw)	llenwi â phetrol
die **Tankstelle** (-n)	gorsaf (b) betrol, gwasanaethau (ll)
der **Tankwart** (-e)	gweinydd (g) gorsaf betrol
die **Tante** (-n)	modryb (b)
der **Tanz** (-¨e)	dawns (b)
tanzen (gw)	dawnsio
die **Tapete** (-n)	papur (g) wal
tapezieren (gw)	papuro
tapfer	dewr
die **Tasche** (-n)	bag (g); poced (gb)
das **Taschenbuch** (-¨er)	llyfr (g) clawr papur
das **Taschengeld** (-er)	arian (g) poced
die **Taschenlampe** (-n)	fflachlamp (b)
das **Taschenmesser** (-)	cyllell (b) boced
der **Taschenrechner** (-)	cyfrifiannell (b) boced
das **Taschentuch** (-¨er)	hances (b), macyn (g), neisied (b)
die **Tasse** (-n)	cwpan (gb)
die **Tastatur** (-en)	allweddell (b) [piano], bysellfwrdd (g) [teipiadur]

er/sie/es	**tat** [tun]	roedd e/hi'n gwneud, gwnaeth e/hi
	tätig sein	gweithio
die	**Tätigkeit** (-en)	gweithred (b)
	tatsächlich	mewn gwirionedd, yn wir
	taub	byddar
die	**Taube** (-n)	colomen (b)
	tauchen (gw)	deifio, plymio
	tausend	mil (b)
das	**Taxi** (-s)	tacsi (g)
der	**Taxifahrer** (-)	gyrrwr (g) tacsi
die	**Technik** (-en)	techneg (b), technoleg (b)
der	**Tee** (-s)	te (g)
die	**Teekanne** (-n)	tebot (g)
der	**Teelöffel** (-)	llwy (b) de
der	**Teenager** (-)	rhywun (gb) yn ei arddegau
der	**Teig** (-e)	toes (g)
die	**Teigwaren** (pl)	nwdls (ll)
der	**Teil** (-e)	rhan (b)
	teilen (gw)	rhannu
	teil/nehmen (i-a-o)	cymryd rhan
	teilweise	rhannol, lled, i raddau
das	**Telefon** (-e)	ffôn (g)
das	**Telefonat** (-e)	galwad (b) ffôn
das	**Telefonbuch** (-¨er)	llyfr (g) ffôn
	telefonieren (gw)	siarad ar y ffôn
die	**Telefonnummer** (-n)	rhif (g) ffôn
die	**Telefonzelle** (-n)	caban/ciosg (g) ffôn, blwch (g) ffonio
das	**Telegramm** (-e)	brysneges (b)
der	**Teller** (-)	plât (g)
die	**Temperatur** (-en)	tymheredd (g)
das	**Tempo** (-s)	cyflymder (g), cyflymdra (g)
das	**Tempolimit** (-s)	cyfyngiad (g) cyflymder/cyflymdra
das	**Tennis**	tennis (g)
der	**Tennisball** (-¨e)	pêl (b) dennis
der	**Tennisschläger** (-)	raced (b)
der	**Tennisspieler** (-)	chwaraewr (g) tennis
der	**Tennistrainer** (-)	hyfforddwr (g) tennis
der	**Teppich** (-e)	carped (g)
der	**Teppichboden** (-¨)	carped (g) gosod
der	**Termin** (-e)	dyddiad (g), trefniant (g), cyfarfod (g)

die	**Terrasse** (-n)	teras (g)
	testen (gw)	profi, archwilio
	teuer (teurer, am teuersten)	drud; annwyl
der	**Text** (-e)	testun (g)
die	**Textverarbeitung** (-en)	prosesu (gb) geiriau; prosesydd (g) geiriau
das	**Theater** (-)	theatr (b)
die	**Theke** (-n)	bar (g), cownter (g)
das	**Thema** (-en)	testun (g), pwnc (g)
	Thüringen	talaith yn nwyrain yr Almaen
der	**Thymian**	teim (g)
	tief	dwfn; isel
die	**Tiefe** (-n)	dyfnder (g)
die	**Tiefkühltruhe** (-n)	rhewgell (b), rhewgist (b)
der	**Tiefstwert** (-e)	tymheredd (g) isaf
das	**Tier** (-e)	anifail (g)
der	**Tierarzt** (-¨e)	milfeddyg (g), ffarier (g)
der	**Tiergarten** (-¨)	sŵ (g)
	tierlieb	yn hoffi anifeiliaid, caredig i anifeiliaid
der	**Tiger** (-)	teigr (g)
der	**Tip** (-s)	awgrym (g), cyngor (g); cliw (g), tip (g)
	tippen (gw)	teipio; dyfalu, betio
der	**Tippfehler** (-)	camgymeriad (g) wrth deipio
der	**Tisch** (-e)	bord (b), bwrdd (g)
den	*Tisch decken*	gosod y bwrdd, arlwyo
die	**Tischdecke** (-n)	lliain (g) bwrdd
das	**Tischtennis**	tennis (g) bwrdd
das	**Tischtuch** (-¨er)	lliain (g) bwrdd
der	**Titel** (-)	teitl (g)
der	**Toast** (-s)	tôst (g)
die	**Tochter** (-¨)	merch (b)
der	**Tod** (-e)	marwolaeth (b)
	tödlich	marwol
die	**Toilette** (-n)	tŷ (g) bach, lle (g) chwech, toiled (g)
	tolerant	goddefgar
	toll	bendigedig
die	**Tollwut**	y gynddaredd (b)
die	**Tomate** (-n)	tomato (g)
das	**Tomatenketchup** (-s)	saws (g) coch, saws (g) tomato, cetsyp (g)

125

die	**Tomatensuppe** (-n)	potes/cawl (g) tomato
die	**Tonne** (-n)	tunnell (b); casgen (b)
der	**Topf** (-¨e)	sosban (b)
die	**Topfpflanze** (-n)	planhigyn (g) tŷ
das	**Tor** (-e)	porth (g), drws (g)
der	**Toreingang** (-¨e)	mynedfa (b)
die	**Torte** (-n)	tarten (b)
	tot	wedi marw, difywyd
	total	cyfan, i gyd, cwbl, hollol
	töten (gw)	lladd
die	**Tour** (-en)	tro (g) o amgylch, cylchdaith (b)
der	**Tourist** (-en)	twrist (g), ymwelwr (g)
die	**Tournee** (-n)	cylchdaith (b)
die	**Tracht** (-en)	gwisg (b) draddodiadol
die	**Tradition** (-n)	traddodiad (g)
	traditionell	traddodiadol
die	**Trafik** (-en)	siop (b) dybaco
	träge	araf, diog, dioglyd
	tragen (ä-u-a)	cario, cludo
der	**Träger** (-)	cludwr (g); strapen (b), dolen (b)
	trainieren (gw)	hyfforddi; ymarfer
das	**Training**	ymarfer (gb); hyfforddiant (g)
der	**Trainingsanzug** (-¨e)	tracwisg (b)
der	**Trainingsschuh** (-e)	esgid (b) ymarfer
das	**Trampolin** (-e)	trampolîn (g)
der	**Trank** (-¨e)	diod (b)
der	**Transport** (-e)	cludiant (g)
das	**Transportmittel** (-)	math o gludiant, ffordd o deithio
die	**Traube** (-n)	grawnwinen (b)
die	**Trauer**	galar (g)
der	**Traum** (-¨e)	breuddwyd (gb)
	träumen (gw)	breuddwydio
	traumhaft	breuddwydiol
das	**Traumhaus** (-¨er)	tŷ (g) delfrydol
der	**Traumurlaub** (-e)	gwyliau (ll) delfrydol
	traurig	trist
	treffen (i-a-o)	cwrdd â, cyfarfod â
das	**Treffen** (-)	cyfarfod (g)
der	**Treffpunkt** (-e)	man (g) cyfarfod

	treiben (ei-ie-ie)	gyrru; gwneud
der	**Treibhauseffekt** (-e)	effaith (g) tŷ gwydr
der	**Treibstoff** (-e)	petrol (g), tanwydd (g)
	trennen (gw)	gwahanu, hollti
die	**Treppe** (-n)	grisiau (ll), stâr (b)
	treten (i-a-e)	camu, troedio; cicio
der	**Trickfilm** (-e)	cartŵn (g)
das	**Trimester** (-)	tymor (g) [ysgol]
	trinken (i-a-u)	yfed
das	**Trinkgeld** (-er)	cildwrn (g), tip (gb)
die	**Trinkhalle** (-n)	neuadd (b) yfed
das	**Trinkwasser**	dŵr (g) yfed
der	**Tritt** (-e)	cam (g), cic (gb)
er/sie/es	**tritt** [treten]	mae e/hi'n camu/cicio
	trocken	sych
	trocknen (gw)	sychu, troi'n sych
die	**Trommel** (-n)	drwm (g)
die	**Trompete** (-n)	utgorn (g), trwmped (g)
der	**Tropf** (-¨e)	truan (g)
das	**Tröpfchen** (-)	diferyn (g), defnyn (g), dropyn (g)
	tropfen (gw)	diferu, dripian
der	**Tropfen** (-)	diferyn (g), dafn (g)
	trotz (+dat/+gen)	er
	trotzdem	er hynny, serch hynny, er gwaethaf
	trüb	pŵl
die	**Trümmer** (pl)	rwbel (g), olion (ll), adfail (gb), murddun (g)
	Tschechien	y Weriniaeth (b) Tsiec
die	**Tschechoslowakei**	Tsiecoslofacia (b)
	tschüs, tschüß	hwyl, ta-ta
die	**Tube** (-n)	tiwb (g)
das	**Tuch** (-¨er)	brethyn (g), lliain (g)
die	**Tulpe** (-n)	tiwlip (g)
	tun (tut-tat-getan)	gwneud
es	*tut mir leid*	mae'n ddrwg gen i
der	**Tunnel** (-)	twnel (g)
die	**Tür** (-en)	drws (g)
die	**Türkei**	Twrci (b)
	türkis	gwyrddlas

	Türkisch	Twrceg (b) [iaith]
	türkisch	Twrcïaidd
der	**Turm** (-¨e)	tŵr (g)
	turnen (gw)	ymarfer gymnasteg
die	**Turnhalle** (-n)	neuadd (b) chwaraeon, campfa (b)
das	**Turnier** (-e)	twrnamaint (g), cystadleuaeth (b)
der	**Turnschuh** (-e)	esgid (b) ymarfer
er/sie/es	**tut** [tun]	mae e/hi'n gwneud
die	**Tüte** (-n)	sach (b), cwdyn (g)
der	**Typ** (-en)	teip (g), math (g); hogyn (g), llanc (g)
	typisch	nodweddiadol, cyffredin

U

die **U-Bahn** (-en)	trên (g) tanddaearol
die **U-Bahnstation** (-en)	gorsaf (b) reilffordd danddaearol
U.A.w.g. [um Antwort wird gebeten]	ateber os gweler yn dda
übel (übler, am übelsten)	drwg, cas, gwael; sâl
üben (gw)	ymarfer
über (+dat/+acc)	uwchben, dros ben; ar draws, dros
überall	ymhob man, dros bob man
der **Überblick** (-e)	arolwg (g)
überein/stimmen (gw)	cytuno
die **Überfahrt** (-en)	mordaith (b), taith (b) drosodd
der **Überfall** (-¨e)	ymosodiad (g)
überfallen (ä-ie-a)	ymosod ar
überfüllt	gorlawn
überhaupt	o gwbl, beth bynnag
überhaupt je	erioed
überholen (gw)	pasio, goddiweddyd
überlassen (ä-ie-a)	gadael, rhoi
überlegen (gw)	ystyried, meddwl dros
übermorgen	drennydd
übernachten (gw)	aros dros nos
übernehmen (i-a-o)	derbyn; ymgymryd â
überprüfen (gw)	archwilio, gwirio, edrych dros
überqueren (gw)	croesi
überraschen (gw)	synnu [rhywun arall]
überrascht sein	bod wedi'ch synnu/syfrdannu
die **Überraschung** (-en)	syndod (g)
überreden (gw)	perswadio, darbwyllo
überrollen (gw)	gyrru dros
übersetzen (gw)	cyfieithu, trosi
übersiedeln (gw)	symud tŷ
die **Übersiedlung** (-en)	y gwaith (g) o symud tŷ
überstehen (überstand- überstanden)	dod dros, goroesi, gwrthsefyll
übertreffen (i-a-o)	rhagori ar
überwachen (gw)	cadw o dan sylw, arsylwi, arolygu
überwältigen (gw)	llethu, trechu
überwiegend	yn bennaf, rhan fwyaf; llethol, ysgubol

	übrig	sbâr, ar ôl, yn weddill
	übrigens	gyda llaw, heblaw am hynny
die	**Übung** (-en)	ymarfer (gb)
das	**Ufer** (-)	glan (b)
die	**Uhr** (-en)	cloc (g), oriawr (b)
um 3	*Uhr*	am dri o'r gloch
die	**Uhrzeit** (-en)	amser (g) o'r gloch
	um (+acc)	o gylch, o gwmpas; am
	um ... zu ...	i, er mwyn, ar gyfer
	um zu lesen	i ddarllen, er mwyn darllen
	umarmen (gw)	cofleidio
	um/blättern (gw)	troi tudalen
	um/bringen (brachte um-umgebracht)	llofruddio, lladd
	um/drehen (gw)	troi, trosi, troi yn ôl
die	**Umfrage** (-n)	arolwg (g) barn, pôl (g) piniwn
die	**Umgebung** (-en)	cyffuniau (ll), cylch (g), ardal (b), cymdogaeth (b)
	umgekehrt	i'r gwrthwyneb, o chwith
der	**Umkleideraum** (-¨e)	ystafell (b) newid
die	**Umleitung** (-en)	ffordd (b) osgoi, dargyfeiriad (g)
der	**Umriß** (-sse)	amlinelliad (g)
	ums Leben kommen	marw
der	**Umschlag** (-¨e)	amlen (b); clawr (g)
	um/schulen (gw)	ail-ddysgu, ail-hyfforddi
sich	**um/sehen** (ie-a-e)	edrych o gwmpas
	um/steigen (ei-ie-ie)	newid [bws neu drên]
	um/stürzen (gw)	dymchwel
	um/wechseln (gw)	cyfnewid arian
die	**Umwelt**	amgylchedd (gb), amgylchfyd (g)
	umweltfreundlich	yn dda i'r amgylchedd
der	**Umweltschutz**	gwarchod (gb) yr amgylchedd
die	**Umweltverschmutzung** (-en)	llygredd (g)
	umwickeln (gw)	lapio, dirwyn o gwmpas
	um/ziehen (zog um- umgezogen)	symud tŷ; newid dillad
der	**Umzug** (-¨e)	gorymdaith (b)
	unabhängig	annibynnol
	unausstehlich	annioddefol

	unbedingt	yn bendant, ar bob cyfrif
	unbegabt	didalent, di-ddawn
	unbequem	anghyfforddus, anghysurus
	und	a, ac
	und zwar	sef; mewn gwirionedd, ond
	unentschieden	penagored, amhendant; cyfartal [gêm]
	unerfahren	amhrofiadol
	unerträglich	annioddefol
	unerwartet	annisgwyl
der	**Unfall** (-¨e)	damwain (b)
	unfreundlich	anghyfeillgar
	Ungarn	Hwngari (b)
	Ungarisch	Hwngareg (b) [iaith]
	ungeduldig	diamynedd, byrbwyll
	ungefähr	tua, mwy neu lai, o gwmpas
	ungehalten	dig, blin, crac
	ungeheuer	enfawr, anferth
das	**Ungeheuer** (-)	anghenfil (g)
	ungeklärt	heb ei ddatrys
	ungenügend	anfoddhaol
	ungesund	afiach
	ungewöhnlich	anghyffredin, eithriadol
	ungezwungen	anffurfiol, naturiol
	unglaublich	anhygoel, anghredadwy
das	**Unglück** (-e)	anffawd (b), trychineb (gb)
	unglücklich	anlwcus, anhapus
	unglücklicherweise	yn anffodus, gwaetha'r modd
	unheimlich	iasol, anghynnes, annaearol, rhyfedd
	unhöflich	anfoesgar, anghwrtais, difaners
die	**Uni** (-s)	prifysgol (b)
die	**Uniform** (-en)	gwisg (b), iwnifform (b), lifrai (gb)
die	**Union** (-en)	undeb (gb)
die	*Europäische Union*	yr Undeb (g) Ewropeaidd
die	**Universität** (-en)	prifysgol (b), coleg (g)
	unlängst	yn ddiweddar
	unmöglich	amhosibl
	unpraktisch	anymarferol
	uns [wir]	ni
	unser [wir]	ein
	unsichtbar	anweladwy, anweledig, cudd

131

	unten	oddi tanodd, isod, islaw
	unter (+dat/+acc)	tan, islaw; ymysg; i lawr
die	**Unterbrechung** (-en)	toriad (g), egwyl (b)
die	**Unterführung** (-en)	isffordd (b), tanlwybr (g)
der	**Untergang** (-¨e)	dirywiad (g), diwedd (g) [e.e. y byd]
das	**Untergeschoß** (-sse)	llawr (g) isaf, seler (b)
die	**Untergrundbahn** (-en)	rheilffordd (b) danddaearol
	unterhalb (+gen)	o dan
sich	**unterhalten** (ä-ie-a)	difyrru, mwynhau; ymddiddan
die	**Unterhaltung** (-en)	diddanwch (g), difyrrwch (g); sgwrs (b)
die	**Unterhose** (-n)	trôns (g), pants (ll)
	unterirdisch	tanddaearol
	unter/kommen (o-a-o)	lletya; dod ar draws
die	**Unterkunft** (-¨e)	llety (g)
	unternehmungslustig	sionc, heini, prysur, llawn mynd
der	**Unterricht** (-e)	hyfforddiant (g), addysg (b)
	unterrichten (gw)	dysgu, hyfforddi, addysgu
	untersagen (gw)	gwahardd
der	**Unterschied** (-e)	gwahaniaeth (g)
	unterschreiben (ei-ie-ie)	arwyddo, llofnodi
	untersetzt	byrdew, cydnerth
	unterstreichen (ei-i-i)	tanlinellu; pwysleisio
	unterstützen (gw)	cefnogi
die	**Untersuchung** (-en)	archwiliad (g), ymchwiliad (g), ymholiad (g)
die	**Untertasse** (-n)	soser (b)
die	**Unterwäsche**	dillad (ll) isaf
	unterwegs	ar y ffordd, wrth deithio
	ununterbrochen	di-dor, parhaus
	unverheiratet	dibriod, sengl
	unverschämt	haerllug, digywilydd
die	**Unverschämtheit** (-en)	haerllugrwydd (g)
	unvorhergesehen	annisgwyl, heb ei ragweld
	unwohl	anhwylus, gwael
	unzufrieden	anfodlon
der	**Urenkel** (-)	gor-ŵyr (g)
die	**Urenkelin** (-nen)	gorwyres (b)
die	**Urgroßmutter** (-¨)	hen nain (b), hen fam-gu (b)

der **Urgroßvater** (-¨)	hen daid (g), hen dad-cu (g)
der **Urlaub** (-e)	gwyliau (ll)
auf Urlaub	ar wyliau
die **Ursache** (-n)	rheswm (g), achos (g)
die **USA**	Unol Daleithau America [U.D.A.]
usw. [und so weiter]	a.y.y.b. (ac yn y blaen)

der	**Valentinstag** (-e)	Gŵyl (b) San Ffolant
die	**Vanille**	fanila (g)
das	**Vanilleeis**	hufen (g) iâ fanila
die	**Vanillesauce** (-n)	saws (g) fanila, cwstard (g)
der	**Vater** (-¨)	tad (g)
der	**Vati** (-s)	tad (g)
der	**Vegetarier** (-)	llysieuwr (g)
die	**Vegetarierin** (-nen)	llysieuwraig (b)
das	**Ventil** (-e)	falf (b)
	verabscheuen (gw)	casáu
	verändert	gwahanol, wedi newid
	veranstalten (gw)	cynnal, trefnu
die	**Veranstaltung** (-en)	digwyddiad (g), achlysur (g)
	verantwortlich	cyfrifol
die	**Verantwortung** (-en)	cyfrifoldeb (g)
der	**Verband** (-¨e)	rhwymyn (g)
die	**Verbesserung** (-en)	gwelliant (g); cywiriad (g)
	verbieten (ie-o-o)	gwahardd
	verbinden (i-a-u)	cysylltu, uno
die	**Verbindung** (-en)	cysylltiad (g), uniad (g)
	verbleit	yn cynnwys plwm [petrol]
	verboten	gwaharddedig
der	**Verbrauch**	traul (b), gwariant (g); defnydd (g)
	verbrauchen (gw)	treulio, gwario; defnyddio
	verbreiten (gw)	lledaenu
	verbrennen	llosgi
	(verbrannte-verbrannt)	
	verbringen	treulio, bwrw amser
	(verbrachte-verbracht)	
	verdammt !	damia! damo! daro!
die	**Verdauungsstörung** (-en)	camdreuliad (g), diffyg (g) traul
	verdecken (gw)	cuddio, gorchuddio
	verdienen (gw)	ennill; haeddu, teilyngu
der	**Verein** (-e)	clwb (g), mudiad (g)
	vereinigen (gw)	uno, cyfuno
die	**Vereinigten Staaten** (pl)	yr Unol Daleithiau (ll)
	verfallen	toredig, adfeiliedig
	verfehlen (gw)	colli
	verfolgen (gw)	dilyn; ymlid, erlid

die **Verfolgung** (-en)	erledigaeth (b)
verfügen (gw)	deddfu; bod gennych, meddiannu
die **Verfügung** (-en)	deddf (b), gorchymyn (g)
zur *Verfügung stehen*	at eich gwasanaeth, at ddefnydd, ar gael
die **Vergangenheit** (-en)	gorffennol (g)
vergehen (verging- vergangen)	mynd, cilio
vergessen (i-a-e)	anghofio
vergeuden (gw)	gwastraffu
der **Vergleich** (-e)	cymhariaeth (b)
vergleichen (ei-i-i)	cymharu
das **Verhältnis** (-se)	cyfrannedd (g), cymhareb (b); perthynas (gb)
verheiratet	priod, wedi priodi
der **Verkauf** (-¨e)	gwerthiant (g)
verkaufen (gw)	gwerthu
zu *verkaufen*	ar werth
der **Verkäufer** (-)	gwerthwr (g), cynorthwywr (g) mewn siop
die **Verkäuferin** (-nen)	gwerthwraig (b), cynorthwywraig (b) mewn siop
das **Verkaufsbüro** (-s)	swyddfa (b) werthu
der **Verkehr**	traffig (g), trafnidiaeth (b)
verkehren (gw)	cymdeithasu, cyfathrachu
das **Verkehrsamt** (-¨er)	canolfan (gb) croeso
der **Verkehrsknotenpunkt** (-e)	cyffordd (b) draffig
das **Verkehrsmittel** (-)	ffordd (b) o deithio: trên, bws, llong, awyren a.y.y.b.
öffentliches *Verkehrsmittel*	trafnidiaeth (b) gyhoeddus
der **Verkehrsunfall** (-¨e)	damwain (b) [traffig]
die **Verkehrsverbindung** (-en)	cysylltiadau (ll), cludiant (g) cyhoeddus
sich **verknallen** (gw)	syrthio mewn cariad
verknallt sein	wedi syrthio mewn cariad
verknoten (gw)	clymu
verlangen (gw)	gofyn am, hawlio, galw ar
verlassen (ä-ie-a)	gadael, ymadael
sich **verlassen** (ä-ie-a)	dibynnu
sich **verlaufen** (äu-ie-au)	mynd ar goll
die **Verlegenheit** (-en)	lletchwithdod (g)

	verletzen (gw)	anafu, clwyfo
	verletzt	wedi'i glwyfo/anafu, wedi brifo
	verlieren (ie-o-o)	colli
das	**Verlies** (-e)	carchar (g), daeargell (b), dwnsiwn (g)
sich	**verloben** (gw)	dyweddïo
die	**Verlobung** (-en)	dyweddïad (g)
der	**Verlust** (-e)	colled (b), colli (gb)
	vermeiden (ei-ie-ie)	osgoi, gochel
	vermieten (gw)	gosod ar rent
	vermissen (gw)	gweld eisiau; colli
	vermuten (gw)	dyfalu, rhagdybio
	vernachlässigen (gw)	esgeuluso
die	**Vernunft**	synnwyr (g)
	vernünftig	rhesymol, synhwyrol
	veröffentlichen (gw)	cyhoeddi
	veröffentlicht	cyhoeddiedig, wedi'i gyhoeddi
	verpacken (gw)	lapio
die	**Verpackung** (-en)	pecyn (g); papur (g) lapio/pacio
	verpassen (gw)	colli [e.e. trên]
	verpflichtet sein	gorfod, bod rhaid
der	**Verräter** (-)	bradwr (g)
	verreisen (gw)	mynd ar daith, teithio
	verrenken (gw)	anffurfio, ystumio
	verrückt	gwallgof, ynfyd
	verrühren (gw)	cymysgu, troi, gwlychu [toes]
der	**Vers** (-e)	pennill (g), llinell (b) o farddoniaeth
	versagen (gw)	diffygio, methu, ffaelu
	versammeln (gw)	ymgynnull, ymgasglu
die	**Versammlung** (-en)	cynulliad (g), cyfarfod (g)
	verschieden	gwahanol, amrywiol
	verschlingen (i-a-u)	traflyncu
	verschmutzt	llygredig, wedi'i lygru; budr, brwnt
	verschreiben (ei-ie-ie)	rhoi presgripsiwn, rhagnodi
sich	**verschreiben** (ei-ie-ie)	gwneud camgymeriad wrth ysgrifennu
	verschwenden (gw)	gwastraffu
	verschwenderisch	gwastrafflyd, gwastraffus
die	**Verschwendung** (-en)	gwastraff (g)
	verschwinden (i-a-u)	diflannu
	versetzen (gw)	symud, trosglwyddo
die	**Versicherung** (-en)	yswiriant (g)

das	**Versicherungswesen**	busnes (b) yswiriant
sich	**verspäten** (gw)	bod yn hwyr
die	**Verspätung** (-en)	hwyrder (g)
	versprechen (i-a-o)	addo
das	**Versprechen** (-)	addewid (gb)
sich	**verständigen** (gw)	cyfathrebu; dod i gytundeb
das	**Verständnis**	dealltwriaeth (b), dirnadaeth (b)
	verständnisvoll	cydymdeimladol, deallgar
	verstauchen (gw)	sigo, troi [troed, llaw]
	verstecken (gw)	cuddio, celu, cwato
	verstehen (verstand- verstanden)	deall, dirnad, amgyffred
sich	**verstehen** (verstand- verstanden)	cyd-weld, cyd-dynnu, cytuno
der	**Versuch** (-e)	cais (g), ymgais (gb)
	versuchen (gw)	ceisio, trio, ymdrechu, ymgeisio
	vertagen (gw)	gohirio
	verteidigen (gw)	amddiffyn
die	**Verteidigung** (-en)	amddiffyniad (g)
	verteilen (gw)	dosbarthu, rhannu, dosrannu
der	**Vertrag** (-¨e)	cytundeb (g)
der	**Vertreter** (-)	cynrychiolydd (g)
	verunglücken (gw)	cael damwain
	verursachen (gw)	peri, achosi
	vervollständigen (gw)	cwblhau, perffeithio, cyflawni
	verwahrlosen (gw)	mynd yn esgeulus
die	**Verwaltung** (-en)	gweinyddiaeth (b)
der/die	**Verwandte** (-n)	perthynas (gb), ceraint (ll)
	verweisen (ei-ie-ie)	cyfeirio at, crybwyll
	verwenden (gw)	defnyddio
	verwirklichen (gw)	gwireddu, cyflawni; rhoi ar waith
	verwundet	wedi anafu, wedi clwyfo, wedi brifo
die	**Verzeihung** (-en)	maddeuant (g)
	verzichten (gw)	ymwrthod â, ymatal rhag, hepgor
	verzieren (gw)	addurno, harddu
	verzollen (gw)	talu toll
das	**Videogerät** (-e)	recordydd (g) fideo
die	**Videokamera** (-s)	camera (g) fideo
der	**Videorekorder** (-)	recordydd (g) fideo

	viel (mehr, am meisten)	llawer, lot o
so	*viel*	cymaint
	viele (mehr, am meisten)	llawer, sawl un, nifer o
wie	*viele*	sawl
die	**Vielfalt**	amrywiaeth (gb)
	vielleicht	efallai, dichon
	vier	pedwar (g), pedair (b)
	viereckig	pedronglog
	vierte(r/s)	pedwerydd (g), pedaredd (b)
das	**Viertel** (-)	chwarter (g); ardal (b)
	vierzehn	pedwar (g)/pedair (b) ar ddeg, un deg pedwar
	vierzig	deugain, pedwar deg
das	**Vitamin** (-e)	fitamin (g)
der	**Vogel** (-¨)	aderyn (g)
das	**Vogelfutter**	bwyd (g) adar
die	**Vokabel** (-n)	gair (g)
das	**Volk** (-¨er)	pobl (b), gwerin (b), cenedl (b)
	voll	llawn, llond
	vollautomatisch	hollol awtomatig, cwbl awtomatig
der	**Vollbart** (-¨e)	barf (b)
	vollenden (gw)	cyflawni, cwblhau, dwyn i ben
das	**Volleyball(spiel)**	pêl-foli (b)
	völlig	llwyr, hollol, cyfan
die	**Vollpension** (-en)	llety (g) a phob pryd bwyd, llety (g) llawn
	voll/tanken (gw)	llenwi'r tanc [petrol]
	vom [von + dem]	o'r
	von (+dat)	o, oddi wrth, gan
	von Hand	gwaith (g) llaw
	von hier	oddi yma
	von zuhause	oddi cartref
	vor (+dat/+acc)	o flaen, gerbron, rhag, ymlaen; gan, oherwydd
	vor Angst	gan ofn
	vor einer Woche	wythnos yn ôl
die	**Voranmeldung** (-en)	rhagarchebiad (g), archeb (b); cofrestriad (g)
im	**voraus**	o flaen llaw, ymlaen llaw
	voraus/sagen (gw)	darogan, proffwydo
	vorbei	heibio

	vorbei/hasten (gw)	brysio heibio
	vor/bereiten (gw)	paratoi, darparu
	voreingenommen	rhagfarnllyd
die	**Vorführung** (-en)	perfformiad (g)
der	**Vorgänger** (-)	rhagflaenydd (g)
	vorgeheizt	wedi'i gynhesu ymlaen llaw
der/die	**Vorgesetzte** (-n)	bos (g), meistr (g), pennaeth (g)
	vorgestern	echdoe
	vorgestern abend	echnos
	vor/haben (hat vor- hatte vor-vorgehabt)	bwriadu
	vorhanden	ar gael
der	**Vorhang** (-¨e)	llen (b), cyrten (g)
	vorher	ymlaen llaw; cynt, blaenorol
	vorher/sehen (ie-a-e)	rhagweld
	vorig	cynt, o'r blaen
	vor/kommen (o-a-o)	digwydd
	vor/lesen (ie-a-e)	adrodd, darllen
die	**Vorlesung** (-en)	darlith (b)
der	**Vormittag** (-e)	bore (g)
	vormittags	bob bore
	vorn(e)	tu blaen, ar y blaen
der	**Vorname** (-n)	enw (g) bedydd, enw (g) cyntaf
	vornehmlich	yn enwedig, yn bennaf
der	**Vorort** (-e)	maestref (b), cyrion (ll) dinas, ymylon (ll)
die	**Vorsaison** (-en)	blaendymor (g), dechrau (g) tymor
der	**Vorschlag** (-¨e)	awgrym (g)
	vor/schlagen (ä-u-a)	awgrymu
die	**Vorsicht**	gofal (g), pwyll (g)
	vor/stellen (gw)	cyflwyno
sich	**vor/stellen** (gw)	cyflwyno ei hun; dychmygu, synied
die	**Vorstellung** (-en)	perfformiad (g); dychymyg (g)
der	**Vorteil** (-e)	mantais (b)
der	**Vortrag** (-¨e)	darlith (b)
das	**Vorurteil** (-e)	rhagfarn (b)
der	**Vorverkauf** (-¨e)	gwerthiant (g) ymlaen llaw
die	**Vorverkaufsstelle** (-n)	swyddfa (b) docynnau
die	**Vorwahl** (-en)	côd (g) ffôn
die	**Vorwahlnummer** (-n)	côd (g) ffôn
	vorwärts	tuag ymlaen

139

die	**Waage** (-n)	tafol (b), clorian (gb), cytser (g) y Fantol
	waagerecht	llorwedd
	wach	effro, di-hun, ar ddi-hun
	wachsen (ä-u-a)	tyfu; cynyddu
der	**Wächter** (-)	gwarchodwr (g), ceidwad (g)
die	**Waffe** (-n)	arf (gb)
der	**Wagen** (-)	cerbyd (g), car (g)
die	**Wahl** (-en)	dewis (g), dewisiad (g); etholiad (g)
	wählen (gw)	dewis; ethol
der	**Wahnsinn**	gwallgofrwydd (g), ynfydrwydd (g)
	wahnsinnig	gwallgof, ynfyd
	wahr	gwir
nicht	*wahr*	ynte, onid e, on'd yw e
	während	tra, pan, wrth
	während (+gen/+dat)	yn ystod
	wahr/nehmen (i-a-o)	synhwyro
	wahrscheinlich	tebygol, mwy na thebyg, yn debyg
die	**Währung** (-en)	arian (g) cyfredol, arian (g) treigl
der	**Wald** (-¨er)	coedwig (b), fforest (b), coed (ll)
der	**Waldbrand** (-¨e)	tân (g) fforest, fforest/coed ar dân
der	**Waldrand** (-¨er)	min (g) y coed, cwr (g) y coed
	Wales	Cymru (b)
der	**Waliser** (-)	Cymro (g)
die	**Waliserin** (-nen)	Cymraes (b)
	Walisisch	Cymraeg (b) [iaith]
	walisisch	Cymreig, yn perthyn i Gymru, o Gymru
der	**Walkman** (-s)	peiriant (g) casét symudol, walkman (gb)
die	**Wallfahrt** (-en)	pererindod (gb)
die	**Walnuß** (-¨sse)	cneuen (b) Ffrengig
die	**Wand** (-¨e)	wal (b)
	wandern (gw)	crwydro, cerdded
der	**Wanderschuh** (-e)	esgid (b) gerdded
die	**Wanderung** (-en)	crwydr (g), tro (g), heic (b)
	wann	pryd, pa amser; faint o'r gloch
seit	*wann*	ers pryd
er/sie/es	**war** [sein]	roedd, bu, buodd
das	**Warenhaus** (-¨er)	siop (b) fawr
	warm	cynnes, twym
die	**Wärme**	cynhesrwydd (g)

	warten (gw)	aros, disgwyl
	warum	pam
	warum nicht	pam lai
	was	beth
	was für	pa, sut fath
	was immer	beth bynnag
	was kostet das	faint mae e/hi'n gostio?
die	**Waschanlage** (-n)	lle (g) golchi ceir, golchfa (b) geir
der	**Waschbär** (-en)	racŵn (g)
das	**Waschbecken** (-)	basn (g) ymolchi, sinc (g)
die	**Wäsche** (-n)	golch (g), dillad (ll) isaf
	waschen (ä-u-a)	golchi
sich	**waschen** (ä-u-a)	ymolchi
die	**Waschmaschine** (-n)	peiriant (g) golchi
das	**Waschmittel** (-)	glanhäwr (g), glanedydd (g)
das	**Waschpulver** (-)	powdwr (g) golchi
der	**Waschraum** (-¨e)	ystafell (b) ymolchi [cyhoeddus], cyfleusterau (ll)
das	**Waschzeug** (-e)	pethau (ll) ymolchi
das	**Wasser**	dŵr (g)
der	**Wassermann** (-¨er)	cytser (g) y Dyfrwr
das	**Wasserschifahren**	sgïo ar ddŵr
das	**WC** (-s)	toiled (g), tŷ (g) bach, lle (g) chwech
	weben (e-o-o)	gwau
der	**Wechselkurs** (-e)	cyfradd (b) gyfnewid [arian tramor]
	wechseln (gw)	cyfnewid, newid
der	**Wecker** (-)	cloc (g) larwm
	weder . . . noch	na(c) … na(c) …
	weg	i ffwrdd, bant, ymaith
der	**Weg** (-e)	llwybr (g), ffordd (b), lôn (b)
	weg/gehen (ging weg-weggegangen)	mynd i ffwrdd, mynd bant, mynd ymaith
	weg/laufen (äu-ie-au)	baglu; ffoi, rhedeg i ffwrdd
der	**Wegweiser** (-)	mynegbost (g), arwydd (gb) ffordd
	weh	tost, dolurus, poenus
	wehen (gw)	chwifio, chwythu
	weh/tun (tut weh- tat weh-wehgetan)	brifo, dolurio
das	**Weibchen** (-)	benyw (b) [anifail]
	weiblich	benyw, benywaidd

141

	weich	meddal
die	**Weide** (-n)	helygen (b); porfa (b)
das	**Weihnachten**	Nadolig (g)
fröhliche	*Weihnachten*	Nadolig Llawen
zu	*Weihnachten*	amser (g) y Nadolig, adeg (b) y Nadolig
der	**Weihnachtsbaum** (-¨e)	coeden (b) Nadolig
die	**Weihnachtsferien** (pl)	gwyliau (ll) Nadolig
das	**Weihnachtsgeschenk** (-e)	anrheg (b) Nadolig
die	**Weihnachtskarte** (-n)	cerdyn (g) Nadolig
das	**Weihnachtslied** (-er)	carol (b) Nadolig
der	**Weihnachtsmarkt** (-¨e)	marchnad (b) Nadolig
die	**Weihnachtszeit**	amser (g) y Nadolig, adeg (b) y Nadolig
	weil	achos, am fod, oherwydd, oblegid
der	**Wein** (-e)	gwin (g)
der	**Weinberg** (-e)	gwinllan (b)
	weinen (gw)	wylo, crio, llefain
	weinrot	cochddu, coch fel gwin
die	**Weintraube** (-n)	grawnwinen (b)
	weisen (ei-ie-ie)	dangos
die	**Weisheit** (-en)	doethineb (g), callineb (g)
	weiß	gwyn
er/sie/es	**weiß** [wissen]	mae e/hi'n gwybod
	weit	pell, llydan, eang
bei	*weitem*	o bell ffordd
wie	*weit*	pa mor bell
	weiter	yn bellach, ymhellach
	weiter/gehen (ging weiter-weitergegangen)	mynd ymlaen; para, parhau
	weiter/machen (gw)	dal, mynd ymlaen, cadw i fynd
	weiter/studieren (gw)	astudio, mynd ymlaen i ddysgu
der	**Weitsprung** (-e)	naid (b) hir
	welche(r/s)	pa un, p'un, pa rai; rhai, rhywfaint
die	**Welle** (-n)	ton (b)
der	**Wellensittich** (-e)	bwji (g)
die	**Welt** (-en)	byd (g)
die	**Weltkarte** (-n)	map (g) y byd
der	**Weltkrieg** (-e)	rhyfel (g) byd
der Erste	*Weltkrieg*	y Rhyfel (b) Byd Cyntaf
der Zweite	*Weltkrieg*	yr Ail Ryfel (b) Byd

	wenden (gw)	troi
	wenig	ychydig, tipyn
zu	*wenig*	dim digon
	wenige	ambell un
	weniger	llai
	wenigstens	o leiaf
	wenn	os, pe
	wenn auch	hyd yn oed, er
	wer	pwy, pa un, p'un
	werben (i-a-o)	hysbysebu
der	**Werbespot** (-s)	hysbyseb (b) deledu
die	**Werbung** (-en)	hysbysiad (g), hysbyseb (b)
	werden (wird-wurde-geworden)	dod yn, mynd yn, troi yn, newid yn
	werfen (i-a-o)	taflu, lluchio, bwrw
das	**Werk** (-e)	gwaith (g)
	werken (gw)	gweithio, crefftio, gwneud crefftiau
die	**Werkstatt** (-¨en)	garej (gb)
die	**Werkstätte** (-n)	lle (g)/man (gb) gweithio; garej (gb)
der	**Werktag** (-e)	dydd/diwrnod (g) gwaith [Llun – Gwener]
der	**Wert** (-e)	gwerth (b)
	wertvoll	gwerthfawr
das	**Wesen** (-)	natur (b), bod (g)
die	**Wespe** (-n)	cacynen (b), picwnen (b)
der	**Wespenstich** (-e)	pigiad (g) cacynen
	wessen (wer)	pwy
die	**Weste** (-n)	cardigan (b), gwasgod (b)
der	**Westen**	gorllewin (g)
	westlich	gorllewinol
der	**Wettbewerb** (-e)	cystadleuaeth (b)
	wetten (gw)	betio, hapchwarae
das	**Wetter**	tywydd (g)
der	**Wetterbericht** (-e)	rhagolygon (ll) y tywydd
die	**Wettervorhersage** (-n)	rhagolygon (ll) y tywydd
der	**Wettkampf** (-¨e)	cystadleuaeth (b), gornest (b)
	wichtig	pwysig, allweddol
der	**Widder** (-)	hwrdd (g), maharen (g), cytser (g) yr Hwrdd
sich	**widmen** (gw)	ymroi i

	wie	sut, pa ffordd, pa mor; fel; mor
	wie bitte	beth ddwedoch chi? Pardwn?
	wie geht's	sut mae'r hwyl, sut ydych chi, sut mae
	wie lange	pa mor hir, faint o amser
	wie oft	pa mor aml
	wie schade !	trueni mawr
	wie spät	faint o'r gloch
	wie viele	sawl
	wie weit	pa mor bell
	wieder	eto, trachefn, ail-
	wieder/finden (i-a-u)	dod o hyd i, ail-ddarganfod
	wiederholen (gw)	ailadrodd, ail-ddweud; adolygu
die	**Wiederkehr**	dychweliad (g), dychwelyd (gb)
	wiegen (ie-o-o)	pwyso
	Wien	Fiena (b)
die	**Wiese** (-n)	cae (g), dôl (b), porfa (b)
	wieso	pam
	wieviel	faint
	wild	gwyllt
er/sie/es	**will** [wollen]	mae e/hi eisiau
das	**Willkommen**	croeso (g)
	willkommen	croeso
	willkommen heißen (ei-ie-ei)	croesawu
der	**Wind** (-e)	gwynt (g), awel (b), chwa (b)
	windig	gwyntog
die	**Windjacke** (-n)	siaced (b) atal gwynt
die	**Windschutzscheibe** (-n)	sgrîn (b) wynt, ffenestr (b) flaen [cerbyd]
	wind/surfen (gw)	hwylforio, hwylfyrddio
	winken (gw)	chwifio, codi llaw ar rywun
der	**Winter** (-)	gaeaf (g)
	wir	ni
	wirklich	gwir; yn ddiau, heb os
	wirksam	effeithiol
die	**Wirtschaftskunde**	economeg (b)
die	**Wirtschaftswissenschaft** (-en)	astudiaethau (ll) economaidd

	wissen (weiß- wußte-gewußt)	gwybod
Bescheid	*wissen*	gwybod am
die	**Wissenschaft** (-en)	astudiaethau (ll), gwyddorau (b)
der	**Wissenschafter** (-)	gwyddonydd (g), sgolor (g)
	witzig	doniol, hwylus
	wo	ble, ym mhle
die	**Woche** (-n)	wythnos (b)
das	**Wochenende** (-n)	penwythnos (g)
die	**Wochenkarte** (-n)	tocyn (g) wythnos
der	**Wochentag** (-e)	dydd (g) o'r wythnos, diwrnod (g) gwaith
	wöchentlich	wythnosol
	wofür	pam, i ba bwrpas
	woher	o ble
	wohin	i ble
	wohl	iawn, da
der	**Wohnblock** (-¨e)	bloc (g) o fflatiau
	wohnen (gw)	byw, preswylio, trigo
die	**Wohnfläche** (-n)	lle (g) i fyw
das	**Wohnhaus** (-¨er)	tŷ (g), adeilad (g) preswylio
das	**Wohnmobil** (-e)	fan (b) wersylla
der	**Wohnort** (-e)	preswylfa (b), trigfan (b)
die	**Wohnsiedlung** (-en)	stad (b) dai
die	**Wohnung** (-en)	fflat (b)
der	**Wohnwagen** (-¨)	carafán (b)
das	**Wohnzimmer** (-)	ystafell (b) fyw, lolfa (b)
der	**Wolf** (-¨e)	blaidd (g)
die	**Wolke** (-n)	cwmwl (g)
	wolkenbezogen	cymylog
	wolkenlos	digwmwl, heb gwmwl
	wolkig	cymylog
die	**Wolle** (-n)	gwlân (g)
	wollen (will-wollte- gewollt)	eisiau, mofyn, bwriadu
die	**Wollmütze** (-n)	cap (g) gwlân, het (b) wlân
	worauf	ar beth; ar hynny, yna
	woraufhin	ar hynny, yna
das	**Wort** (-¨er)	gair (g)
das	**Wörterbuch** (-¨er)	geiriadur (g)

worum	am yr hyn, am beth [mae sôn]
wozu	pam, i ba bwrpas
der **Wucher**	gorelw (g), gordreth (b)
wunderbar	godidog, aruthrol, rhyfeddol, gwych
wunderschön	prydferth dros ben, hardd, del iawn
der **Wunsch** (-¨e)	dymuniad (g), awydd (g)
wünschen (gw)	dymuno
die **Wurfbude** (-n)	stondin (gb) luchio, stondin (gb) daflu pêl
der **Würfel** (-)	ciwb (g); dis (gb)
würfeln (gw)	taflu dis; deisio, torri yn ddeisiau
	[e.e. cig, llysiau]
die **Wurst** (-¨e)	sosej (b), selsig (ll)
die **Wurstbude** (-n)	stondin (gb) sosej
das **Würstchen** (-)	sosej (b) fach
er/sie/es **wußte** [wissen]	roedd e/hi'n gwybod, gwyddai ef/hi
die **Wüste** (-n)	anialdir (g), anialwch (g),
	diffeithwch (g)
wütend	gwyllt, dig, crac, o'i go/o'i cho

x-fach	sawl gwaith
das **Yoga**	ioga (b)
das **Ypsilon** (-s)	y llythyren "y"

die	**Zahl** (-en)	rhif (g), ffigur (g)
	zahlen (gw)	talu
	zählen (gw)	rhifo, cyfrif
das	**Zahlenrätsel** (-)	pos (g) rhifau
	zahlreich	niferus
der	**Zahn** (-¨e)	dant (g)
der	**Zahnarzt** (-¨e)	deintydd (g)
die	**Zahnbürste** (-n)	brws (g) dannedd
die	**Zahnpasta** (-pasten)	past (g) dannedd
die	**Zahnschmerzen** (pl)	dannoedd (b), gwyniau (ll) [dannedd]
der	**Zahntechniker** (-)	technegydd (g) dannedd , deintydd (g)
die	**Zapfsäule** (-n)	pwmp (g) petrol
	zart	tyner, mwyn, meddal
	zauberhaft	hudolus
der	**Zaun** (-¨e)	ffens (b)
die	**Zehe** (-n)	bys (g) troed
	zehn	deg
	zehnte(r/s)	degfed
das	**Zeichen** (-)	arwydd (gb), argoel (b), arwyddlun (g)
die	**Zeichenkohle** (-n)	siarcol (g), golosg (g)
der	**Zeichentrickfilm** (-e)	ffilm (b) gartŵn
	zeichnen (gw)	darlunio, tynnu llun, portreadu
die	**Zeichnung** (-en)	darlun (g)
	zeigen (gw)	dangos; pwyntio at
die	**Zeile** (-n)	llinell (b), lein (b)
die	**Zeit** (-en)	amser (g), adeg (b), pryd (g)
von	*Zeit zu Zeit*	o bryd i'w gilydd, nawr ac yn y man
die	**Zeitschrift** (-en)	cylchgrawn (g)
die	**Zeitung** (-en)	papur (g) newydd
die	**Zeitverschwendung** (-en)	gwastraff (g) amser
	zeitweise	o bryd i'w gilydd, weithiau
die	**Zelle** (-n)	cell (b)
das	**Zelt** (-e)	pabell (b)
	zelten (gw)	gwersylla
der	**Zeltplatz** (-¨e)	maes (g) gwersylla, maes (g) pebyll
	zentral	canolog
die	**Zentralheizung** (-en)	gwres (g) canolog
das	**Zentrum** (Zentren)	canol (g), canolfan (gb), craidd (g)
	zerbrechen (i-a-o)	torri, malu
	zerbröckeln (gw)	malurio, dadfeilio

	zergehen (zerging-zergangen)	ymdoddi, toddi, mynd yn ddim
	zerreißen (ei-i-i)	rhwygo, llarpio
der	**Zettel** (-)	darn (g) o bapur
das	**Zeug**	pethau (ll), mân bethau (ll)
der	**Zeuge** (-n)	tyst (g)
die	**Zeugin** (-nen)	tyst (g)
das	**Zeugnis** (-se)	tystiolaeth (b); tystysgrif (b)
die	**Ziege** (-n)	gafr (b)
	ziehen (zog-gezogen)	tynnu
das	**Ziel** (-e)	targed (g), annel (gb); amcan (gb), nod (gb)
	ziemlich	eithaf, braidd, gweddol
die	**Ziffer** (-n)	rhif (g)
das	**Zifferblatt** (-¨er)	deial (g) [cloc]
die	**Zigarette** (-n)	sigarét (b)
die	**Zigarre** (-n)	sigâr (b)
	zigmal	sawl gwaith, nifer dirifedi o weithiau
das	**Zimmer** (-)	ystafell (b)
der	**Zimt**	sinamon (g)
der	**Zippverschluß** (-¨sse)	sip (g) [dillad]
der	**Zirkus** (-se)	syrcas (b)
	zischen (gw)	hisian
die	**Zitrone** (-n)	lemwn (g)
der	**Zitronensaft** (-¨e)	sudd (g) lemwn
er/sie/es	**zog** [ziehen]	tynnodd
der	**Zoll** (-¨e)	tollau (ll) tramor, treth (b) fewnforio
	zollfrei	di-dreth
der	**Zoo** (-s)	sŵ (g)
der	**Zopf** (-¨e)	pleth (b)
der	**Zorn**	dicter (g), llid (g), digofaint (g)
	zu	ar gau
	zu (+ansoddair)	rhy
	zu (+dat)	at, i
um	*zu*	er mwyn
	zu dritt	yn dri (g), yn dair (b)
	zu Fuß	ar droed, yn cerdded
	zu Gast	ymweld
	zu Hause	gartref
	zu Mittag	amser cinio

149

	zu verkaufen	ar werth
	zu Weihnachten	amser/adeg y Nadolig
	zu wenig	dim digon
	zu/bereiten (gw)	paratoi [bwyd], coginio
der	**Zucker**	siwgr (g)
der	**Zuckerguß** (-¨sse)	siwgr (g) eisin
die	**Zuckerwatte** (-n)	siwgr (g) candi
	zuerst	i ddechrau, yn gyntaf, yn y lle cyntaf
	zufrieden	bodlon
der	**Zug** (-¨e)	trên (g); llif (g) awyr, drafft (g)
	zu/geben (i-a-e)	cyfaddef
der	**Zügel**	ffrwyn (b)
das	**Zuhause**	cartref (g)
von	*zuhause*	oddi cartref
	zu/lassen (ä-ie-a)	awdurdodi, caniatáu, gadael … i mewn
	zu/hören (gw)	gwrando ar
die	**Zukunft**	dyfodol (g)
	zuletzt	yn ddiweddar, yn y diwedd
	zum [zu + dem]	at, i
	zum Beispiel	er enghraifft
	zum ersten Mal	am y tro cyntaf
	zum Frühstück	i frecwast
	zur [zu + der]	at, i
	zu/machen (gw)	cau
	zunächst	ar y dechrau, yn gyntaf
	zu/nehmen (i-a-o)	magu pwysau, tewhau
	zünden (gw)	tanio, cynnau
die	**Zunge** (-n)	tafod (g)
	zurück	yn ôl
	zurück/geben (i-a-e)	rhoi'n ôl, dychwelyd
	zurück/kehren (gw)	dychwelyd
	zurück/kommen (o-a-o)	dod yn ôl, dychwelyd
	zurück/treten (i-a-e)	ymddiswyddo
die	**Zusage** (-n)	ymrwymiad (g), addewid (gb)
	zusammen	gyda'i gilydd, ynghyd
	zusammen/hängen (ä-i-a)	cydlynu, bod yn gysylltiedig
	zusammen/kleben (gw)	gludio ynghyd, glynu ynghyd

	zusammen/sammeln (gw)	casglu at ei gilydd, casglu ynghyd, hel
	zusammen/stoßen (ö-ie-o)	gwrthdaro, mynd i erbyn ei gilydd
	zusätzlich	yn ychwanegol, hefyd
	zu/schauen (gw)	gwylio, edrych ar
der	**Zuschauer** (-)	gwyliwr (g)
der	**Zuschlag** (-¨e)	tâl (g) ychwanegol
der	**Zustand** (-¨e)	cyflwr (g)
die	**Zustimmung**	cytundeb (g)
die	**Zutaten** (pl)	cynhwysion (ll)
	zuviel	gormod
	zwanzig	ugain, dau ddeg
	zwar	fodd bynnag; er
und	*zwar*	mewn gwirionedd, ond
der	**Zweck** (-e)	pwrpas (g), bwriad (g), amcan (g)
	zwecks	er mwyn
	zwei	dau (g), dwy (b)
die	**Zweifahrtenkarte** (-n)	tocyn (g) dwyffordd
das	**Zweifamilienhaus** (-¨er)	tŷ (g) [ar gyfer dau deulu]
der	**Zweifel** (-)	amheuaeth (b)
	zweifellos	yn ddiamheuol, yn ddiamau, heb amheuaeth
	zweifeln (gw)	amau, drwgdybio
	zweimal	dwywaith
	zweite(r/s)	ail
die	**Zweizimmerwohnung** (-en)	fflat (b) dwy ystafell wely
der	**Zwerg** (-e)	corrach (g)
die	**Zwiebel** (-n)	wynionyn (g), nionyn (g), winwnsyn (g)
der	**Zwilling** (-e)	gefell (g); cytser (g) yr Efeilliaid
	zwingen (i-a-u)	gorfodi
	zwischen (+dat/+acc)	rhwng; ymysg
der	**Zwischenraum** (-¨e)	bwlch (g), gwagle (g), gofod (g)
	zwitschern (gw)	trydar
	zwölf	deuddeg, un deg dau (g)/dwy (b)
	zwölfte(r/s)	deuddegfed

Berfenw	Presennol	Gorffennol syml	Gorffennol cyfansawdd
backen	er bäckt	backte, buk	gebacken
befehlen	er befiehlt	befahl	befohlen
beginnen	er beginnt	begann	begonnen
beißen	er beißt	biß	gebissen
biegen	er biegt	bog	gebogen
bieten	er bietet	bot	geboten
binden	er bindet	band	gebunden
bitten	er bittet	bat	gebeten
blasen	er bläst	blies	geblasen
bleiben	er bleibt	blieb	geblieben
braten	er brät	briet	gebraten
brechen	er bricht	brach	gebrochen
brennen	er brennt	brannte	gebrannt
bringen	er bringt	brachte	gebracht
denken	er denkt	dachte	gedacht
dürfen	er darf	durfte	gedurft
empfangen	er empfängt	empfing	empfangen
empfehlen	er empfiehlt	empfahl	empfohlen
entscheiden	er entscheidet	entschied	entschieden
ernennen	er ernennt	ernannte	ernannt
erschrecken	er erschrickt	erschrak	erschrocken
essen	er ißt	aß	gegessen
fahren	er fährt	fuhr	gefahren
fallen	er fällt	fiel	gefallen
fangen	er fängt	fing	gefangen
finden	er findet	fand	gefunden
fliegen	er fliegt	flog	geflogen
fliehen	er flieht	floh	geflohen
fließen	er fließt	floß	geflossen
fressen	er frißt	fraß	gefressen

Berfenw	Presennol	Gorffennol syml	Gorffennol cyfansawdd
frieren	er friert	fror	gefroren
geben	er gibt	gab	gegeben
gedeihen	er gedeiht	gedieh	gediehen
gefallen	er gefällt	gefiel	gefallen
gehen	er geht	ging	gegangen
gelten	er gilt	galt	gegolten
genießen	er genießt	genoß	genossen
geschehen	es geschieht	geschah	geschehen
gewinnen	er gewinnt	gewann	gewonnen
graben	er gräbt	grub	gegraben
greifen	er greift	griff	gegriffen
haben	er hat	hatte	gehabt
halten	er hält	hielt	gehalten
hängen	er hängt	hing	gehangen
heben	er hebt	hob	gehoben
heißen	er heißt	hieß	geheißen
helfen	er hilft	half	geholfen
kennen	er kennt	kannte	gekannt
klingen	er klingt	klang	geklungen
kommen	er kommt	kam	gekommen
können	er kann	konnte	gekonnt
kriechen	er kriecht	kroch	gekrochen
laden	er lädt	lud	geladen
lassen	er läßt	ließ	gelassen
laufen	er läuft	lief	gelaufen
leiden	er leidet	litt	gelitten
leihen	er leiht	lieh	geliehen
lesen	er liest	las	gelesen
liegen	er liegt	lag	gelegen
lügen	er lügt	log	gelogen

Berfenw	Presennol	Gorffennol syml	Gorffennol cyfansawdd
meiden	er meidet	mied	gemieden
melken	er melkt	molk	gemolken
messen	er mißt	maß	gemessen
mögen	er mag	mochte	gemocht
müssen	er muß	mußte	gemußt
nehmen	er nimmt	nahm	genommen
nennen	er nennt	nannte	genannt
pfeifen	er pfeift	pfiff	gepfiffen
raten	er rät	riet	geraten
reiben	er reibt	rieb	gerieben
reiten	er reitet	ritt	geritten
rennen	er rennt	rannte	gerannt
riechen	er riecht	roch	gerochen
rufen	er ruft	rief	gerufen
schaffen	er schafft	schuf	geschaffen
scheinen	er scheint	schien	geschienen
schieben	er schiebt	schob	geschoben
schießen	er schießt	schoß	geschossen
schlafen	er schläft	schlief	geschlafen
schlagen	er schlägt	schlug	geschlagen
schließen	er schließt	schloß	geschlossen
schmelzen	er schmilzt	schmolz	geschmolzen
schneiden	er schneidet	schnitt	geschnitten
schreiben	er schreibt	schrieb	geschrieben
schreien	er schreit	schrie	geschrieen
schwimmen	er schwimmt	schwamm	geschwommen
schwören	er schwört	schwor	geschworen
sehen	er sieht	sah	gesehen
sein	er ist	war	gewesen
senden	er sendet	sandte	gesandt

Berfenw	Presennol	Gorffennol syml	Gorffennol cyfansawdd
singen	er singt	sang	gesungen
sinken	er sinkt	sank	gesunken
sitzen	er sitzt	saß	gesessen
sollen	er soll	sollte	gesollt
spinnen	er spinnt	spann	gesponnen
sprechen	er spricht	sprach	gesprochen
springen	er springt	sprang	gesprungen
stehen	er steht	stand	gestanden
stehlen	er stiehlt	stahl	gestohlen
steigen	er steigt	stieg	gestiegen
sterben	er stirbt	starb	gestorben
stinken	er stinkt	stank	gestunken
stoßen	er stößt	stieß	gestoßen
streichen	er streicht	strich	gestrichen
streiten	er streitet	stritt	gestritten
tragen	er trägt	trug	getragen
treffen	er trifft	traf	getroffen
treiben	er treibt	trieb	getrieben
treten	er tritt	trat	getreten
trinken	er trinkt	trank	getrunken
tun	er tut	tat	getan
vergessen	er vergißt	vergaß	vergessen
vergleichen	er vergleicht	verglich	verglichen
verlieren	er verliert	verlor	verloren
verschlingen	er verschlingt	verschlang	verschlungen
verschwinden	er verschwindet	verschwand	verschwunden
wachsen	er wächst	wuchs	gewachsen
waschen	er wäscht	wusch	gewaschen
weben	er webt	wob	gewoben
weisen	er weist	wies	gewiesen

Berfenw	Presennol	Gorffennol syml	Gorffennol cyfansawdd
werben	er wirbt	warb	geworben
werden	er wird	wurde	geworden
werfen	er wirft	warf	geworfen
wiegen	er wiegt	wog	gewogen
wissen	er weiß	wußte	gewußt
wollen	er will	wollte	gewollt
zerreißen	er zerreißt	zerriß	zerrissen
ziehen	er zieht	zog	gezogen

	sein	haben	werden	tun	wissen
ich	bin	habe	werde	tue	weiß
du	bist	hast	wirst	tus	weißt
er	ist	hat	wird	tut	weiß
wir	sind	haben	werden	tun	wissen
ihr	seid	habt	werdet	tut	wißt
sie	sind	haben	werden	tun	wissen

Gorffennol

	war	hatte	wurde	tat	wußte
ich	war	hatte	wurde	tat	wußte
du	warst	hattest	wurdest	tatest	wußtest
er	war	hatte	wurde	tat	wußte
wir	waren	hatten	wurden	taten	wußten
ihr	wart	hattet	wurdet	tatet	wußtet
sie	waren	hatten	wurden	taten	wußten

Dibynnol y gorffennol

	wäre	hätte	würde	täte	wüßte
ich	wäre	hätte	würde	täte	wüßte
du	wärest	hättest	würdest	tätest	wüßtest
er	wäre	hätte	würde	täte	wüßte
wir	wären	hätten	würden	täten	wüßten
ihr	wäret	hättet	würdet	tätet	wüßtet
sie	wären	hätten	würden	täten	wüßten

CYMRAEG - ALMAENEG

	a, ac	und
	ac eithrio	abgesehen von, außer
	â, ag	mit
	â chroeso	mit Freude
	â dillad am	angezogen
	abwydyn (g)	Köder *m*
	acne (g)	Pickel *m*
	actor (g)	Schauspieler *m*
	actores (b)	Schauspielerin *f*
	acw	dort, drüben
	acwmplydd (g)	Komplize *m*
	achles (b)	Kompost *m*
twr (g)	*achles*	Komposthaufen *m*
	achlysur (g)	Ereignis *n*, Veranstaltung *f*, Gelegenheit *f*
	achlysurol	gelegentlich
	achos (g)	Fall *m*, Grund *m*, Ursache *f*
	achos	weil, da, denn
	achosi	verursachen
	achub	retten
	achub ar gyfle	die Gelegenheit nützen
	achubiaeth (b)	Rettung *f*
	achubwr (g)	Bademeister *m*
	achwyn	sich beschweren, klagen
	achwyn (g)	Beschwerde *f*
	achwyniad (g)	Beschwerde *f*
	adain (b)	Flügel *m*
	ad-daliad (g)	Ersatz *m*
	ad-dalu	erstatten, ersetzen
	adeg (b)	Zeit *f*
	adeg (b) *y Nadolig*	Weihnachtszeit *f*
	adeilad (g)	Gebäude *n*, Haus *n*
	adeilad (g) *preswylio*	Wohnhaus *n*
	adeiladu	bauen, konstruieren, basteln
safle (gb)	*adeiladu*	Baustelle *f*
	adeiladwr (g)	Bauarbeiter *m*
	aderyn (g)	Vogel *m*
	adfail (gb)	Trümmer *pl*
	adfeiliedig	verfallen
	adferiad (g)	Besserung *f*
	adfresychen (b)	Rosenkohl *m*

adfywhaol	erfrischend
adfywio	erfrischen
adfywiol	erfrischend
adlewyrchiad (g)	Spiegelbild *n*
adloniant (g)	Abwechslung *f*
adlyn (g)	Klebstoff *m*
adnabod	kennen, erkennen
dod i **adnabod**	kennenlernen
adnabyddus	bekannt
adnewyddu	erneuern, restaurieren, sanieren
adolygu	lernen, wiederholen
adran (b)	Abteilung *f*, Institut *n*; Abteil *n*
adref	nach Hause
adrodd	erzählen, melden, Bericht erstatten; vorlesen
adroddiad (g)	Bericht *m*, Reportage *f*, Dokumentarfilm *m*
addas	passend, geeignet
addasu	anpassen
addewid (gb)	Versprechen *n*, Zusage *f*
addo	versprechen
addoli	anhimmeln
addurn (g)	Schmuck *m*, Dekoration *f*
addurno	schmücken, dekorieren, verzieren
addysg (b)	Unterricht *m*, Ausbildung *f*, Erziehung *f*
addysgu	lehren, unterrichten, erziehen
aeddfed	reif
aelod (gb)	Mitglied *n*
aer (g)	Luft *f*
afal (g)	Apfel *m*
afanen (b)	Himbeere *f*
afiach	ungesund
afiechyd (g)	Krankheit *f*
aflan	schmutzig
aflednais	grob
aflonyddu	stören
aflonyddwch (g)	Störung *f*
afon (b)	Fluß *m*, Strom *m*
afu (gb)	Leber *f*
affeithiwr (g)	Komplize *m*
Affrica (b)	Afrika

	agen (b), **agendor** (gb)	Lücke *f*
	ager (g)	Dampf *m*
	agor	öffnen, aufmachen, eröffnen; aufschlagen
ar	*agor, wedi agor*	geöffnet
	agored	offen, geöffnet, auf
awyr	*agored*	im Freien
	agoriad (g)	Schlüssel *m*; Loch *n*
	agorwr (g) **tun**	Dosenöffner *m*
	agos	nah; bei
	angel (g)	Engel *m*
	angen (g)	Bedarf *m*, Not *f*
bod mewn	*angen*	brauchen
	angenrheidiol	notwendig, erforderlich
	anghenfil (g)	Ungeheuer *n*
	anghenus	arm
	anghofio	vergessen, liegenlassen
	anghredadwy	unglaublich
	anghwrtais	unhöflich
	anghyfeillgar	unfreundlich
	anghyflogedig	arbeitslos
	anghyfforddus	unbequem
	anghyffredin	ungewöhnlich
	anghynnes	unheimlich
	anghysbell	abgelegen
	anghysurus	unbequem
	anghywir	falsch
	angladd (gb)	Begräbnis *n*
	ail	zweite
yr	*Ail Ryfel Byd*	der Zweite Weltkrieg
	ail-	wieder-
	ailadrodd	wiederholen
	ail-ddarganfod	wiederfinden
	ail-ddweud	wiederholen
	ail-ddysgu	umschulen
	ail-hyfforddi	umschulen
	ailosod	ersetzen
	ailosodiad (g)	Ersatz *m*
	ailsefyll	sitzenbleiben
	alarch (g)	Schwan *m*

yr	**Alban** (b)	Schottland
	Albanes (b)	Schottin *f*
	Albanwr (g)	Schotte *m*
	albwm (gb)	Fotoalbum *n*
	alcohol (g)	Alkohol *m*
	alergedd (g)	Allergie *f*
	alergeddus	allergisch
yr	**Almaen** (b)	Deutschland, Bundesrepublik *f*
	Almaenaidd	deutsch
	Almaeneg (b)	Deutsch *n*
	Almaeneg (b) *y Swistir*	Schwyzerdütsch
	Almaenes (b)	die Deutsche *f*
	Almaenig	deutsch
	Almaenwr (g)	der Deutsche *m*
	alwminiwm (g)	Aluminium *n*
	allan	aus
tu	*allan*	außen, außerhalb, draußen
	allanfa (b)	Ausgang *m*, Ausfahrt *f*
	allanfa (b) *dân*	Notausgang *m*
	allwedd (b)	Schlüssel *m*
	allweddell (b)	Tastatur *f*, Keyboard *n*
	allweddol	wichtig
	am	für; da; um
	am byth	für immer
	am ddim	kostenlos, gratis, frei
	am fod	weil, da
	am hynny	deshalb, deswegen
	am oriau	stundenlang
	amaethwr (g)	Landwirt *m*
	amau	zweifeln
	ambell un	wenige
	ambell waith	manchmal
	ambiwlans (g)	Krankenwagen *m*, Rettung *f*
	amcan (g)	Ziel *n*, Zweck *m*
	amcangyfrif	schätzen
	amddiffyn	verteidigen
	amddiffyniad (g)	Verteidigung *f*
	America (b)	Amerika
	Americanaidd	amerikanisch
	Americanes (b)	Amerikanerin *f*

	Americanwr (g)	Amerikaner *m*
	amgaeëdig	beiliegend
	amgáu	beilegen
	amgeledd (g)	Betreuung *f*
os	**amgen**	sonst
	amgueddfa (b)	Museum *n*
	amgyffred	verstehen, erfassen, kapieren
o	**amgylch**	herum
	amgylchedd (gb)	Umwelt *f*
	amgylchfyd (g)	Umwelt *f*
	amhendant	unentschieden
	amheuaeth (b)	Zweifel *m*
	amhleidiol	neutral
	amhosibl	unmöglich
	amhrofiadol	unerfahren
	aml	häufig, oft
gan	**amlaf**	im allgemeinen, meist, meistens
	amlen (b)	Umschlag *m*
	amlinelliad (g)	Umriß *m*
	amlwg	klar, offensichtlich
bod yn	*amlwg*	offenbar
	amneidio	nicken
	amnewid (gb)	Ersatz *m*
	amod (gb)	Bedingung *f*, Arbeitsbedingung *f*
	amrediad (g)	Palette *f*
	amrwd	roh
	amryliw	bunt
	amryw	allerlei, mehrere
	amrywiaeth (gb)	Abwechslung *f*, Vielfalt *f*
	amrywiol	abwechslungsreich, verschieden
	amser (g)	Zeit *f*
bwrw	*amser* (g)	verbringen
faint o	*amser* (g)	wie lange
gwastraff (g)	*amser*	Zeitverschwendung *f*
	amser (g) *maith yn ôl*	früher
	amser (g) *y Nadolig*	Weihnachtszeit *f*
	amserlen (b)	Stundenplan *m*, Fahrplan *m*
	amserol	aktuell
	amynedd (g)	Geduld *f*
	amyneddgar	geduldig

	anabl	schwerbehindert
yn	*anad dim*	besonders
	anadlu	atmen
	anafu	verletzen
	anaml	selten
	anfantais (b)	Nachteil *m*
	anferth	ungeheuer, riesig
	anfodlon	unzufrieden
	anfoddhaol	ungenügend
	anfoesgar	unhöflich
	anfon	senden, schicken
	anfoneb (b)	Rechnung *f*
	anfonwr (g)	Absender *m*
	anfonydd (g)	Absender *m*
	anffawd (b)	Unglück *n*, Pech *n*
yn	**anffodus**	leider, unglücklicherweise
	anffurfio	verrenken
	anffurfiol	ungezwungen
	anhapus	unglücklich
	anhawster (g)	Schwierigkeit *f*, Problem *n*
	anhrefnus	chaotisch
	anhwylus	unwohl
	anhygoel	unglaublich, fantastisch, sagenhaft
	anhygyrch	abgelegen
	anial	öde
	anialdir (g)	Wüste *f*
	anialwch (g)	Wüste *f*
	anifail (g)	Tier *n*, Haustier *n*
	anlwc (g)	Pech *n*
	anlwcus	unglücklich
	annaearol	unheimlich
	annel (gb)	Ziel *n*; Falle *f*
	annerch	ansprechen
	anniben	durcheinander
	annibynnol	unabhängig, selbständig
	anniddig	nervös
	annigonol	mangelhaft
	annioddefol	unausstehlich, unerträglich
	annisgwyl	unerwartet, unvorhergesehen
	annwyd (g)	Schnupfen *m*, Erkältung *f*
dal	*annwyd*	sich erkälten

annwyl	lieb, niedlich, teuer
annwyl ffrind	Lieber Freund! [dechrau llythyr]
anobeithiol	hoffnungslos
anodd	schwierig, schwer, hart
anorac (g)	Anorak *m*, Skianorak *m*
anrheg (b)	Geschenk *n*, Weihnachtsgeschenk *n*
anrhegu	schenken
ansiofi (g)	Sardelle *f*
antur (gb)	Abenteuer *n*
anturiaeth (b)	Abenteuer *n*
anweladwy, anweledig	unsichtbar
anwesu	streicheln
anwydog, anwydus	erkältet
anymarferol	unpraktisch
apwyntio	ernennen
ar	an, auf
ar agor	geöffnet
ar ben	aus, zu Ende
ar bob cyfrif	unbedingt, auf jedenfall
ar bwys	neben
ar draws	über
ar droed	zu Fuß
ar ei ben ei hun	allein
ar eich union	sofort
ar frys	dringend
ar gael	vorhanden, zur Verfügung stehen
ar gau	geschlossen, gesperrt, zu
ar gyfer	für, um ... zu …
ar hyd	entlang
ar hyn o bryd	jetzt, momentan
ar ôl	nach; übrig
ar unwaith	auf der Stelle, gleich, sofort
ar wahân	getrennt
ar werth	zu verkaufen
ar y blaen	vorn
ar y tro	jeweils
ar yr un pryd	gleichzeitig
Arabaidd	arabisch
Arabeg (b)	Arabisch *n*
araf	langsam, träge

yn araf	allmählich
arafu	bremsen
arall	andere
fel arall	sonst, ansonsten
arbed	sparen
arbenigedd (g)	Spezialität *f*
arbenigwr (g)	Fachmann *m*
arbennig	besonderer, speziell, bestimmt
yn arbennig	besonders
archeb (b)	Bestellung *f*, Voranmeldung *f*
archebu	bestellen, buchen, anfordern
archfarchnad (b)	Supermarkt *m*
archwaeth (g)	Appetit *m*
archwiliad (g)	Untersuchung *f*
archwilio	überprüfen, kontrollieren, testen
archwiliwr (g)	Kontrolleur *m*
archwilydd (g)	Kontrolleur *m*
ardal (b)	Gebiet *n*, Gegend *f*, Region *f*, Stadtteil *m*, Revier *n*, Umgebung *f*
arddangos	ausstellen
arddangosfa (b)	Ausstellung *f*
ardderchog	ausgezeichnet, klasse, prima, spitze
arddweud	diktieren
arddwrn (g)	Handgelenk *n*
arddwys	intensiv
aren (b)	Niere *f*
arf (gb)	Waffe *f*
arfaethu	beabsichtigen
arfer	pflegen
arfer (gb)	Gewohnheit *f*
fel arfer	generell, gewöhnlich, im allgemeinen, normalerweise
arferol	gewöhnlich, normal
arfordir (g)	Küste *f*
argoel (b)	Zeichen *n*
argraff (b)	Eindruck *m*
argraffu	drucken
argraffydd (g)	Drucker *m*, Printer *m*
argymell	empfehlen
arholi	prüfen

arholiad (g)	Prüfung *f*, Klassenarbeit *f*
arhosfa (b)	Haltestelle *f*
arhosfa (b) *fysiau*	Bushaltestelle *f*
arhosiad (g)	Aufenthalt *m*
arian (g)	Geld *n*, Silber *n*
arian (g) *cyfredol*	Währung *f*
arian (g) *papur*	Geldschein *m*, Banknote *f*
arian (g) *parod*	Bargeld *n*, Kleingeld *n*
arian (g) *poced*	Taschengeld *n*
arian (g) *treigl*	Währung *f*
arianbwynt (g)	Geldautomat *m*
ariannwr (g)	Kassier *m*
ariannydd (g)	Kassier *m*
arllwys	eingießen
arogli	riechen
arolwg (g)	Überblick *m*; Umfrage *f*, Befragung *f*
arolygu	überwachen
aros	bleiben, übernachten; warten; stehenbleiben, anhalten
aros eich tro	Schlange stehen
arsefydliad (g)	Einbau *m*
arswydus	grauenvoll
arsylwi	überwachen
artisiog (b)	Artischocke *f*
aruthrol	wunderbar
arwain	führen, lenken, herumführen
arweiniad (g)	Führung *f*, Anleitung *f*
arwerthiant (g)	Sonderangebot *n*
arwydd (g)	Zeichen *n*, Kennzeichen *n*; Tafel *f*, Schild *n*, Wegweiser *m*; Symptom *n*
arwyddair (g)	Spruch *m*
arwyddlun (g)	Symbol *n*, Zeichen *n*
arwyddo	unterschreiben
arwynebedd (g)	Fläche *f*, Oberfläche *f*
asen (b)	Rippe *f*
asgell (b)	Flügel *m*
asgwrn (g)	Knochen *m*
Asia	Asien
asid (g) **carbon**	Kohlensäure *f*
astell (b)	Latte *f*

asthmatig	asthmatisch
astudiaethau (ll)	Wissenschaft *f*
astudiaethau (ll) *cymdeithasol*	Sozialkunde *f*
astudiaethau (ll) *economaidd*	Wirtschaftswissenschaft *f*
astudio	studieren
at	an, zu
at hynny	dazu
atalnod (g) **llawn**	Punkt *m*
ateb	antworten, erwidern, beantworten; erfüllen
ateb (g)	Antwort *f*, Lösung *f*
atgasedd (g)	Haß *m*
atgoffa	erinnern, mahnen
atgyfodiad (g)	Auferstehung *f*
atgyweirio	restaurieren
atig (gb)	Dachboden *m*
atyniad (g)	Sehenswürdigkeit *f*
atyniadol	attraktiv
athletaidd, athletig	sportlich
athletau (ll)	Leichtathletik *f*
athletwr (g)	Athlet *m*
athrawes (b)	Lehrerin *f*
athrawiaeth (b) **grefyddol**	Religionslehre *f*
athro (g)	Lehrer *m*
athrofa (b)	Fachhochschule *f*
athroniaeth (b)	Philosophie *f*
aur (g)	Gold *n*
aur	golden
pysgodyn (g) *aur*	Goldfisch *m*
awdur (g)	Schriftsteller *m*, Autor *m*
awdurdod (gb)	Behörde *f*
awdurdodaidd	autoritär
awdurdodus	autoritär
awdurdodol	autoritär
awdurdodi	genehmigen, zulassen
awdures (b)	Schriftstellerin *f*, Autorin *f*

	awel (b)	Wind *m*
	awgrym (g)	Vorschlag *m*, Tip *m*
	awgrymiad (g)	Hinweis *m*
	awgrymu	vorschlagen
	awr (b)	Stunde *f*
am	*oriau* [awr]	stundenlang
[mis]	**Awst** (g)	August *m*
	Awstralia	Australien
	Awstria	Österreich
	Awstriad (g)	Österreicher *m*
	Awstriaidd	österreichisch
	awydd (g)	Wunsch *m*
	awyddus	fleißig
	awyr (b)	Luft *f*, Himmel *m*
llif (g)	*awyr*	Zug *m*
maes (g)	*awyr*	Flughafen *m*, Flugplatz *m*
	awyr (b) *agored*	im Freien
	awyren (b)	Flugzeug *n*, Düsenflugzeug *n*
	awyrgylch (gb)	Stimmung *f*, Atmosphäre *f*
	a.y.y.b. [ac yn y blaen]	usw. [und so weiter]

baban (g), **babi** (g)	Baby *n*
bach (g)	Haken *m*
bach	klein
tŷ (g) *bach*	Toilette *f*, Klo *n*, WC *n*, Abort *m*, Gästetoilette *f*
bachgen (g)	Junge *m*; Typ *m*
bachu	klauen
bachyn (g)	Haken *m*
bad (g)	Boot *n*, Schiff *n*
badminton (gb)	Federball *m*, Badminton *n*
baet (g)	Köder *m*
Bafaria	Bayern
bag (g)	Tasche *f*, Koffer *m*, Plastiktüte *f*, Handtasche *f*, Rucksack *m*
bagiau (ll)	Gepäck *n*
baglu	stolpern; abhauen, weglaufen
bai (g)	Fehler *m*; Schuld *f*
baich (g)	Last *f*
balconi (gb)	Balkon *m*
balch	froh
balŵn (gb)	Luftballon *m*
balŵn (gb) *llefaru* [comic]	Sprechblase *f*
banana (b)	Banane *f*
banc (g)	Bank *f*, Sparkasse *f*
banc (g) *poteli*	Altglas *n*
band (g) **lastig**	Gummiband *n*
baner (b)	Fahne *f*
bant	weg
bar (g)	Bar *f*, Theke *f*; Riegel *m*, Schokoriegel *m*
bar (g) *byrbryd*	Imbißstube *f*
bar (g) *gofod*	Leertaste *f* [teipiadur]
bara (g)	Brot *n*
rhôl (b) *fara*	Brötchen *n*, Semmel *f*
siop (b) *fara*	Bäckerei *f*
bara (g) *a chaws*	Käsebrot *n*
bara (g) *menyn*	Butterbrot *n*
bara (g) *rhyg*	Pumpernickel *n*, Roggenbrot *n*
baracs (ll)	Kaserne *f*
barbwr (g)	Friseur *m*
bardd (g)	Dichter *m*
barf (b)	Bart *m*, Vollbart *m*

torri barf	sich rasieren
baril (gb)	Faß *n*
barn (b)	Meinung *f*, Ansicht *f*
yn fy marn i	meiner Ansicht nach, meiner Meinung nach
bas (g) **dwbl**	Kontrabaß *m*
basged (gb)	Korb *m*, Papierkorb *m*
basgrwth (g)	Kontrabaß *m*
basilica (g)	Basilika *f*
basn (g), **basin** (g)	Waschbecken *n*
bat (g)	Schläger *m*
batri (g)	Batterie *f*
bath (g)	Bad *n*, Badewanne *f*
bathodyn (g)	Abzeichen *n*
bawd (gb)	Daumen *m*
bawlyd	schmutzig
paid â **becso**	keine Angst
bedwen (b)	Birke *f*
beic (g)	Fahrrad *n*, Rad *n*, Rennrad *n*
mynd ar gefn beic	radfahren
beic (g) *modur*	Motorrad *n*, Kraftrad *n*
beicio	radfahren
beiciwr (g)	Radfahrer *m*
beiro (gb)	Kugelschreiber *m*, Kuli *m*
bendigedig	großartig, herrlich, phantastisch, klasse, toll
benthyca, benthyg	leihen, auslegen
cael benthyg	ausleihen
rhoi benthyg	leihen, auslegen
benyw (b)	Frau *f*; Weibchen *n* [anifail]
benyw, benywaidd	weiblich
berwi	kochen
berwr (g)	Kresse *f*
betio	wetten, tippen
beth	was
ta beth	sowieso
unrhyw beth	irgendwas
beth bynnag	was immer; jedenfalls, doch
beunos	abends

	beunydd	jeden Tag
	beunyddiol	täglich
	bicer (g)	Becher *m*
	bicini (g)	Bikini *m*
	bil (g)	Rechnung *f*
	bin (g)	Abfalleimer *m*, Mülleimer *m*
	bioleg (b)	Biologie *f*
	bïotop (g)	Biotop *n*
	bisgeden (b)	Plätzchen *n*, Keks *m*
	bisgïen (b)	Plätzchen *n*, Keks *m*
ar y	**blaen**	vorn
o	*flaen*	vor
o'r	*blaen*	vorig
tu	*blaen*	vorn
	blaendal (g)	Anzahlung *f*, Pfand *n*
	blaenorol	vorher
	blaidd (g)	Wolf *m*
	blanced (b)	Decke *f*
	blasu	schmecken
	blasus	köstlich, lecker
	blawd (g)	Mehl *n*
	ble	wo
i	*ble*	wohin
o	*ble*	woher
	bleiddgi (g) **Alsás**	Schäferhund *m*
	blew (ll), **blewyn** (g)	Haar *n*
	blin	ungehalten
	blinderus	langweilig
	blinedig	anstrengend, müde, schlapp
	blino	müde werden; ärgern, nerven
wedi	*blino*	müde
wedi	*blino'n lân*	erschöpft, fertig
	blodeuyn (g)	Blume *f*
siop (b)	*flodau*	Florist *m*
	blodfresychen (b)	Blumenkohl *m*
	blodyn (g)	Blume *f*
	bloeddio	schreien
	bloneg (g)	Fett *n*
	blows (b)	Bluse *f*

174

	blwch (g)	Dose *f*, Schachtel *f*
	blwch (g) *ffonio*	Telefonzelle *f*
	blwch (g) *llwch*	Aschenbecher *m*
	blwch (g) *post*	Briefkasten *m*
	blwydd (b)	Jahr *n*
	blwyddyn (b)	Jahr *n*
	Bnr. (bonwr) (g)	Hr. [Herr]
	Bns. (boneddiges) (b)	Fr. [Frau]
	bob [pob]	pro
	bocs (g)	Dose *f*, Schachtel *f*, Karton *m*, Pappkarton *m*
	bod (g)	Wesen *n*
	bod	sein
am	*fod*	weil, da
	bod mewn angen	brauchen
	bod rhaid	müssen, verpflichtet sein
	bod tro rhywun	dran sein
	bod wrthi	sich beschäftigen
	bod yn amlwg	offenbar
	bod yn ddrwg gennych	leid tun
	bod yn iawn	recht haben
	bod yn well gennych	bevorzugen, lieber haben
	bodio	per Anhalter reisen
	bodlon	zufrieden
	bodoli	bestehen, es gibt
	boddhaol	befriedigend
	boddi	ertrinken
cael llond	**bol**	genug haben von
	bollten (b)	Riegel *m*
	boneddiges (b)	Dame *f*
	bonheddwr (g)	Herr *m*
	bord (b)	Tisch *m*
	bore (g)	Morgen *m*, Vormittag *m*
	bore da	guten Morgen
	bos (g)	Boß *m*, Chef *m*, Vorgesetzte *m*
	botasen (b)	Stiefel *m*
	botwm (g)	Knopf *m*
	bowlio	kegeln
	braced (gb)	Klammer *f*
	bradwr (g)	Verräter *m*

braf	schön, heiter, fein
braich (gb)	Arm *m*
braidd	ziemlich, ganz, eher, bißchen; fast
bras	grob
braster (g)	Fett *n*
brathu	beißen
braw (g)	Schreck *m*, Angst *f*
brawd (g)	Bruder *m*
brawd-yng-nghyfraith (g)	Schwager *m*
brawddeg (b)	Satz *m*
brawychus	grauenvoll, schrecklich
brêc (g)	Bremse *f*, Handbremse *f*
brecio	bremsen
brecwast (g)	Frühstück *n*
gwely (g) *a brecwast*	Pension *f*
brech (b)	Hautausschlag *m*
brechdan (b)	belegte Brot *n*
brechiad (g)	Impfung *f*, Spritze *f*
breichled (b)	Armband *n*
brenhines (b)	Königin *f*
brenin (g)	König *m*
bresychen (b)	Kohl *m*, Kohlkopf *m*
bresych picl (g)	Sauerkraut *n*
brethyn (g)	Tuch *n*
breuddwyd (gb)	Traum *m*
breuddwydio	träumen
breuddwydiol	traumhaft
briciwr (g)	Maurer *m*
bricyllen (b)	Aprikose *f*
brifo	wehtun
brigâd (b) **dân**	Feuerwehr *f*
brigdonni	surfen
bwrdd (g) *brigdonni*	Surfbrett *n*
brithyll (g)	Forelle *f*
briwgig (g)	Hackfleisch *n*
briwsiongrwst (g) **afalau**	Apfelstreusel *m*
bro (b)	Land *n*, Region *f*
broga (g)	Frosch *m*

bron (b)	Brust *f*
bron	fast
bronglwm (g)	Büstenhalter *m*
brown	braun
brwd	begeistert
brwnt	dreckig, schmutzig, verschmutzt, fies, gemein
brws	Bürste *f*
brws (g) *dannedd*	Zahnbürste *f*
brws (g) *paent*	Pinsel *m*
brwydr (b)	Kampf *m*, Schlacht *f*
brwyniad (g)	Sardelle *f*
brychau (ll) **haul**	Sommersprossen *pl*
brycheuyn (g)	Klecks *m*
bryn (g)	Hügel *m*
brys (g)	Hektik *f*
ar frys	dringend
galwad (b) *frys*	Notruf *m*
brysio	sich beeilen, vorbeihasten
brysiog	eilig
brysneges (b)	Telegramm *n*
buan	baldig; rasch, schnell
gwellhad buan	baldige Besserung, gute Besserung
yn fuan	bald, gleich
buarth (g)	Hof *m*, Schulhof *m*, Pausenhof *m*
buches (b)	Herde *f*
budr	dreckig, schmutzig, verschmutzt
buddsoddi	anlegen
buddsoddiad (g)	Anlage *f*
busnes (g)	Geschäft *n*; Angelegenheit *f*
buwch (b)	Kuh *f*
bwcio	buchen, reservieren
bwgan (g)	Geist *m*
trên (g) *bwganod*	Geisterbahn *f*
bwji (g)	Wellensittich *m*
bwlch (g)	Abstand *m*, Zwischenraum *m*, Lücke *f*
bwrdd (g)	Tisch *m*, Stammtisch *m*, Eßtisch *m*
gosod y bwrdd	den Tisch decken
lliain (g) *bwrdd*	Tischtuch *n*, Tischdecke *f*
bwrdd (g) *brigdonni*	Surfbrett *n*

bwrdd (g) *du*	Tafel *f*
bwrdd (g) *erchwyn gwely*	Nachttisch *m*
bwriad (g)	Zweck *m*
bwriadu	beabsichtigen, planen, vorhaben, wollen
bwrw	schleudern, werfen
bwrw amser	verbringen
bwrw eira	schneien
bwrw glaw	regnen
bws (g)	Autobus *m*, Bus *m*
bwyd (g)	Essen *n*, Lebensmittel *pl*, Nahrung *f*, Futter *n*
pryd (g) *o fwyd*	Gericht *n*, Mahlzeit *f*, Speise *f*
bwydlen (b)	Menü *n*, Speisekarte *f*
bwydo	füttern; eintippen
bwyta	essen, ernähren, einnehmen, frühstücken
tŷ (g) *bwyta*	Restaurant *n*
bwyty (g)	Restaurant *n*
bychan (g), **bechan** (b)	klein
byd (g)	Welt *f*
dim byd	nichts
bydwraig (b)	Hebamme *f*
byddar	taub
byddin (b)	Heer *n*, Armee *f*, Bundeswehr *f*
byngalo (g)	Bungalow *m*
gwely (g) **bync**	Etagenbett *n*
beth **bynnag**	was immer; jedenfalls, doch
fodd bynnag	jedoch
sut bynnag	jedenfalls, sowieso
byr (g), **ber** (b)	kurz
byrbryd (g)	Imbiß *m*, Schnellimbiß *m*
bar (g) *byrbryd*	Imbißstube *f*
stondin (gb) *byrbryd*	Büffet *n*
byrbwyll	ungeduldig
byrdew	untersetzt
byrfodd (g)	Abkürzung *f*
byrhau	kürzen
gwin (g) **byrlymus**	Schaumwein *m*, Sekt *m*
bys (g)	Finger *m*, Zehe *f*
croesi bysedd	Daumen halten

bysellfwrdd (g)	Tastatur *f*, Keyboard *n*
byth	nie, niemals; immer
am byth	für immer
byw	leben, wohnen, bewohnen
ystafell (b) *fyw*	Wohnzimmer *n*
byw, bywiog	lebendig, lebhaft, flott
bywyd (g)	Leben *n*
bywydeg (b)	Biologie *f*

cabatsien (b)	Kohl *m*
cacen (b)	Kuchen *m*
cacynen (b)	Wespe *f*
cadair (b)	Stuhl *m*, Sessel *m*, Fauteuil *n*, Strandkorb *m*
cadair (b) *olwyn*	Rollstuhl *m*
cadarn	fest, stark
cadarnhad (g)	Bestätigung *f*
cadarnhaol	positiv
cadarnhau	bestätigen
eglwys (b) *gadeiriol*	Dom *m*
cadw	behalten, aufbewahren; freihalten, reservieren; erhalten
lle (g) *cadw*	Reservierung *f*
cadwyn (b)	Kette *f*, Halskette *f*
cae (g)	Feld *n*, Spielfeld *n*, Wiese *f*
caead (g)	Deckel *m*
caeëdig	geschlossen
cael	bekommen, empfangen, kriegen
ar gael	vorhanden, zur Verfügung stehen
cael gwared â	loswerden
cael llond bol	genug haben von
cael profiad	erleben
caeth	streng
caethiwo	gefangen nehmen
caffi (g)	Café *n*
canghellor (g)	Kanzler *m*
cais (g)	Versuch *m*; Antrag *m*
Calan (g)	Neujahr *n*
Dydd (g) *Calan*	Neujahrstag *m*
Nos (b) *Galan*	Sylvester *m/n*, Jahreswende *f*
caled	hart, schwierig
calendr (g)	Kalender *m*, Adventskalender *m*
calon (b)	Herz *n*
calonnog	herzlich
calori (g)	Kalorie *f*
call	klug, gescheit, intelligent; sinnvoll
callineb (g)	Klugheit *f*, Weisheit *f*
cam	falsch, schief
cam (g)	Schritt *m*, Tritt *m*
cam wrth gam	allmählich

	cambren (g)	Kleiderbügel *m*
	camdreuliad (g)	Verdauungsstörung *f*
	camddefnydd (g)	Mißbrauch *m*
	camera (g)	Fotoapparat *m*, Apparat *m*, Videokamera *f*
	camgymeriad (g)	Fehler *m*, Tippfehler *m*
	camlas (b)	Kanal *m*
	campfa (b)	Sporthalle *f*, Turnhalle *f*
	campus	ausgezeichnet, spitze, dufte
	campwaith (g)	Meisterwerk *n*
	camu	treten
	can (g)	Mehl *n*; Dose *f*
	can (g) *oel*	Ölkanne *f*
	cân (b)	Lied *n*, Weihnachtslied *n*, Hit *m*
siwgr (g)	**candi**	Zuckerwatte *f*
	caneri (g)	Kanarienvogel *m*
	canfod	spüren
	caniatâd (g)	Erlaubnis *f*
	caniatáu	erlauben, genehmigen, zulassen
	canlyn	folgen
	canlyniad (g)	Ergebnis *n*, Resultat *n*, Folge *f*, Schluß *m*
	canlynol	folgend
	canmoliaeth (b)	Lob *n*
	cannwyll (b)	Kerze *f*
	canol (g)	Zentrum *n*, Mitte *f*, Stadtmitte *f*; Taille *f*
	canol (g) *dydd*	Mittag
	canol (g) *nos*	Mitternacht *f*
	canolfan (gb)	Zentrum *n*, Jugendzentrum *n*, Einkaufszentrum *n*
	canolfan (gb) *chwaraeon*	Sportzentrum *n*
	canolfan (gb) *hamdden*	Freizeitzentrum *n*
	canolig	mäßig, mittlerer
	canoloesol	mittelalterlich
	canolog	zentral
gwres (g)	*canolog*	Heizung *f*, Zentralheizung *f*
	canolrywaidd	neutral
	canradd (b)	Grad *m*
	canran (b)	Prozent *n*
	canrif (b)	Jahrhundert *n*

	canslo	ausfallen
	cant, can	hundert
hanner	*cant*	fünfzig
y	*cant*	Prozent
	cantîn (g)	Kantine *f*
	canu	singen; klingeln
	cap (g)	Mütze *f*, Wollmütze *f*, Bademütze *f*
	capel (g)	Kirche *f*
	capsiwl (g)	Kapsel *f*
	car (g)	Auto *n*, Pkw *m*, Wagen *m*, Fahrzeug *n*
	carafán (b)	Wohnwagen *m*, Caravan *m*
	carate (gb)	Karate *n*
	carbohydrad (g)	Kohlehydrat *n*
	carchar (g)	Verlies *n*
	carcharor (g)	Gefangene *m*
	carcharu	gefangen nehmen
	cardbord (g)	Karton *m*, Pappkarton *m*, Pappe *f*
	carden (b)	Karte *f*
	cardigan (b)	Weste *f*
	cardod (b)	Almosen *n*
	cardotyn (g)	Bettler *m*
	caredig	freundlich, herzlich, nett
	cariad (gb)	Freund *m*, Freundin *f*, Liebhaber *m*; Liebe *f*
syrthio mewn	*cariad*	sich verknallen
	cariadus	lieb, liebenswert
	cario	tragen, schleppen
	carnifal (g)	Fasching *m*, Karneval *m*
	carp (g)	Karpfen *m*
	carped (g)	Teppich *m*
	carreg (b)	Stein *m*, Kiesel *m*
	carton (g)	Karton *m*, Pappbehälter *m*
	cartref (g)	Heim *n*, Zuhause *n*
	gartref	zu Hause
gwaith (g)	*cartref*	Hausaufgabe *f*, Schulaufgabe *f*
oddi	*cartref*	von zuhause
	cartŵn (g)	Trickfilm *m*, Comic *m*
	carthen (b)	Decke *f*
	carthffos (b)	Kanal *m*
	caru	lieben, mögen, gern haben
	cas (g)	Etui *n*

	cas	fies, gemein, übel
	casáu	hassen, verabscheuen
	casét (g)	Kassette *f*
	casgen (b)	Faß *n*, Tonne *f*
	casgliad (g)	Sammlung *f*, Leerung *f*; Schluß *m*
	casglu	sammeln, zusammensammeln; abholen; versammeln
	casineb (g)	Haß *m*
	castan (b)	Kastanie *f* [ffrwyth]
	castanwydden (b)	Kastanie *f* [coeden]
	castell (g)	Burg *f*, Schloß *n*
	castell (g) *tywod*	Sandburg *f*
	cath (b)	Katze *f*
	cau	schließen, zumachen
ar	*gau*	geschlossen, gesperrt, zu
	cawl (g)	Ragout *n*, Suppe *f*, Hühnersuppe *f*
	cawod (b)	Dusche *f*; Schauer *m*
cymryd	*cawod*	duschen
	cawod (b) *eira*	Schneeschauer *m*
	cawr (g)	Riese *m*
	caws (g)	Käse *m*
bara (g) *a*	*chaws*	Käsebrot *n*
teisen (b)	*gaws*	Käsekuchen *m*
	caws (g) *ceulaidd*	Quark *m*
	caws (g) *gwyn*	Quark *m*
	cebab (gb)	Schaschlik *n*
	cefn (g)	Rücken *m*
mynd ar	*gefn beic*	radfahren
mynd ar	*gefn ceffyl*	reiten
tu	*cefn*	hinten
wysg ei	*gefn*	rückwärts
	cefn (g) *gwlad*	Land *n*
	cefnder (g)	Cousin *m*
	cefndir (g)	Hintergrund *m*, Kulisse *f*
	cefnfor (g)	Ozean *m*
	cefnogaeth (b)	Hilfe *f*
	cefnogi	unterstützen, helfen, fördern
	cefnogol	hilfsbereit
	cefnogwr (g)	Anhänger *m*, Fan *m*
	ceffyl (g)	Pferd *n*

mynd ar gefn *ceffyl*	reiten
ceffylau (ll) *bach*	Karussell *n*
ceg (b)	Mund *m*, Maul *n*
cegin (b)	Küche *f*
ceidwad (g)	Wächter *m*
ceiliog (g)	Hahn *m*
ceiliog (g) *y rhedyn*	Heuschrecke *f*
ceiniog (b)	Pfennig *m*, Groschen *m*, Rappen *m*
ceiriosen (b)	Kirsche *f*
ceisio	versuchen, probieren
celf (b)	Kunst *f*
celfi (ll)	Möbel *n*, Einrichtung *f*
celficyn (g)	Möbelstück *n*
celfyddyd (b)	Kunst *f*
celu	verstecken
celwydd (g)	Lüge *f*
dweud celwydd	lügen
cell (b)	Zelle *f*
cemeg (b)	Chemie *f*
cenau (g)	Hündchen *n*
cenedl (b)	Geschlecht *n*, Volk *n*, Nationalität *f*
cenhinen (b)	Lauch *m*, Porree *m*
cenhinen (b) *Pedr/Bedr*	Osterglocke *f*
cennad (b)	Erlaubnis *f*
ceraint (ll)	Verwandte *m/f*
cerbyd (g)	Fahrzeug *n*, Wagen *m*
cerbydran (b)	Abteil *n*
cerdyn (g)	Karte *f*, Weihnachtskarte *f*; Ausweis *m*, Fahrausweis *m*
cerdyn (g) *credyd*	Kreditkarte *f*
cerdyn (g) *post*	Ansichtskarte *f*, Postkarte *f*
cerdd (b)	Gedicht *n*
offeryn (g) *cerdd*	Musikinstrument *n*
cerdded	gehen, spazieren, spazierengehen, wandern
cerddediad (g)	Gang *m*
cerddor (g)	Musiker *m*
cerddorfa (b)	Orchester *n*, Blasorchester *n*
cerddoriaeth (b)	Musik *f*
cerddwr (g)	Fußgänger *m*
ffordd (b) *gerddwyr*	Fußgängerzone *f*

cerigyn (g)	Kiesel *m*
cerpyn (g)	Karpfen *m*; Lappen *m*, Lumpen *m*
cês (gb)	Koffer *m*
cetrisen (b)	Patrone *f*
cetsyp (g)	Ketchup *n*, Tomatenketchup *n*
cetyn (g)	Pfeife *f*
ci (g)	Hund *m*
cic (gb)	Tritt *m*
cicio	treten
cig (g)	Fleisch *n*
cig (g) *eidion*	Rindfleisch *n*
cig (g) *manfriw*	Hackfleisch *n*
cig (g) *moch*	Schweinefleisch *n*, Schinken *m*
cig (g) *oen*	Lammfleisch *n*
cigydd (g)	Metzger *m*; Metzgerei *f*
cildwrn (g)	Trinkgeld *n*
cilio	abhauen, vergehen
cilogram (g)	Kilogramm *n*
cilomedr (g)	Kilometer *m*
cimwch (g)	Hummer *m*
cinio (gb)	Mittagessen *n*
cist (b)	Kiste *f*, Kommode *f*
ciw (g)	Schlange *f*
ciwb (g)	Würfel *m*
ciwcymbr (g)	Gurke *f*, Salatgurke *f*
ciwio	Schlange stehen
claddu	begraben
claear	lauwarm
claf (g)	Patient *m*, Patientin *f*
claf	krank
clarinét (g)	Klarinette *f*
clas (g)	Kloster *n*
clasurol	klassisch
clawr (g)	Deckel *m*, Umschlag *m*
cleber (gb)	Gerede *n*
clebran	quasseln, quatschen
clec (b)	Gerede *n*
clecian	krachen
cledr (b) **reilffordd**	Gleis *n*

185

cleddyf (g)	Schwert *n*
clefyd (g)	Krankheit *f*
clefyd (g) *y gwair*	Heuschnupfen *m*
clerc (g) **banc**	Bankangestellte *m/f*
clicio	anklicken
clindarddach	klappern
clinig (g)	Klinik *f*
clipo, clipio	schneiden, ausschneiden
clir	klar, deutlich
clirio	abräumen
cliw (g)	Tip *m*
clo (g)	Schloß *n*
cloc (g)	Uhr *f*
cloc (g) *larwm*	Wecker *m*
cloch (b)	Glocke *f*, Klingel *f*
faint o'r gloch	wie spät, wann
clochdy (g)	Glockenturm *m*
clodfori	feiern
cloncian	klappern; quasseln
clorian (gb)	Waage *f*
clos	schwül
cludiant (g)	Transport *m*; Verkehrsverbindung *f*
cludo	tragen
cludwr (g)	Träger *m*; Spedition *f*
clust (gb)	Ohr *n*
clustdlws (g)	Ohrring *m*
clustfeinio	horchen
clwb (g)	Verein *m*, Sportklub *m*, Sportverein *m*, Jugendklub *m*
clwb (g) *nos*	Nachtklub *m*
clwt (g), **clwtyn** (g)	Lappen *m*, Geschirrtuch *n*
clwyfo	verletzen
clyd	gemütlich
clymu	befestigen, verknoten
clywed	hören
clywed oglau	riechen
cnawd (g)	Fleisch *n*
cneuen (b)	Nuß *f*, Walnuß *f*, Haselnuß *f*
cnoi	beißen

gwm cnoi	Kaugummi *m*
coban (b)	Nachthemd *n*
coco (g)	Kakao *m*
cocosen (b)	Muschel *f*
coch	rot; mager
côd (g) **ffôn**	Vorwahl *f*, Vorwahlnummer *f*
côd (g) *post*	Postleitzahl *f*
codi	aufstehen, sich erheben; heben, abheben, aufnehmen
codi gwrychyn	ärgern
codi llaw ar rywun	winken
codwm (g)	Absturz *m*
coed (ll)	Holz *n*; Wald *m*
cwr (g) *y coed*	Waldrand *m*
coeden (b)	Baum *m*
coeden (b) *Nadolig*	Weihnachtsbaum *m*
coedwig (b)	Wald *m*
coelio	glauben
coes (gb)	Bein *n*
coeth	raffiniert
coethi	reinigen; bellen
cof (g)	Erinnerung *f*; Speicher *m*
er cof *am*	im Andenken an
cofeb (b)	Denkmal *n*
cofgolofn (b)	Denkmal *n*
cofio	sich erinnern, sich merken
cofleidio	umarmen
cofnodi	aufschreiben, Notizen machen, eintragen
cofrestriad (g)	Voranmeldung *f*
cofrestru	eintragen
cofrodd (b)	Andenken *n*
coffa (g)	Andenken *n*
coffâd (g)	Erinnerung *f*
coffi (g)	Kaffee *m*, Mokka *m*
cog (b)	Kuckuck *m*
coginio	kochen, zubereiten, bereiten
cogydd (g)	Koch *m*
cogyddes (b)	Köchin *f*
congl (b)	Ecke *f*
coleg (g)	Universität *f*, Fachhochschule *f*

	colofn (b)	Säule *f*; Spalte *f*
	colomen (b)	Taube *f*
twll (g)	*colomen*	Fach *n*
	coluddion (ll)	Innereien *pl*
	coluddyn (g) **crog**	Blinddarm *m*
	colur (g)	Make-up *n*
	colwyn (g)	Hündchen *n*
mynd ar	*goll* [coll]	sich verlaufen
	colled (b)	Verlust *m*
	colli	verlieren; vermissen; verpassen, verfehlen
	colli pwysau	abnehmen
	comedi (b)	Lustspiel *n*, Komödie *f*
	comig	komisch
	conan	klagen
	concrit (g)	Beton *m*
	copa (gb)	Gipfel *m*, Spitze *f*
	copi (g)	Kopie *f*
	copïo	kopieren; nacheifern
	copr (g)	Kupfer *n*
	côr (g)	Chor *m*
	corbysen (b)	Linse *f*
	corcyn (g)	Korken *m*
	corff (g)	Körper *m*, Leib *m*
ymarfer	*corff*	turnen
	corgimwch (g)	Krebs *m*, Garnele *f*
	coridor (g)	Gang *m*, Flur *m*, Diele *f*
	cornel (gb)	Ecke *f*
	corrach (g)	Zwerg *m*
	corryn (g)	Spinne *f*
	cosb (b)	Strafe *f*
	cosi	jucken
	cosmetig	kosmetisch
	cost (b)	Kosten *pl*, Preislage *f*
	costio	kosten
	costus	kostspielig
	côt/cot (b)	Mantel *m*, Jacke *f*
	côt/cot (b) *law*	Regenmantel *m*
	cotwm (g)	Baumwolle *f*

	cownter (g)	Schalter *m*, Kasse *f*,
		Fahrkartenschalter *m*, Theke *f*
	crac (g)	Ritze *f*
	crac	wütend, ungehalten
	cracio	krachen
	crafanc (b)	Kralle *f*
	crafion (ll) **tatws**	Kartoffelschale *f*
	crafu	kratzen
	cragen (b)	Schale *f*
	cragen (b) *las*	Muschel *f*
	crai	roh
	craidd (g)	Zentrum *n*; Essenz *f*
cwrs (g) *craidd*		Pflichtfach *n*
	craig (b)	Felsen *m*
	cranc (g)	Krebs *m*, Krabbe *f*
cytser (g) *y Cranc*		Krebs *m*
	crand	flott
	cras	grob
	creadigaeth (b)	Schöpfung *f*
	creadigol	kreativ
	credu	denken, glauben, meinen
cerdyn (g) **credyd**		Kreditkarte *f*
	crefu	flehen
	crefydd (b)	Religion *f*
	crefyddol	fromm
	crefftio	werken
	creision (ll) [tatws]	Kartoffelchips *pl*, Chips *pl*
	creision (ll) *ŷd*	Cornflakes *pl*, Flakes *pl*
	crempog (b)	Pfannkuchen *m*
	creu	schaffen
	creulon	grausam
	crib (gb)	Kamm *m*
	crimp	knusprig
	crio	weinen
	crisbs (ll)	Chips *pl*
	Crist	Christus
	Cristnogol	christlich
	criw (g)	Mannschaft *f*
	crochan (g)	Kessel *m*
	croen (g)	Haut *f*, Bananenschale *f*

tynnu croen	schälen
croes (b)	Kreuz *n*
y Groes Goch (b)	das Rote Kreuz
croes	quer
croesair (g)	Kreuzworträtsel *n*
croesawu	begrüßen, willkommen heißen, empfangen, aufnehmen
croesfan (b)	Straßenübergang *m*
croesffordd (b)	Kreuzung *f*, Autobahnkreuz *n*
croesi	kreuzen, überqueren
croesi bysedd	Daumen halten
croesi allan	durchstreichen
croeso (g)	Willkommen *n*, Empfang *m*
ystafell (b) *groeso*	Diele *f*, Eingangshalle *f*
croeso	willkommen; gern geschehen, nichts zu danken, bitte
â chroeso	mit Freude
crofen (b)	Kruste *f*, Rinde *f*
crogi	hängen
cromfach (b)	Klammer *f*
cromlin (b)	Kurve *f*
cronfa (b) **ddŵr**	Stausee *m*
cronnell (b)	Kugel *f*
cropian	kriechen
croten (b)	Mädchen *n*
crugyn (g)	Häufchen *n*
crwban (g)	Schildkröte *f*
crwn (g), **cron** (b)	rund
crwst (g)	Kruste *f*, Rinde *f*
crwydr (g)	Wanderung *f*
crwydro	wandern
crybwyll	verweisen
cryf (g), **cref** (b)	kräftig, stark, fest
cryfder (g)	Stärke *f*
cryfhau	befestigen
crynhoi	sammeln, versammeln
cryno	kompakt
cryno-ddisg (g)	CD (Compact-Disc) *f*
crys (g)	Hemd *n*
crys (g) *chwys*	Sweatshirt *n*

crys (g) *nos*	Nachthemd *n*
crys-t (g)	T-Shirt *n*
crystyn (g)	Kruste *f*, Rinde *f*
cu	lieb
cucumer (g)	Gurke *f*, Salatgurke *f*
cudd	heimlich; unsichtbar
cuddio	verstecken, verdecken
cul	eng, schmal
cur pen (g)	Kopfschmerzen *pl*, Migräne *f*
curo	schlagen
cusan (gb)	Kuß *m*
cwarel (g)	Scheibe *f*
cwato	verstecken
cwbl	total
dim o **gwbl**	gar nicht; nichts zu danken
o **gwbl**	gar, überhaupt
yn gyfan **gwbl**	komplett, absolut, gänzlich, insgesamt
y **cwbl** (g)	alles
cwblhau	vervollständigen, vollenden; ausfüllen
cwcer (gb)	Herd *m*, Elektroherd *m*, Elektro-Ofen *m*
cwcw (b)	Kuckuck *m*
cwcwll (g)	Kapuze *f*
cwch (g)	Boot *n*, Schiff *n*, Fähre *f*
cwd (g)	Sack *m*, Beutel *m*
cwdyn (g)	Sack *m*, Beutel *m*, Tüte *f*
cwestiwn (g)	Frage *f*, Rätsel *n*
cwgen (b)	Brötchen *n*, Semmel *f*
cwis (g)	Quiz *n*
cwlwm (g) **o allweddi**	Schlüsselbund *m/n*
cwm (g)	Tal *n*
cwmni (g)	Gesellschaft *f*, Firma *f*
o **gwmpas** [cwmpas]	herum, um, ungefähr
cwmwl (g)	Wolke *f*
cwningen (b)	Kaninchen *n*
cwpan (gb)	Tasse *f*, Pokal *m*
cwpan (gb) *ŵy*	Eierbecher *m*
cwpwrdd (g)	Kasten *m*, Schrank *m*
cwpwrdd (g) *dillad*	Kleiderschrank *m*
cwr (g) **dinas**	Stadtrand *m*
cwr (g) *y coed*	Waldrand *m*

	cwrcath (g)	Kater *m*
	cwrdd â	kennenlernen, treffen
	cwrlid (g)	Decke *f*
	cwrs (g)	Kurs *m*; Piste *f*
wrth	*gwrs*	jawohl, natürlich, selbverständlich
	cwrs (g) *craidd*	Pflichtfach *n*
	cwrs (g) *haf*	Sommerkurs *m*
	cwrtais	höflich
	cwrw (g)	Bier *n*
	cwsg (g)	Schlaf *m*
	cwsmer (g)	Kunde *m*, Kundin *f*, Stammkunde *m*
	cwstard (g)	Vanillesauce *f*
	cwt (gb)	Schlange *f*, Schwanz *m*
	cwta	kurz
mochyn (g)	*cwta*	Meerschweinchen *n*
	cwtogi	kürzen
	cwymp (g)	Fall *m*, Absturz *m*
	cwympo	fallen, stürzen
	cwyn (gb)	Beschwerde *f*
	cwyno	sich beschweren, sich beklagen, klagen
	cwyr (g) **esgidiau**	Schuhcreme *f*
bod yn	**gybyddlyd** [cybyddlyd]	knausern
	cychwyn (g)	Start *m*, Abfahrt *f*, Abflug *m*
	cychwyn	starten, anspringen
i	*gyd* [cyd]	alle, ganz, total
	cydbwysedd (g)	Gleichgewicht *n*
	cyd-deithio	begleiten
	cyd-deithiwr (g)	Begleiter *m*
	cyd-dynnu â	leiden können, aushalten, sich verstehen
	cydio	fangen, halten
	cydleidr (g)	Komplize *m*
	cydlynu	zusammenhängen
	cydnabod (gb)	Bekannte *m*
	cydnerth	untersetzt
	cydweithiwr (g)	Kollege *m*
	cydweithwraig (b)	Kollegin *f*
	cyd-weld	sich verstehen
	cydwybod (b)	Gewissen *n*
	cydymaith (g)	Begleiter *m*
	cydymdeimladol	verständnisvoll

cyfaddef	zugeben
cyfaill (g)	Freund *m*, Kamerad *m*
cyfaill (g) *llythyru*	Brieffreund *m*
yn y cyfamser	inzwischen
cyfan (g)	alles
cyfan	ganz, völlig, gesamt, komplett, total, gar
ar y cyfan	insgesamt
yn gyfan gwbl	komplett, absolut, gänzlich, insgesamt
cyfandir (g)	Kontinent *m*
cyfanheddu	bewohnen
cyfansoddi	komponieren
cyfansoddwr (g)	Komponist *m*
cyfanswm (g)	Summe *f*, Gesamtsumme *f*
cyfarch	grüßen
cyfarchiad (g)	Gruß *m*
gyda chyfarchion	hochachtungsvoll
cyfarfod (g)	Treffen *n*, Versammlung *f*, Termin *m*
cyfarfod â	treffen
cyfarpar (g)	Ausrüstung *f*
cyfartal	gleich, unentschieden
cyfartaledd (g)	Durchschnitt *m*
cyfarth	bellen
cyfarwydd	gewöhnt
cyfarwyddiad (g)	Hinweis *m*, Anleitung *f*, Anweisung *f*, Beschreibung *f*
cyfateb	entsprechen, passen
cyfathrachu	verkehren
cyfathrebiad (g)	Kommunikation *f*
cyfathrebu	sich verständigen
cyfeilles (b)	Freundin *f*
cyfeillgar	freundlich, sympathisch
cyfeiriad (g)	Adresse *f*, Anschrift *f*; Richtung *f*, Fahrtrichtung *f*
cyfeiriadur (g)	Adressenbuch *n*
cyfeirio	lenken; verweisen
cyfeiriwr (g)	Blinker *m*
cyfeirydd (g)	Blinker *m*
cyfenw (g)	Familienname *m*
ar gyfer [cyfer]	für, um ... zu ...
cyferbyn	gegenüber

	cyferbyniad (g)	Kontrast *m*
	cyfiawn	fair
	cyfieithu	übersetzen
	cyfieithydd (g)	Dolmetscher *m*
	cyflawn	komplett
	cyflawni	durchführen, erledigen, erfüllen; leisten; vervollständigen
	cyfle (g)	Gelegenheit *f*, Chance *f*
achub	*ar gyfle*	die Gelegenheit nützen
	cyflenwi	liefern, beliefern
	cyfleus	angenehm, praktisch
	cyfleusterau (ll)	Waschraum *m*
	cyflog (gb)	Gehalt *n*
	cyflogwr (g)	Arbeitgeber *m*
	cyflwr (g)	Zustand *m*; Fall *m*
	cyflwyniad (g) **radio**	Durchsage *f*
	cyflwyno	präsentieren, vorstellen
	cyflwynydd (g)	Moderator *m*
	cyflym	schnell, rasch, flott, geschwind, baldig
	cyflymder (g)	Geschwindigkeit *f*, Tempo *n*
	cyflymu	beschleunigen
	cyfnewid	austauschen, ändern, wechseln, umwechseln
	cyfnewid (g)	Austausch *m*
	cyfnewid (g) *arian*	Geldwechsel *m* [gweithred]
	cyfnewidfa (b)	Geldwechsel *m* [swyddfa]
	cyfnither (b)	Cousine *f*
	cyfnod (g)	Dauer *f*; Epoche *f*
	cyfoed	gleichaltrig
	cyfoes	aktuell
	cyfoethog	reich
	cyfogi	erbrechen
	cyfraith (b)	Recht *n*
	cyfrannedd (g)	Verhältnis *n*
	cyfredol	aktuell
	cyfreithiwr (g)	Rechtsanwalt *m*
	cyfreithlon	gültig
	cyfres (b)	Reihe *f*, Serie *f*
	cyfrif (g)	Reportage *f*; Konto *n*

ar bob *cyfrif*	unbedingt mit allen Mitteln
cyfrif	zählen, ausrechnen
cyfrifiad (g)	Rechnung *f*
cyfrifiadur (g)	Computer *m*, Rechner *m*
cyfrifiannell (gb)	Rechner *m*, Taschenrechner *m*
cyfrifol	verantwortlich
cyfrifoldeb (g)	Verantwortung *f*
cyfrinach (b)	Geheimnis *n*
cyfrinachol	geheim, heimlich
cyfrwng (g)	Mittel *n*
y *cyfryngau* (ll)	Medien *pl*
cyfrwy (g)	Sattel *m*
cyfryw	solche
ysgol (b) *gyfun* [cyfun]	Gesamtschule *f*
cyfundrefn (b)	System *n*
cyfuno	vereinigen
cyfweliad (g)	Interview *n*
cyfyng	eng, schmal
cyfyngiad (g)	Tempolimit *n*
cyflymder	
cyfyrder (g)	Großcousin *m*
cyfyrderes (b)	Großcousine *f*
cyffaith (g)	Konfitüre *f*
cyffeithiwr (g)	Konditor *m*
cyffelyb	ähnlich
cyfforddus	bequem, gemütlich
cyffredin	gewöhnlich, normal, typisch, durchschnittlich, gemein
cyffredinol	allgemein
yn *gyffredinol*	normalerweise, generell
cyffrous	aufregend, spannend
cyffuniau (ll)	Umgebung *f*
cyffwrdd â	berühren
cyffyrddiad (g)	Berührung *f*
cyngerdd (gb)	Konzert *n*
cynghori	raten
cynghorydd (g)	Rat *m*
cyngor (g)	Rat *m*, Landesgemeinde *f*; Tip *m*
Cyngor (g) *Ewrop*	Europarat *m*
Cyngor (g) *Sir*	Landtag *m*
cyhoeddi	veröffentlichen, bekannt geben

cyhoeddiedig	veröffentlicht
cyhyr (g)	Muskel *m*
cylch (g)	Kreis *m*, Ring *m*, Region *f*, Umgebung *f*
cylchdaith (b)	Rundfahrt *f*, Tour *f*, Tournee *f*
cylchgrawn (g)	Magazin *n*, Zeitschrift *f*
cylchyn (g)	Kreis *m*
cylla (g)	Magen *m*
cyllell (b)	Messer *n*, Taschenmesser *n*
cymaint	so viel
cymal (g)	Satzglied *n*
cymar (g)	Partner *m*, Partnerin *f*
cymdeithas (b)	Gesellschaft *f*
cymdeithas (b) *adeiladu*	Sparkasse *f*
cymdeithaseg (b)	Sozialwissenschaft *f*
cymdeithasgar	gesellig
cymdeithasol	gesellig
cymdeithasu	verkehren
cymdoges (b)	Nachbarin *f*
cymdogaeth (b)	Umgebung *f*
cymedrol	mäßig, mittlerer, mittelgroß
cymell	antreiben
cymeradwyo	empfehlen
cymhareb (b)	Verhältnis *n*
cymhariaeth (b)	Vergleich *m*
cymharu	vergleichen
cymhennu	räumen
cymhleth	schwierig
cymhwyso	anpassen
cymorth (g)	Hilfe *f*
Cymraeg (b)	Walisisch *n*
Cymraes (b)	Waliserin *f*
cymrawd (g)	Kamerad *m*
Cymreig	walisisch
Cymro (g)	Waliser *m*
Cymru (b)	Wales
cymryd	nehmen, einnehmen, entnehmen; dauern
cymryd cawod	duschen
cymryd mantais o	profitieren
cymryd rhan	teilnehmen

196

cymuned (b)	Gemeinschaft *f*, Gemeinde *f*
	Landesgemeinde *f*
cymwynas (b)	Gefallen *m*
cymwynasgar	hilfsbereit
cymydog (g)	Nachbar *m*
cymylog	wolkig, bewölkt, wolkenbezogen,
	bedeckt
cymysg	gemischt
cymysgedd (g)	Mischung *f*
cymysgu	mischen, rühren, verrühren
cyn	bevor
cyn bo hir	bald, in Kürze
cyn-	ehemalig
cyn gynted â	sowie, sobald
cynaeafu	pflücken
cynddaredd (b)	Tollwut *f*
cynefin (g)	Biotop *n*
cynefin	gewöhnt
cynfas (gb)	Leintuch *n*, Laken *n*
cynffon (b)	Schwanz *m*
cynhesrwydd (g)	Wärme *f*
cynhesu	heizen, einheizen, erwärmen
cynhwysion (ll)	Zutaten *pl*
cynhwysydd (g)	Behälter *m*
cynhyrchu	herstellen, bauen, machen, produzieren
cynilo	sparen
cynllun (g)	Plan *m*, Projekt *n*
cynllunio	planen, entwerfen, anlegen
cynllunydd (g) **dillad**	Modeschöpfer *m*
cynllwynio	einfädeln
cynnal	veranstalten, austragen
cynnar	früh
yn gynnar	frühzeitig
cynnau	einschalten, anschalten, andrehen,
	zünden, anzünden
cynnen (b)	Streit *m*
cynnes	warm; herzlich
cynnig (g)	Angebot *n*
cynnig	anbieten, bieten
cynnwys (g)	Inhalt *m*, Gehalt *m*

	cynnwys	bestehen aus; enthalten
yn	*cynnwys*	inbegriffen, inklusive
	cynnyrch (g)	Erzeugnis *n*, Produkt *n*
	cynorthwyo	helfen, mithelfen
	cynorthwyol	hilfreich
	cynorthwywr (g)	Assistent *m*, Verkäufer *m*
ysgol (b)	**gynradd** [cynradd]	Grundschule *f*
	cynrychiolydd (g)	Vertreter *m*, Repräsentant *m*
	cynt	vorher, vorig
	cyntaf	erste
y	*cyntaf oll*	allererst
yn	*gyntaf*	zuerst
	cyntedd (g)	Flur *m*, Diele *f*, Eingangshalle *f*
	cynulleidfa (b)	Publikum *n*
	cynulliad (g)	Versammlung *f*
	cynwysedig	inkludiert, inklusive
	cynyddu	anwachsen, wachsen, entwickeln
	cyrcydu	hocken
	cyrchu	holen
	cyrhaeddiad (g)	Ankunft *f*
	cyrion (ll) **dinas**	Vorort *m*
	cyrliog	lockig
	cyrraedd	ankommen, anreisen, erreichen, landen
	cyrri (g)	Currypulver *n*
	cyrten (g)	Vorhang *m*
	cysgod (g)	Schatten *m*
	cysgu	schlafen
syrthio i	*gysgu*	einschlafen
	cyson	regelmäßig
yn	*gyson*	stets
	cystadleuaeth (b)	Wettbewerb *m*, Wettkampf *m*, Turnier *n*
	cysur (g)	Komfort *m*
	cysurus	bequem, gemütlich, angenehm
	cyswllt (g)	Anschluß *m*
	cysylltiad (g)	Verbindung *f*, Beziehung *f*, Anschluß *m*
	cysylltiadau (ll)	Verkehrsverbindung *f*
	cysylltu	verbinden, sich melden
	cytser (g)	Sternbild *n*
	cytun	einverstanden
	cytundeb (g)	Vertrag *m*; Zustimmung *f*, Einklang *m*

dod i gytundeb	ausmachen
cytuno	übereinstimmen, sich verstehen, ausmachen
cyw (g) **iâr**	Hähnchen *n*
cywir	richtig, das stimmt
cywiriad (g)	Verbesserung *f*
cywiro	korrigieren

chi	man, Sie, ihr
chwa (b)	Wind *m*
chwaer (b)	Schwester *f*
chwaer-yng-nghyfraith (b)	Schwägerin *f*
chwaith	auch nicht
chwannen (b)	Floh *m*
chwant (g) **bwyd**	Hunger *m*, Appetit *m*
chwarae (g)	Spiel *n*
chwarae	spielen
maes (g) *chwarae*	Sportplatz *m*
chwarae triwant	schwänzen
chwaraeon (ll)	Sport *m*
canolfan (gb) *chwaraeon*	Sportzentrum *n*
neuadd (b) *chwaraeon*	Sporthalle *f*, Turnhalle *f*
chwaraewr (g)	Athlet *m*, Spieler *m*, Fußballspieler *m*, Tennisspieler *m*
chwaraeydd (g) **recordiau**	Plattenspieler *m*
chwarter (g)	Viertel *n*
chwech, chwe	sechs
lle (g) *chwech*	Toilette *f*, WC *n*, Abort *m*, Klo *n*
chweched	sechste
chwedl (b)	Geschichte *f*, Legende *f*, Märchen *n*
chwedlonol	sagenhaft
[mis] **Chwefror** (g)	Februar *m*
chwerthin	lachen, auslachen
chwîb (b)	Pfeife *f*
chwibanu	pfeifen
chwifio	winken, wehen
chwilfrydedd (g)	Neugierde *f*
chwilfrydig	neugierig
chwiliad (g)	Suche *f*, Fahndung *f*
chwilio am	suchen
chwilolau (g)	Scheinwerfer *m*
chwistrell (b)	Spritze *f*
chwistrelliad (g)	Impfung *f*, Injektion *f*
chwith	links

mynd o chwith	schiefgehen
o chwith	umgekehrt
chwydu	erbrechen
chwyldro (g)	Revolution *f*
crys (g) **chwys**	Sweatshirt *n*
chwysu	schwitzen
chwythu	blasen, wehen

	da (g)	Gute *n*
	da	gut, wohl, brav
peth (g)	*da*	Bonbon *m/n*
yn	*dda gen i*	gern
	da bo chi	auf Wiederhören, auf Wiedersehen
	da-da (g)	Bonbon *m/n*
	dacw	da drüben
	dadbacio	auspacken
	dadebru	erfrischen
	dadfeilio	zerbröckeln
	dadl (b)	Streit *m*
	dadlau	streiten
	daduno	abmontieren
	dadwisgo	sich ausziehen, sich freimachen
	dadwrdd (g)	Krach *m*
	daear (b)	Erde *f*, Boden *m*
	daeargell (b)	Verlies *n*
	daearlawr (g)	Erdgeschoß *n*
	daearyddiaeth (b)	Erdkunde *f*
	dafad (b)	Schaf *n*
	dafn (g)	Tropfen *m*
	dangos	zeigen, weisen; blinken; herumführen
	daioni (g)	Güte *f*
	dail (ll) **llesol**	Heilkraut *n*
	dal	halten; weitermachen; erwischen, fangen
	dal annwyd	sich erkälten
	dalen (b)	Blatt *n*
	damia! damo!	verdammt !
	damwain (b)	Unfall *m*, Verkehrsunfall *m*
	danfon	schicken, liefern; begleiten
	dannoedd (b)	Zahnschmerzen *pl*
	dant (g)	Zahn *m*
brws (g)	*dannedd*	Zahnbürste *f*
	dantaith (g)	Spezialität *f*
	danteithfwyd (g)	Leckerbissen *m*
	danteithiol	köstlich
	darbodus	sparsam
	darbwyllo	überreden
	darganfod	entdecken, finden
	darganfyddwr (g)	Erfinder *m*

dargyfeiriad (g)	Umleitung *f*
darlith (b)	Vortrag *m*, Vorlesung *f*
darlun (g)	Zeichnung *f*, Bild *n*
darluniadol	malerisch
darlunio	zeichnen, malen, abzeichnen; beschreiben
darllediad (g)	Durchsage *f*, Sendung *f*
darlledu	durchgeben, senden
darllen	lesen, vorlesen
darn (g)	Stück *n*, Ausschnitt *m*, Portion *f*; Geldstück *n*, Münze *f*
darogan	voraussagen
darparu	bereiten, vorbereiten, liefern
datblygu	entwickeln, entstehen
datflino	erfrischen
datgan	angeben
datgymalu	abmontieren
datrys	lösen
dathliad (g)	Feier *f*
dathlu	feiern, jubeln
dau (g), **dwy** (b)	zwei
y ddau (g), *y ddwy* (b)	beide
dawn (gb)	Fähigkeit *f*
dawns (b)	Tanz *m*, Ball *m*
dawnsio	tanzen
de (g)	Süden *m*
de	rechts, südlich
deall	verstehen, kapieren, erfassen
deallgar	verständnisvoll
dealltwriaeth (b)	Verständnis *n*
deallus	intelligent, klug, gescheit
deau (g)	Süden *m*
dechrau (g)	Beginn *m*, Anfang *m*
dechrau	beginnen, anfangen, starten
i ddechrau	zuerst
dechreuad (g)	Anfang *m*, Beginn *m*
dedwydd	fröhlich, heiter
deddf (b)	Verfügung *f*
deddfu	verfügen

	defnyddio	nutzen, benutzen, nützen, benützen, verwenden
	defnyddiol	nützlich
	defnyn (g)	Tröpfchen *n*
	deffro	aufwachen, aufwecken
	deg	zehn
un ar	*ddeg*	elf
	degfed	zehnte
	deheuig	fingerfertig, geschickt
	deheuol	südlich
	dehongli	interpretieren, auslegen
	dehongliad (g)	Interpretation *f*
	deial (g)	Zifferblatt *n*
	deialog (g)	Dialog *m*
	deifio	tauchen
	deilen (b)	Blatt *n*
	deillio	stammen, entstehen
	deinamig	dynamisch
	deintydd (g)	Zahnarzt *m*, Zahntechniker *m*
	deisio	würfeln
	deisyf	bitten
	deisyfiad (g)	Bitte *f*
	del	hübsch, wunderschön
	delfrydol	ideal
	deniadol	attraktiv
	Denmarc (b)	Dänemark
	denu	anziehen
	derbyn	empfangen, erhalten, bekommen, übernehmen; aufnehmen
	derbynfa (b)	Empfangsbüro *n*, Eingangshalle *f*, Empfang *m*
	derbyniad (g)	Empfang *m*
	derbynneb (b)	Beleg *m*
	derbynydd (g) [meddygfa]	Arzthelfer *m*
	derwen (b)	Eiche *f*
	derwreinyn (g) **y traed**	Fußpilz *m*
	desg (b)	Schreibtisch *m*
	dethau	fingerfertig, geschickt
	dethol	auswählen

deuddeg	zwölf
deuddegfed	zwölfte
deugain	vierzig
deunaw	achtzehn
deunydd (g)	Stoff *m*, Baustoff *m*
dewis (g)	Auswahl *f*, Wahl *f*, Angebot *n*
dewis	wählen, auswählen, aussuchen
dewisiad (g)	Entscheidung *f*, Wahl *f*
dewr	tapfer
dewrder (g)	Mut *m*
diadell (b)	Herde *f*
diaddurn	einfach
diagram (g)	Diagramm *n*
dial	rächen
di-alcohol	alkoholfrei
diamau, diamheuol	zweifellos
diamynedd	ungeduldig
dianc	fliehen, entkommen, ausbrechen
diarffordd	abgelegen
yn **ddiau** [diau]	wirklich
dibennu	enden, Schluß machen
di-blwm	bleifrei
dibriod	ledig, unverheiratet
dibris	Kleinigkeit *f*
dibwys	Kleinigkeit *f*
dibynnu	ankommen auf, sich verlassen
dicter (g)	Zorn *m*
dichon	vielleicht
di-chwaeth	geschmacklos
didalent	unbegabt
di-dor	ununterbrochen
di-drefn	chaotisch
di-dreth	zollfrei
didwyll	ehrlich
diddanwch (g)	Unterhaltung *f*
di-ddawn	unbegabt
diddiwedd	endlos
diddordeb (g)	Interesse *n*
diddorol	interessant
diegni	schlapp

dieithr	fremd
dienw	anonym
diet (g)	Diät *f*, Ernährung *f*
difaners	unhöflich
difater	egal, gleichgültig
diferu	tropfen
diferyn (g)	Tropfen *m*
diflannu	verschwinden, abhauen
diflas	langweilig, fad, öde, deprimierend, mies
di-flas	geschmacklos
diflastod (g)	Elend *n*
diflasu	sich langweilen
difrif	ernsthaft, ernstlich
difrifol	arg, ernst, ernstlich
di-fudd	nutzlos
difyrru	sich unterhalten
difyrrwch (g)	Abwechslung *f*, Unterhaltung *f*
difywyd	tot
yn *ddiffael* [diffael]	absolut
diffaith	öde
diffeithwch (g)	Wüste *f*
diffiniad (g)	Definition *f*
diffodd	ausmachen, löschen
diffuant	echt
diffyg (g)	Defekt *m*, Mangel *m*
diffygio	versagen
diffygiol	mangelhaft
dig	wütend, ungehalten
digalon	deprimiert
di-gartref	heimatlos
digofaint (g)	Zorn *m*
digon	genug, ausreichend
digoni	genügen, reichen
digonol	ausreichend
digrif	lustig
digwmwl	wolkenlos
digwydd	passieren, sich ereignen, vorkommen; stattfinden
digwyddiad (g)	Geschehnis *n*, Ereignis *n*; Veranstaltung *f*
digynnwrf	entspannt, gelassen

digywilydd	unverschämt, frech
dihafal	einmalig
di-hid	gleichgültig
di-hun	wach
ar **ddi-hun**	wach
dihuno	aufwachen
dileu	streichen
dilyn	folgen, verfolgen, nacheifern, ausüben
dilyniant (g)	Folge *f*
dilynol	anschließend
dilys	gültig, echt
dillad (ll)	Kleider *pl*, Kleidung *f*, Modewaren *pl*, Klamotten *pl*
dillad (ll) *gwely*	Bettwäsche *f*
dillad (ll) *isaf*	Unterwäsche *f*, Wäsche *f*
dilladu	sich kleiden
dim	nichts, nicht, null
am **ddim**	kostenlos, gratis, frei
i'r **dim**	exakt, genau, punkt
dim byd	nichts
dim eto	nicht mehr, noch nicht
dim o gwbl	gar nicht
dim ond	nur, erst, bloß
dim ots	egal
dinas (b)	Stadt *f*
dinesydd (g)	Bürger *m*, Einwohner *m*, Städter *m*
diod (b)	Getränk *n*, Trank *m*
diod (b) *siocled*	Kakao *m*
diodlen (b)	Getränkekarte *f*
dioddef	leiden
diofal	nachlässig
diog	faul, träge
diogel	sicher
diogelu	erhalten
diogelwch (g)	Sicherheit *f*
gwregys (g) *diogelwch*	Sicherheitsgurt *m*
diogi	faulenzen
dioglyd	faul, träge
diolch	danken
diolch	danke

	diolch yn fawr	danke schön
	diosg	sich ausziehen, sich freimachen, abnehmen [het]
	dirfawr	enorm
	dirgel	heimlich
	dirnad	verstehen, kapieren
	dirnadaeth (b)	Verständnis *n*
	dirwy (b)	Strafe *f*
	dirwyn	umwickeln
	dirywiad (g)	Untergang *m*
	diryw (g)	neutral
	dis (gb)	Würfel *m*
	disg (gb)	Platte *f*, Schallplatte *f*, Scheibe *f*; Diskette *f*
	disglair	hell
	disgleirio	leuchten, scheinen, funkeln, glitzern
	disgo (g)	Diskothek *f*, Disko *f*
	disgrifiad (g)	Beschreibung *f*
	disgrifio	beschreiben
	disgwyl	erwarten, warten
	disgybl (g)	Schüler *m*, Auszubildende *m/f*
	disgyn	fallen, einstürzen; aussteigen
	disgyniad (g)	Fall *m*
	distaw	ruhig, still
	distawrwydd (g)	Ruhe *f*
	ditectif (g)	Detektiv *m*
	di-waith	arbeitslos
	diwedd (g)	Ende *n*, Schluß *m*
o'r	*diwedd*	endlich, schließlich
yn y	*diwedd*	schließlich, zuletzt
	diweddar	modern
yn	*ddiweddar*	kürzlich, unlängst, zuletzt
	diweithdra (g)	Arbeitslosigkeit *f*
	diwerth	nutzlos
	diwethaf	letzte
	diwinyddiaeth (b)	Religionslehre *f*
	diwrnod (g)	Tag *m*, Wochentag *m*
	diwyd	fleißig
	diwydiannol	industriell
stad (b)	*ddiwydiannol*	Industriegebiet *n*
	diwydiant (g)	Industrie *f*

	diwygio	ändern
	diŵyro	direkt
	diymhongar	bescheiden
	do	ja
	doctor (g)	Arzt *m*, Ärztin *f*
	dod	kommen, anreisen
mynd a	*dod*	hin und zurück
	dod â	bringen, mitbringen
	dod ar draws	unterkommen
	dod i adnabod	kennenlernen
	dod i ben	enden, ausgehen; klarkommen
	dod o hyd i	finden, entdecken, wiederfinden
	dodi	setzen, legen, stellen
	dodjem (gb)	Autoscooter *m*
	dodrefn (ll)	Möbel *pl*, Einrichtung *f*
	dodrefnu	einrichten
	dodrefnyn (g)	Möbelstück *n*
	doe	gestern
	doeth	klug, gescheit
	doethineb (g)	Klugheit *f*, Weisheit *f*
	dofednod (ll)	Geflügel *n*
	dogfen (b)	Dokument *n*
ffilm (b)	**ddogfennol** [dogfennol]	Dokumentarfilm *m*
	dol (b)	Puppe *f*
	dôl (b)	Wiese *f*
	dolen (b)	Henkel *m*, Träger *m*
	dolur (g)	Schmerz *m*
	dolur (g) *rhydd*	Durchfall *m*
	dolurio	wehtun
	dolurus	schmerzhaft; weh
	dom (b)	Mist *m*
	doniol	humorvoll, komisch, lustig, witzig
	dosbarth (g)	Klasse *f*, Abteilung *f*
ystafell (b)	**ddosbarth**	Klassenzimmer *n*, Klassenraum *m*
	dosbarthu	einordnen, sortieren; austeilen, verteilen, liefern, beliefern
	dosrannu	verteilen
	drachefn	noch mal
	draenog (g)	Igel *m*
	drafft (g)	Zug *m*
	draffts (ll) [gêm]	Damespiel *n*

draig (b)	Drache *m*
drama (b)	Schauspiel *n*, Stück *n*
dratia!	verdammt!
draw	dort drüben
drennydd	übermorgen
drewi	stinken
dringo	klettern
dripian	tropfen
dropyn (g)	Tröpfchen *n*
drôr (g)	Schublade *f*
dros	für; über
meddwl dros	nachdenken, überlegen
dros bob man	überall
drud	teuer, kostspielig
drwg	schlecht, schlimm, übel; fies, gemein
bod yn ddrwg gennych	leid tun
drwgdybio	zweifeln
drwm (g)	Trommel *f*
drws (g)	Tür *f*, Tor *n*, Ausgang *m*
drws nesaf	nebenan
drwy'r amser	immer
drych (g)	Spiegel *m*
drychiolaeth (b)	Geist *m*
dryll (gb)	Gewehr *n*, Pistole *f*
drymiau (ll)	Schlagzeug *n*
drymiwr (g)	Schlagzeuger *m*
du	schwarz
dug (g)	Herzog *m*
dur (g)	Stahl *m*
Duw (g), **duw** (g)	Gott *m*
duwies (b)	Göttin *f*
duwiol	fromm
dwbl	doppelt, Doppel-
dweud	sagen, meinen, bemerken
dweud celwydd	lügen
dwfn (g), **dofn** (b)	tief
dwgyd	klauen
dwl	dumm
dwli ar	anhimmeln
dwnsiwn (g)	Verlies *n*

dŵr (g)	Wasser *n*
tynnu trwy ddŵr	spülen, ausspülen
dŵr (g) *mwynol*	Mineralwasser *n*
dwy (b), **dau** (g)	zwei
tocyn (g) *dwyffordd*	Rückfahrkarte *f*, Zweifahrtenkarte *f*
dwyn	klauen, stehlen
dwyn i ben	erledigen, vollenden
dwyrain (g)	Osten *m*
dwyreiniol	östlich
dwys	ernsthaft, ernstlich; intensiv
dwywaith	zweimal
dy	dein
dychmygu	sich vorstellen
dychmygus	phantasievoll
dychryn (g)	Schreck *m*
dychryn	erschrecken
dychrynllyd	schrecklich, furchtbar, fürchterlich, entsetzlich
dychweliad (g)	Rückkehr *f*, Wiederkehr *f*
dychwelyd	zurückkehren, zurückkommen, heimkehren; zurückgeben
dychymyg (g)	Vorstellung *f*, Rätsel *n*
dydd (g)	Tag *m*
canol (g) *dydd*	Mittag *m*
hanner (g) *dydd*	Mittag *m*
Dydd (g) *Calan*	Neujahrstag *m*
dyddiad (g)	Datum *n*, Termin *m*
dyddiadur (g)	Tagebuch *n*
dyfal	beharrlich
dyfalu	raten, tippen, vermuten, erraten
dyfarnwr (g)	Schiedsrichter *m*
dyfeisio	erfinden
dyfeisydd (g)	Erfinder *m*
dyfnder (g)	Tiefe *f*
dyfod [dod]	kommen
dyfodiad (g)	Ankunft *f*
dyfodol (g)	Zukunft *f*
cytser (g) *y Dyfrwr*	Wassermann *m*
dyffryn (g)	Tal *n*
dylai	sollen

dylanwad (g)	Einfluß *m*
dyled (b)	Schuld *f*
dyletswydd (b)	Pflicht *f*
dylunio	entwerfen
dymchwel	stürzen, umstürzen, einstürzen, abreißen
dymuniad (g)	Wunsch *m*, Bitte *f*
pob **dymuniad** *da*	alles Gute
dymuno	wünschen, hoffen
dymunol	angenehm
dyn (g)	Mann *m*, Herr *m*; Mensch *m*
dyn (g) *trin gwallt*	Friseur *m*
dyna	da
dynes (b)	Dame *f*
dyngarol	menschlich
dynodi	bedeuten
dynol	menschlich
dyrchafu	heben
dysgl (b)	Platte *f*, Schüssel *f*
dysgu	lernen; lehren, unterrichten
dywediad (g)	Spruch *m*, Phrase *f*
dyweddïad (g)	Verlobung *f*
dyweddïo	sich verloben

DD

y **ddannoedd**	Zahnschmerzen *pl*

	eang	weit, breit, groß
[mis]	**Ebrill** (g)	April *m*
	economeg (b)	Wirtschaftskunde *f*
	ecsentrig	ausgeflippt
	echdoe	vorgestern
	echnos	vorgestern abend
	echrydus	gruselig
	edau (b), **edafedd** (g)	Faden *m*
	edifarhau	bereuen
	edmygu	bewundern, aufschauen
	edrych	schauen, zuschauen; überprüfen
	edrych am	suchen, nachschauen, nachsehen; besuchen
	edrych ar ôl	pflegen, sich kümmern, in Schuß halten
	edrych fel	aussehen
	edrych ymlaen	sich freuen
	ef, fe, fo, e, o	er, es
	efallai	vielleicht, eventuell, möglicherweise, etwa
	efo	mit
	efydd (g)	Messing *n*
	effeithiol	wirksam
	effro	munter, wach
	eglur	klar, offensichtlich
	egluro	erklären
	eglwys (b)	Kirche *f*
	eglwys (b) *gadeiriol*	Dom *m*
	egnïol	dynamisch
	egoistaidd	egoistisch
	egroesen (b)	Hagebutte *f*
	egwan	schlapp
	egwyddor (b)	Prinzip *n*
	egwyl (b)	Pause *f*, Unterbrechung *f*, Rast *f*
	enghraifft (b)	Beispiel *n*
er	*enghraifft*	zum Beispiel
	ehedfa (b), **ehediad** (g)	Flug *m*, Linienflug *m*, Charterflug *m*
	ei (b)	ihr
	ei (g)	sein
	ei hun, ei hunan	eigen, sich
yr	**Eidal**	Italien
	Eidalaidd	italienisch

	Eidaleg (b)	Italienisch *n*
	eidion	Mastochse *m*
cig (g)	*eidion*	Rindfleisch *n*
	eiddgar	begeistert
	eiddil	schwach
	eiddo (g)	Eigentum *n*
swyddfa (b)	*eiddo coll*	Fundbüro *n*
	eiddo	besitzen
	eiliad (gb)	Moment *m*, Sekunde *f*
ysgol (b)	*eilradd*	Hauptschule *f*, Realschule *f*
	eillio	sich rasieren
	eilliwr (g) **trydan**	Rasierapparat *m*
	ein	unser
	eira (g)	Schnee *m*
bwrw	*eira*	schneien
cawod (b)	*eira*	Schneeschauer *m*
	eirinen (b) **wlanog**	Pfirsich *m*
	eisiau (g)	Mangel *m*, Not *f*
gweld	*eisiau*	vermissen
	eisiau	fehlen; wollen
	eisoes	bereits, längst, schon
	eistedd	sitzen; sich setzen
	eithaf	höchst, ziemlich
oddi	*eithr*	abgesehen von
	eithriadol	ungewöhnlich
ac	**eithrio**	abgesehen von, außer
	eleni	dieses Jahr, heuer
	eli (g)	Salbe *f*
	eliffant (g)	Elefant *m*
	elusen (b)	Almosen *pl*
	elwa	profitieren
	enfawr	riesig, enorm, ungeheuer
	ennill	gewinnen, bekommen, erhalten, kriegen, verdienen
	ennyn	anzünden
	ensyniad (g)	Hinweis *m*
	enw (g)	Name *m*
yn	*enwedig*	besonders, vornehmlich
	enwi	nennen
	enwog	bekannt, berühmt

enyniad (g)	Entzündung *f*
eofn	frech
er	obwohl, wenn auch, trotz, zwar
er cof am	im Andenken an
er enghraifft	zum Beispiel
er gwaethaf	trotzdem
er mwyn	damit, um zu, zwecks
erbyn	gegen
erchyll	furchtbar
erfyn	bitten, flehen
ergyd (gb)	Schuß *m*
erioed	nie, niemals; überhaupt je
erledigaeth (b)	Verfolgung *f*
erlid	verfolgen
ernes (b)	Pfand *n*, Anzahlung *f*
ers	seit, seitdem
ers hynny	seitdem
ers talwm	längst
eryr (g)	Adler *m*
esbonio	erklären, interpretieren
esgeulus	nachlässig
esgeuluso	vernachlässigen
esgid (b)	Schuh *m*, Stiefel *m*
esgid (b) *rolio*	Rollschuh *m*
esgid (b) *sglefrio*	Schlittschuh *m*
esgid (b) *ymarfer*	Sportschuh *m*, Turnschuh *m*, Trainingsschuh *m*
esgus (g)	Ausrede *f*, Entschuldigung *f*
esgusodi	entschuldigen
esgyn	sich erheben, besteigen
esgynnydd (g)	Aufzug *m*, Lift *m*
estron	fremd
iaith (b) *estron*	Fremdsprache *f*
estyn	ausbreiten
eto	noch, wieder
dim eto	nicht mehr, noch nicht
unwaith eto	noch einmal, noch mal
ethol	wählen
etholiad (g)	Wahl *f*
eu (ll)	ihr

euogrwydd (g)	Schuld *f*
euraid	golden
ewin (gb)	Nagel *m*, Kralle *f*
ewin (g) *garlleg*	Knoblauchzehe *f*
ewn	frech
Ewrop	Europa
Cyngor (g) *Ewrop*	Europarat *m*
ewythr (g)	Onkel *m*

faint	wieviel
faint o'r gloch	wie spät, wann
faint o amser	wie lange
falf (b)	Ventil *n*
fan (b) **wersylla**	Wohnmobil *n*, Campingbus *m*, Campingwagen *m*
fandal (g)	Randalierer *m*
fanila (g)	Vanille *f*
cytser (g) *y Fantol*	Waage *f*
fe [ef]	er, es
fel	als, wie
fel arall	sonst, ansonsten
fel arfer	generell, gewöhnlich, im allgemeinen, normalerweise
fel hyn	folgendermaßen, so
felly	also, so, dann; denn
fertigol	senkrecht
fi	ich
finegr (g)	Essig *m*
fitamin (g)	Vitamin *n*
fo [ef]	er, es
fry	oben
fy	mein
i fyny	hinauf, in die Höhe
fynychaf	meist, meistens

	ffacbysen (b)	Linse *f*
	ffaelu	versagen
	ffäen (b)	Bohne *f*
	ffafr (b)	Gefallen *m*
	ffafriol	günstig
	ffair (b)	Messe *f*; Jahrmarkt *m*
	ffair (b) *sborion*	Flohmarkt *m*
	ffals	falsch
	ffansïo	Lust haben
	ffantastig	phantastisch
	ffarier (g)	Tierarzt *m*
	ffasiwn (b)	Mode *f*
sioe (b)	*ffasiwn*	Modeschau *f*
	ffasiynol	modisch, schick
	ffatri (b)	Fabrik *f*
	ffatri (b) *laeth*	Molkerei *f*
	ffawd (b)	Glück *n*
	ffawdheglu	per Anhalter reisen
	ffawydden (b)	Buche *f*
talaith (b)	**ffederal**	Bundesland *n*
	ffeil (b)	Dokument *n*
	ffeindio	finden
	ffenestr (b)	Fenster *n*
	fferen (b), **fferins** (ll)	Bonbon *m/n*, Süßigkeit *f*
	fferi (b)	Fähre *f*
	fferm (b)	Bauernhof *m*
	ffermdy (g)	Bauernhaus *n*, Gehöft *n*
	ffermwr (g)	Landwirt *m*
	fferyllfa (b)	Apotheke *f*, Drogerie *f*
	ffeuen (b)	Bohne *f*
	ffi (b)	Gebühr *f*
	ffidl (b)	Geige *f*
	ffieiddio	hassen
	ffigur (g)	Gestalt *f*; Zahl *f*
	ffilm (b)	Film *m*
seren (b)	*ffilm*	Filmstar *m*
	ffilm (b) *ddogfennol*	Dokumentarfilm *m*
	ffilm (b) *iasoer*	Horrorfilm *m*
	ffin (b)	Grenze *f*
	ffinio	grenzen

ffiseg (b)	Physik *f*
ffitio	passen
ffitiwr (g)	Monteur *m*
fflach (b)	Blitz *m*
fflachio	blinken, blitzen
fflachlamp (b)	Taschenlampe *f*
fflat (b)	Wohnung *f*
fflat	eben, flach
ffliw (g)	Grippe *f*
ffliwt (b)	Flöte *f*, Querflöte *f*, Blockflöte *f*
fflŵr (g)	Mehl *n*
ffodus	glücklich
yn ffodus	glücklicherweise
ffoi	fliehen, weglaufen
ffoil (g)	Folie *f*
ffôl	doof
ffon (b)	Stock *m*
ffôn (g)	Telefon *n*
galwad (b) *ffôn*	Telefonat *n*, Anruf *m*
llyfr (g) *ffôn*	Telefonbuch *n*
rhif (g) *ffôn*	Telefonnummer *f*
ffôn (g) *pen*	Kopfhörer *m*
ffonio	anrufen
blwch (g) *ffonio*	Telefonzelle *f*
fforc (b)	Gabel *f*
ffordd (b)	Straße *f*, Weg *m*, Bahn *f*, Strecke *f*; Art *f*
o bell ffordd	bei weitem
ffordd (b) *gerddwyr*	Fußgängerzone *f*
ffordd (b) *osgoi*	Umleitung *f*
fforddio	leisten
fforest (b)	Wald *m*
tân (g) *fforest*	Waldbrand *m*
fformiwla (b)	Formel *f*
ffotograff (g)	Foto *n*
ffotograffydd (g)	Fotograf *m*
ffowlyn (g)	Geflügel *n*, Hähnchen *n*
ffrae (b)	Streit *m*
ffraeo	streiten
ffraeth	humorvoll
Ffrainc (b)	Frankreich

ffrâm (b)	Gestell *n*
Ffrances (b)	Französin *f*
Ffrancwr (g)	Franzose *m*
Ffrangeg (b)	Französisch *n*
Ffrengig	französisch
llygoden (b) *Ffrengig*	Ratte *f*
ffres	frisch, neu
ffreutur (gb)	Speisesaal *m*, Kantine *f*
ffrind (b)	Freund *m*, Freundin *f*
ffrîs (b)	Fries *m*
ffroenuchel	hochnäsig
ffroesen (b)	Pfannkuchen *m*
ffrog (b)	Kleid *n*
ffrwyn (b)	Zügel *m*
ffrwyth (g)	Frucht *f*, Obst *n*
ffug	falsch
ffurf (b)	Gestalt *f*
ffurfio	bilden
ffurflen (b)	Formular *n*
ffwng (g)	Pilz *m*
ffŵl (g)	Dummkopf *m*, Idiot *m*, Narr *m*
ffwlbri (g)	Quatsch *m*
ffwndrus	durcheinander
i ffwrdd	weg
ffwrn (b)	Backrohr *n*, Herd *m*, Ofen *m*
ffwrn (b) *lo*	Kohleofen *m*
ffynnu	gedeihen
ffyrm (gb)	Firma *f*

gadael	lassen, überlassen, verlassen
gaeaf (g)	Winter *m*
gafael	greifen, ergreifen, nehmen, packen, halten
gafael yn	nachgeben
gafr (b)	Ziege *f*
cytser (g) *yr Afr*	Steinbock *m*
gafr (b) *yr Alpau*	Steinbock *m*
gair (g)	Wort *n*, Vokabel *f*
galar (g)	Trauer *f*
galw ar	fordern, verlangen
galwad (g)	Bedarf *m*
galwad (b) *ffôn*	Telefonat *n*, Anruf *m*
galwad (b) *frys*	Notruf *m*
galwedigaeth (b)	Beruf *m*, Beschäftigung *f*
gallu	können
gallu (g)	Fähigkeit *f*, Macht *f*
galluog	fähig
gan	von, mit, vor
bod gennych	haben
gan amlaf	im allgemeinen, meist, meistens
gan mwyaf	hauptsächlich, meistens
gardd (b)	Garten *m*
garddwrn (g)	Handgelenk *n*
garej (gb)	Garage *f*, Werkstatt *f*, Werkstätte *f*
garlleg (ll)	Knoblauch *m*
ewin (g) *garlleg*	Knoblauchzehe *f*
gefail (b) **fach**	Pinzette *f*
gefell (g)	Zwilling *m*
cytser (g) *y Gefeilliaid*	Zwillinge *pl*
gefyn (g)	Fessel *f*
geiriadur (g)	Wörterbuch *n*
geirio	sich ausdrücken
gellygen (b)	Birne *f*
gêm (b)	Spiel *n*
gêm (b) *gyfrifiadur*	Computerspiel *n*
gên (b)	Kinn *n*
genedigaeth (b)	Geburt *f*
genedigol	geboren
geneth (b)	Mädchen *n*

	geni	gebären; geboren werden
wedi ei	*eni*	geboren
	ger	an, bei
	gêr (gb)	Gang *m*
	gerbron	vor
	gerllaw	neben
	gerwin	streng
gyda'i	*gilydd*	gemeinsam, miteinander, zusammen
	gitâr (g)	Gitarre *f*
	glân	rein, sauber
	glan (b)	Ufer *n*, Küste *f*
	glandeg	gutaussehend
	glanedydd (g)	Waschmittel *n*
	glanhau	reinigen, putzen, saubermachen
	glanhäwr (g)	Waschmittel *n*
	glanio	anlegen, landen
	glas	blau
	glasenw (g)	Spitzname *m*
	glasiaid (g)	Glas *n*
	glastwraidd	fad, langweilig
	glaswellt (g)	Gras *n*
	glaw (g)	Regen *m*
bwrw	*glaw*	regnen
côt/cot (b)	*law*	Regenmantel *m*
	glawio	regnen
	glawog	regnerisch
	glin (g)	Knie *n*
	glo (g)	Kohle *f*
ffwrn (b)	*lo*	Kohleofen *m*
	glöwr (g)	Bergarbeiter *m*
	gloyw	hell, klar
	glud (g)	Klebstoff *m*, Klebestift *m*
	gludio	kleben
	gludio ynghyd	zusammenkleben
	glynu	kleben, aufkleben, zusammenkleben
	go	sehr
	go brin	kaum
	go iawn	echt
	gobaith (g)	Hoffnung *f*

gobeithio	hoffen; hoffentlich
gochel	vermeiden
godidog	prächtig, wunderbar
godro	melken
goddef	aushalten, ertragen, leiden können
goddefgar	tolerant
goddiweddyd	überholen
gof (g)	Schmied *m*
gofal (g)	Betreuung *f*, Vorsicht *f*, Achtung *f*
gofalaeth (b) **blant**	Kinderpflege *f*
gofalu	aufpassen, hüten, sich kümmern
gofid (g)	Sorge *f*
gofidio	sich Sorgen machen
gofidus	besorgt, beunruhigt
gofod (g)	Platz *m*, Zwischenraum *m*
gwennol (b) *ofod*	Raumschiff *n*
gofyn	fragen, befragen
gofyn am	bitten, verlangen, bestellen, anfordern
gogledd (g)	Norden *m*
Gogledd Iwerddon (b)	Nordirland
gogledd-ddwyrain (g)	Nordosten *m*
gogleddol	nördlich
gogledd-orllewin (g)	Nordwesten *m*
gogr (g)	Sieb *n*
gohebiad (g)	Bericht *m*, Reportage *f*
gohebiaeth (b)	Bericht *m*, Reportage *f*
gohebu	Bericht erstatten, melden
gohebydd (g)	Journalist *m*, Reporter *m*
gohirio	vertagen
golau (g)	Licht *n*, Lampe *f*
golau (g)*'r lleuad*	Mondschein *m*
golau	hell, blond
gwallt golau	blond
golch (g)	Wäsche *f*
golchi	spülen, waschen
peiriant (g) *golchi*	Waschmaschine *f*
golchi llestri	abwaschen
goleuadau (ll) **traffig**	Ampel *f*
goleudy (g)	Leuchtturm *m*

	goleuni (g)	Licht *n*, Schein *m*
	goleuo	leuchten
	golff (g)	Golf *m*
	golosg (g)	Zeichenkohle *f*
	goludog	reich
	golwg (g)	Blick *m*, Ansicht *f*
	golwyth (g)	Steak *n*
	golwythyn (g)	Schnitzel *n*
	golygfa (b)	Aussicht *f*, Sehenswürdigkeit *f*
	golygu	bedeuten
	golygus	gutaussehend, schick
	gollwng	fallenlassen
	gonest	aufrecht, ehrlich
	gonestrwydd (g)	Offenheit *f*
	gorau	beste [gut]
o'r	*gorau*	in Ordnung
rhoi'r	*gorau i*	aufhören
	gorau gen i	am liebsten [gern]
	gorau po fwyaf	je mehr … desto
	gorchest (b)	Meisterwerk *n*, Leistung *f*
	gorchudd (g) **gwely**	Leintuch *n*
	gorchuddio	bedecken, decken, verdecken
	gorchwyl (gb)	Arbeit *f*, Aufgabe *f*
	gorchymyn (g)	Anweisung *f*, Verfügung *f*
	gorchymyn	befehlen, kommandieren
	gorelwa (g)	Wucher *m*
	gorelw (g)	Wucher *m*
	gorfod	müssen, verpflichtet sein
	gorfodi	zwingen
	gorfodol	obligatorisch, Pflicht-
	gorffen	enden, Schluß machen
wedi	*gorffen*	fertig
[mis]	**Gorffennaf** (g)	Juli *m*
	gorffennol (g)	Vergangenheit *f*
	gorffwyll	ausgeflippt
	gorffwys (b)	Rast *f*
	gorlawn	überfüllt
	gorllewin (g)	Westen *m*
	gorllewinol	westlich
	gormod	zuviel

	gornest (b)	Wettkampf *m*
	goroesi	überstehen
	goror (gb)	Grenze *f*
	gorsaf (b)	Bahnhof *m*, Haltestelle *f*; Revier *n* [heddlu]
	gorsaf (b) *betrol*	Tankstelle *f*
	gorwedd	liegen; sich niederlegen
	gor-ŵyr (g)	Urenkel *m*
	gorwyres (b)	Urenkelin *f*
	gorymdaith (b)	Umzug *m*, Feierzug *m*
	gorynys (b)	Halbinsel *f*
	gosod	setzen, legen, stellen, hinstellen, anlegen; vermieten
	gosod y bwrdd	den Tisch decken
	gosodwr (g) **brics**	Maurer *m*
	gostwng	sinken
	gostyngedig	bescheiden
	gostyngiad (g)	Ermäßigung *f*
	gradd (b)	Grad *n*
i	*raddau*	teilweise
	gramadeg (b)	Grammatik *f*
ysgol (b)	*ramadeg*	Gymnasium *n*
	gramoffon (g)	Plattenspieler *m*
	grawnfwyd (g)	Müesli *m*
	grawnwinen (b)	Traube *f*, Weintraube *f*
	gridyllu	grillen
	grisiau (ll)	Stiege *f*, Treppe *f*, Leiter *f*
	Groeg (b)	Griechisch *n*
Gwlad	**Groeg** (b)	Griechenland
	Groegaidd	griechisch
	Groeges (b)	Griechin *f*
	Groegwr (g)	Grieche *m*
	groser (g)	Kaufmann *m*, Lebensmittelgeschäft *n*
	grŵp (g)	Gruppe *f*
	grŵp (g) *o ffrindiau*	Clique *f*
	grŵp (g) *roc*	Rockgruppe *f*
	grym (g)	Kraft *f*, Macht *f*
	grymus	kräftig, mächtig, stark
	gwacáu	leeren
	gwaed (g)	Blut *n*
	gwael	mies, übel, unwohl, schlimm, arg, schlecht

gwaelod (g)	Ende *n*
gwaeth [drwg]	schlechter [schlecht]
ta waeth	sowieso
er gwaethaf	trotzdem
gwaetha'r modd	leider, unglücklicherweise
gwag	leer
gwag-siarad	quatschen
gwagen (b)	Lastwagen *m*
gwagio	leeren
gwagle (g)	Raum *m*, Zwischenraum *m*
ar wahân	getrennt
gwahaniaeth (g)	Unterschied *m*
gwahanol	verschieden, verändert, anders; mehrere
gwahanu	trennen
gwahardd	verbieten, untersagen
gwaharddedig	verboten
gwahodd	einladen
gwahoddiad (g)	Einladung *f*
gwahoddwr (g)	Gastgeber *m*
gwain (b)	Scheide *f*
gwair (g)	Heu *n*
clefyd (g) *y gwair*	Heuschnupfen *m*
sioncyn (g) *y gwair*	Heuschrecke *f*
gwaith (b) [tro]	mal
ambell waith	manchmal
llawer gwaith	häufig, oft
nifer o weithiau	zigmal
sawl gwaith	x-fach, zigmal
gwaith (g)	Arbeit *f*, Aufgabe *f*, Beruf *m*, Job *m*, Werk *n*
gwaith (g) *cartref*	Hausaufgabe *f*, Schulaufgabe *f*
gwaith (g) *llaw*	Handarbeit *f*
gwaith (g) *stem*	Schichtarbeit *f*
gwall (g)	Fehler *m*
gwallgof	verrückt, wahnsinnig
mynd yn wallgof	spinnen
gwallgofrwydd (g)	Wahnsinn *m*
gwallt (g)	Haar *n*, Frisur *f*
dyn (g) *trin gwallt*	Friseur *m*
gwallt (g) *golau*	blond
gwan	schwach, mild

	gwanu	stechen
	gwanwyn (g)	Frühling *m*
	gwâr, gwaraidd	gepflegt
	gwarchod	bewachen, hüten, schützen, babysitten
	gwarchodwr (g)	Wächter *m*
	gwarchodwr (g) *bywyd*	Bademeister m
	gwared	retten
cael	*gwared â*	loswerden
	gwariant (g)	Verbrauch *m*
	gwario	verbrauchen, ausgeben
	gwartheg (ll)	Rind *n*
	gwas (g) **sifil**	Beamte *m*
	gwas (g) *y neidr*	Libelle *f*
	gwasanaeth (g)	Dienst *m*, Bedienung *f*; Messe *f*
	gwasanaethau (ll)	Tankstelle *f*, Raststätte *f*
	gwasanaethu	dienen
	gwasg (b) [media]	Presse *f*
	gwasg (gb) [corff]	Taille *f*
	gwasgedd (g)	Druck *m*, Luftdruck *m*
	gwasgod (b)	Weste *f*
	gwasgu	drücken
	gwastad	eben, flach
	gwastraff (g)	Verschwendung *f*
	gwastraff (g) *amser*	Zeitverschwendung *f*
	gwastrafflyd	verschwenderisch
	gwastraffu	vergeuden, verschwenden
	gwastraffus	verschwenderisch
	gwau	spinnen, stricken, weben
	gwaun (b)	Heide *f*
	gwayw (g)	Schmerz *m*
	gwaywffon (b)	Speer *m*
	gwddf (g), **gwddwg** (g)	Hals *m*
	gwddf/gwddwg (g) *tost*	Halsschmerzen *pl*
	gweddill	übrig
	gweddïo	beten
	gweddol	einigermaßen, ziemlich
yn	*weddol*	ganz
	gweddu i	passen, stehen
	gweddus	passend
	gwefreiddiol	spannend

227

gwefus (b)	Lippe *f*
gweiddi	schreien, anschreien
gweini	dienen
gweinidogaeth (b)	Ministerium *n*
gweinydd (g)	Kellner *m*, Ober *m*
gweinyddes (b)	Fräulein *n*, Kellnerin *f*, Stewardeß *f*
gweinyddiaeth (b)	Verwaltung *f*
gweithdy (g)	Hobbyraum *m*, Bastelraum *m*; Arbeitsgruppe *f*
gweithgar	geschäftig, aktiv
gweithgaredd (g)	Aktivität *f*, Aktion *f*, Beschäftigung *f*
gweithio	arbeiten, tätig sein, werken, funktionieren
gweithiwr (g)	Arbeiter *m*, Angestellte *m*
gweithred (b)	Tätigkeit *f*, Aktion *f*
gweithredol	aktiv
gweithredu	funktionieren
gweithwraig (b)	Arbeiterin *f*
gweld	sehen
os gwelwch yn dda	bitte
gwely (g)	Bett *n*
dillad (ll) gwely	Bettwäsche *f*
ystafell (b) wely	Schlafzimmer *n*, Schlafraum *m*
gwely (g) *a brecwast*	Pension *f*
gwely (g) *bync*	Etagenbett *n*
gwell	besser
bod yn well gennych	bevorzugen, lieber haben
gwella	heilen, sanieren
gwellhad (g)	Besserung *f*
gwellhad buan	baldige Besserung, gute Besserung
gwelliant (g)	Verbesserung *f*
gwelltyn (g)	Strohhalm *m*
dydd **Gwener**	Freitag *m*
gwennol (b)	Schwalbe *f*
gwennol (b) *ofod*	Raumschiff *n*
gwenu	lächeln
gwerin (b)	Volk *n*
gwerin, gwerinol	folkloristisch
gwers (b)	Stunde *f*
gwersi (ll) *preifat*	Nachhilfe *f*
gwerslyfr (g)	Schulbuch *n*

gwersyll (g)	Lager *n*, Kaserne *f*
gwersylla	zelten
gwerth (b)	Wert *m*
ar werth	zu verkaufen
gwerthfawr	wertvoll
gwerthfawrogi	schätzen
gwerthiant (g)	Verkauf *m*, Vorverkauf *m*
gwerthu	verkaufen
gwerthwr (g)	Verkäufer *m*
gwestai (g)	Gast *m*
gwesteiwr (g)	Gastgeber *m*
gwesty (g)	Hotel *n*, Gasthof *m*, Gasthaus *n*
gwialen (b) **bysgota**	Angelrute *f*
gwibdaith (b)	Ausflug *m*, Ausfahrt *f*
gwin (g)	Wein *m*
gwin (g) *byrlymus*	Schaumwein *m*, Sekt *m*
gwinllan (b)	Weinberg *m*
gwir	wahr, wirklich, echt
yn wir	tatsächlich
gwireddu	verwirklichen
gwirfoddol	freiwillig
gwirfoddoli	sich melden
gwirio	überprüfen, nachsehen
gwirion	blöd, dumm
mewn gwirionedd	eigentlich, tatsächlich
gwisg (b)	Kleidung *f*, Bekleidung *f*, Uniform *f*, Tracht *f*
gwisg (b) *nofio*	Badeanzug *m*
gwisg (b) *ysgol*	Schuluniform *f*
gwisgo	anziehen, sich kleiden, aufhaben
gwiwer (b)	Eichhörnchen *n*
gwlad (b)	Land *n*
cefn (b) *gwlad*	Land *n*
gwlad (b) *dramor*	Ausland *n*
gwladol	staatlich
gwladwriaeth (b)	Staat *m*
gwlân (g)	Wolle *f*
gwledd (b)	Fest *n*, Ball *m*, Feier *f*
gwledda	feiern
gwleidydd (g)	Politiker *m*
gwleidyddiaeth (b)	Politik *f*

229

gwlyb	naß
gwlybaniaeth (g)	Niederschlag *m*
gwlychu	verrühren [toes]
gwm (g)	Gummi *n/m*
gwm (g) *cnoi*	Kaugummi *m*
gwn (g)	Gewehr *n*, Pistole *f*
gwneud	machen, tun, leisten, erledigen, herstellen, produzieren,
gwneuthuriad (g)	Produkt *n*, Herstellung *f*, Marke *f*
gwnïad (g)	Nähen *n*
gwnïo	nähen
gwobr (b)	Preis *m*
gŵr (g)	Mann *m*, Gatte *m*
gwrach (b)	Hexe *f*
gwraig (b)	Frau *f*, Gattin *f*
gwraig (b) *tŷ*	Hausfrau *f*
gwrandawr (g)	Hörer *m*
gwrando ar	horchen, anhören, zuhören
gwrcath (g)	Kater *m*
gwregys (g)	Gürtel *m*
gwregys (g) *diogelwch*	Sicherheitsgurt *m*
gwreichioni	funkeln, glitzern
gwres (g)	Hitze *f*; Fieber *n*
gwres (g) *canolog*	Heizung *f*, Zentralheizung *f*
gwresogi	heizen, einheizen, erwärmen
gwresogydd (g)	Heizung *f*
gwrtaith (g)	Kompost *m*
tomen (b) *wrtaith*	Komposthaufen *m*
gwrthdaro	zusammenstoßen
gwrthfiotig (g)	Antibiotikum *n*
gwrthrych (g)	Gegenstand *m*
gwrthsefyll	überstehen
gwrthwyneb (g)	Gegenteil *n*
codi **gwrychyn**	ärgern
gwrywaidd	männlich
gwthio	schieben, stoßen
gwybedyn (g)	Mücke *f*
gwybod	wissen, Bescheid wissen, kennen
rhoi **gwybod**	Bescheid sagen, informieren

gwybodaeth (b)	Kenntnis *f*, Auskunft *f*, Information *f*, Bescheid *m*, Angabe *f*
gwybodeg (b)	Informatik *f*
gwych	fein, großartig, herrlich, klasse, prächtig, prima, spitze
gwydr (g)	Glas *n*
gwydrau (ll)	Fernglas *n*
tŷ (g) *gwydr*	Gewächshaus *n*
gwydraid (g)	Glas *n*
gwydryn (g)	Linse *f*
gŵydd (b)	Gans *f*
gwyddbwyll (b)	Schach *n*
Gwyddel (g)	Ire *m*
Gwyddeleg (b)	Irisch *n*
Gwyddeles (b)	Irin *f*
Gwyddelig	irisch
gwyddoniaeth (b)	Naturwissenschaft *f*
gwyddonydd (g)	Naturwissenschaftler *m*, Wissenschafter *m*, Forscher *m*
gwyddorau (b)	Wissenschaft *f*
gŵyl (b)	Feiertag *m*
Gŵyl (b) *San Ffolant*	Valentinstag *m*
gwylaidd	bescheiden
gwyliau (ll)	Urlaub *m*, Ferien *f*
gwyliau (ll)'r *Nadolig*	Weihnachtsferien *f*
gwyliau (ll)'r *Pasg*	Osterferien *f*
gwylio	schauen, ansehen, beobachten; aufpassen, beachten
gwylio'r teledu	fernsehen
gwyliwr (g)	Zuschauer *m*
gwyllt	wild, wütend
tân (g) *gwyllt*	Feuerwerk *n*
gwylltio	ärgern
gwyn (g), **gwen** (b)	weiß
gwynnwy (g)	Eiweiß *n*
gwynt (g)	Wind *m*, Sturm *m*
gwynto	riechen
gwyntog	windig
gwyrdd	grün

gwyryf (b)	Jungfrau *f*
gyda	mit, durch
gyda'i gilydd	gemeinsam, miteinander, zusammen
gyda llaw	nebenbei, übrigens
gyda phleser	gern geschehen, mit Freude
gyferbyn	gegenüber
gylfinog (b)	Narzisse *f*
gynt	früher
gyr (g)	Herde *f*
gyrfa (b)	Karriere *f*, Laufbahn *f*
gyrru	fahren, treiben
olwyn (b) *yrru*	Lenkrad *n*
trwydded (b) *yrru*	Führerschein *m*
ysgol (b) *yrru*	Fahrschule *f*
gyrru ymlaen	antreiben
gyrrwr (g)	Fahrer *m*, Chauffeur *m*, Autofahrer *m*, Busfahrer *m*

haearn (g)	Eisen *n*
haearn (g) *smwddio*	Bügeleisen *n*
haeddu	verdienen
hael	großzügig
haen (b)	Schicht *f*
haen (b) *osôn*	Ozonschicht *f*
haerllug	unverschämt, frech
haerllugrwydd (g)	Unverschämtheit *f*
haf (g)	Sommer *m*
cwrs (g) *haf*	Sommerkurs *m*
hagr	häßlich
halen (g)	Salz *n*
halio	schleppen
ham (gb)	Schinken *m*
hambwrdd (g)	Tablett *n*
hamdden (gb)	Feierabend *m*, Freizeit *f*
canolfan (gb) *hamdden*	Freizeitzentrum *n*
hamddena	sich erholen
hamddenol	entspannt, gelassen, lässig, locker
hamster (g)	Hamster *m*
hances (b)	Taschentuch *n*
handlen (b)	Henkel *m*
hanes (g)	Geschichte *f*
hanesyddol	historisch
hanfod (g)	Essenz *f*
hanner (g)	Hälfte *f*
hanner (g) *dydd*	Mittag *m*
hanner (g) *nos*	Mitternacht *f*
hanner	halb
un a hanner	anderthalb
hanner cant	fünfzig
hanu	stammen
hapchwarae (g)	Lotto *n*
hapchwarae	wetten
hapus	froh, glücklich
penblwydd hapus	alles Gute zum Geburtstag
harbwr (g)	Hafen *m*
hardd	schön, wunderschön
harddu	verzieren
haul (g)	Sonne *f*

llosg (g) *haul*	Sonnenbrand *m*
olew (g) *haul*	Sonnenöl *n*, Sonnencreme *f*
sbectol (b) *haul*	Sonnenbrille *f*
hawdd	einfach, leicht
hawddgar	liebenswert
hawl (b)	Recht *n*
hawliad (g)	Bedarf *m*
hawlio	fordern, verlangen
heb	ohne
heb os	wirklich
heblaw	abgesehen von, außer
heblaw am hynny	außerdem, übrigens
hebrwng	begleiten
hedfan	fliegen
hedyn (g)	Samen *m*
hedd (g)	Friede *m*
heddiw	heute, heutzutage
heddlu (g)	Polizei *f*
swyddfa (b)*'r heddlu*	Polizeirevier *n*, Polizeiwache *f*
heddwas (g)	Polizist *m*, Polizeibeamte *m*
heddwch (g)	Friede *m*
hefyd	auch, ebenfalls, sowie, genauso, zusätzlich
heibio	vorbei
heic (b)	Wanderung *f*
heini	fit, aktiv, unternehmungslustig
cadw'n heini	turnen
hel	sammeln, zusammensammeln
hela	jagen
helcyd	hinausschleppen
heliwr (g)	Jäger *m*
helmed (b)	Helm *m*
helogan (b)	Sellerie *m/f*
help (g)	Hilfe *f*
helpu	helfen, mithelfen
helygen (b)	Weide *f*
hen	alt
hen dad-cu (g)	Urgroßvater *m*
hen daid (g)	Urgroßvater *m*
hen dro	schade

	hen fam-gu (b)	Urgroßmutter *f*
	hen nain (b)	Urgroßmutter *f*
	hendolyn (g)	Alte *f*
	henffasiwn	altmodisch
	heno	heute abend
	henoed (g)	Alte *m/f*
	henwr (g)	Alte *m/f*
	heol (b)	Straße *f*
	hepgor	verzichten
	hergwd (g)	Gedrängel *n*
	herwgipio	entführen
	herwgipiwr (g)	Räuber *m*
	het (b)	Hut *m*
	heulog	sonnig
	heulwen (b)	Sonnenschein *m*
	hi	sie, es
	hidlo	filtrieren
	hiliaeth (b)	Rassismus *m*
	hilyddiaeth (b)	Rassismus *m*
	hinsawdd (gb)	Klima *n*
	hipopotamws (g)	Nilpferd *n*
	hir	lang
cyn	*hir*	in Kürze
cyn bo	*hir*	bald
	hiraeth (g)	Heimweh *n*
	hirgrwn	oval
	hirsgwar (g)	Rechteck *n*
	hisian	zischen
	hit (g)	Hit *m*
	hobi (g)	Hobby *n*
	hoelen (b)	Nagel *m*
	hofranlong (g)	Luftkissenboot *n*
	hofrennydd (g)	Hubschrauber *m*
	hoff	Lieblings-, beliebt
	hoffi	gefallen, gern haben, lieben, mögen, Lust haben
	hoffwn i	ich möchte [mögen]
	hoffter (g)	Liebe *f*
	hoffus	liebenswert, sympathisch
	hogan (b)	Mädchen *n*

	hogwr (g) **penseli**	Spitzer *m*, Anspitzer *m*
	hogyn (g)	Jugendliche *m*
	hongian	hängen, aufhängen
	holi	fragen, sich erkundigen, befragen, prüfen
	holiadur (g)	Fragebogen *m*
	holl	ganz, alle
	hollol	völlig, absolut, total
yn hollol		gänzlich, eben
	hollt (gb)	Schlitz *m*, Ritze *f*, Spalte *f*
	hollti	trennen
	hon (b)	diese
	honno (b)	jene
	hosan (b)	Socke *f*, Strumpf *m*
	host (g)	Gastgeber *m*
	hostel (gb) **ieuenctid**	Jugendherberge *f*
	hual (g)	Fessel *f*
	hudolus	zauberhaft
	hufen (g)	Sahne *f*, Schlagsahne *f*
hufen (g) *iâ*		Eis *n*
hufen (g) *salad*		Mayonnaise *f*
	hufenfa (b) **laeth**	Molkerei *f*
	hun (b)	Schlaf *m*
	hun, hunan	selbst
ar ei ben ei hun		allein
ei hun, ei hunan		eigen, sich
	hunan-amlwg	selbstverständlich
	hunan-barch (g)	Selbstachtung *f*
	hunanbortread (g)	Selbstbeschreibung *f*
	hunan-ddisgrifiad (g)	Selbstbeschreibung *f*
	hunanol	egoistisch
	hunan-wasanaeth (g)	Selbstbedienung *f*
	hunllef (b)	Alptraum *m*
	huno	schlafen
	hurt	blöd, doof, dumm
	hurtyn (g)	Idiot *m*, Narr *m*
	hwdiwch	bitte schön!
	hwfer (g)	Staubsauger *m*
	hwn (g)	dieser, dieser da

hwnnw (g)	jener, solcher
tu **hwnt** i	jenseits
hwpo	schieben
hwrdd (g)	Widder *m*
cytser (g) *yr Hwrdd*	Widder *m*
hwy	sie
hwyaden (b)	Ente *f*
hwyl (b)	Spaß *m*, Laune *f*, Stimmung *f*
hwyl	auf Wiedersehen, tschüs, tschüß; ade!
hwylforio	windsurfen
hwylfwrdd (g)	Surfbrett *n*
hwylfyrddio	windsurfen
hwylio	segeln
hwyliog	humorvoll
hwylus	witzig
hwyr (g)	Abend *m*
hwyr	spät
yn hwyrach	später
hwyrder (g)	Verspätung *f*
hyd (g)	Länge *f*
ar hyd	entlang
dod o hyd i	finden, entdecken, wiederfinden
hyd (g) *bywyd*	Lebenserwartung *f*
hyd	bis, solange
o hyd	immer noch, noch
hyd nes ymlaen	bis bald, bis gleich
hyd yn hyn	bisher
hyd yn oed	selbst, sogar, wenn auch
hydref (g)	Herbst *m*
[mis] **Hydref** (g)	Oktober *m*
hyfryd	niedlich
hyfforddi	unterrichten, trainieren
hyfforddiant (g)	Unterricht *m*, Ausbildung *f*, Training *n*
hylaw	praktisch
hylendid (g) **plant**	Kinderpflege *f*
hylif, hylifol	flüssig
hyll	häßlich
hyn	diese
fel hyn	folgendermaßen, so
hyd yn hyn	bisher

	hŷn	älter [alt]
	hynafol	alt
	hynaws	freundlich, gutmütig
	hynny	jene
am	*hynny*	deshalb, deswegen
	hynny yw (h.y.)	das heißt
	hynod	arg
	hyrwyddo	fördern
	hysbyseb (b)	Anzeige *f*, Werbung *f*, Werbespot *m*, Stellenangebot *n*
	hysbysebu	ausschreiben
	hysbyseg (b)	Informatik *f*
	hysbysiad (g)	Anzeige *f*, Werbung *f*, Anschlag *m*, Bescheid *m*
	hysbysrwydd (g)	Auskunft *f*, Information *f*
	hysbysu	informieren
yn	*hytrach*	eher, lieber

	i	an, auf, für, in, nach, um … zu …, zu
	i'r dim	exakt, genau, punkt
	i ddechrau	zuerst
	i fan hyn	her
	i ffwrdd	weg
	i fyny	hinauf, in die Höhe
	i gyd	alle, ganz, total
	i lawr	hinunter, unter
	i raddau	teilweise; einigermaßen
	iâ (g)	Eis *n*
hufen (g)	*iâ*	Eis *n*
	iach	fit, gesund
	iacháu	heilen
	iachus	gesund
	iaith (b)	Sprache *f*
labordy (g)	*iaith*	Sprachlabor *n*
	iaith (b) *estron*	Fremdsprache *f*
	iâr (b)	Huhn *n*
	iâr fach yr haf (b)	Schmetterling *m*
	iard (b)	Hof *m*, Pausenhof *m*, Schulhof *m*
	iarll (g)	Graf *m*
ffilm (b)	*iasoer*	Horrorfilm *m*
	iasol	gruselig, unheimlich
	iau (g)	Leber *f*
dydd	**Iau**	Donnerstag *m*
	iau [ifanc]	jünger [jung]
	iawn	gut, wohl, richtig, das stimmt, einverstanden; sehr, höchst
bod yn	*iawn*	recht haben
go	*iawn*	echt
	Iddew (g)	Jude *m*
	Iddewig	jüdisch
	ie	ja, jawohl
	iechyd (g)	Gesundheit *f*
yswiriant (g)	*iechyd*	Krankenkasse *f*
	ieir (ll)	Geflügel *n*
	ieuanc	jung
	ieuenctid (g)	Jugend *f*
	ifanc	jung
	ildio	nachgeben

	injan (b)	Motor *m*
	inswleiddio	isoliert
	ioga (b)	Yoga *n*
	iogwrt (g)	Joghurt *n/m*
[mis]	**Ionawr** (g)	Januar *m*
	isel	nieder, niedrig, tief; leise
dillad (ll)	*isaf*	Unterwäsche *f*, Wäsche *f*
llawr (g)	*isaf*	Erdgeschoß *n*, Untergeschoß *n*
	Iseldiraidd	holländisch
yr	**Iseldiroedd** (ll)	Holland *n*, Niederlande *pl*
	Iseldireg (g)	Holländisch *n*
	Islamaidd	mohammedanisch
	islaw	unter, unten
	isod	unten
	Iwerddon (b)	Irland
	iwnifform (b)	Uniform *f*

jam (g)	Konfitüre *f*, Marmelade *f*
Japaneaidd	japanisch
Japaneg (b)	Japanisch *n*
jest	gerade
jîns (ll)	Jeans *pl*
jiráff (g)	Giraffe *f*
jiwdo (g)	Judo *n*
jôc (b)	Spaß *m*
jwg (gb)	Kännchen *n*, Krug *m*

	labelu	beschriften, kennzeichnen
	labordy (g)	Labor *n*
	labordy (g) *iaith*	Sprachlabor *n*
	lamp (b)	Licht *n*, Lampe *f*
	lan	in die Höhe
	lantarn (b)	Laterne *f*
	lapio	verpacken, umwickeln
cloc (g)	**larwm**	Wecker *m*
	lawnt (b)	Rasen *m*
	lefel (b)	Niveau *n*; Stockwerk *n*, Etage *f*
	lefel A (b)	Abitur *n*
	lein (b)	Leine *f*; Linie *f*, Zeile *f*
	leilac	lila
	lemonêd (g)	Limonade *f*
	lemwn (g)	Zitrone *f*
	lens (g)	Linse *f*
	les (b)	Spitze *f*
	letysen (b)	grüner Salat, Kopfsalat *m*
	licio	gefallen, mögen
	licris (g)	Lakritze *f*
	lifrai (gb)	Uniform *f*
	lifft (g)	Aufzug *m*, Lift *m*
	litr (g)	Liter *m*
	lobsgows (g)	Eintopf *m*
	locer (gb) **bagiau**	Gepäckschließfach *n*
	loetran	bummeln
	lol (b)	Quatsch *m*
	lolfa (b)	Wohnzimmer *n*, Aufenthaltsraum *m*
	lôn (b)	Weg *m*
	lori (b)	Lastwagen *m*, LKW *m*
	lori (b) *ludw*	Müllwagen *m*
	losin (g)	Bonbon *m/n*, Süßigkeit *f*
	lot o	viel
	loteri (b)	Lotto *n*
	lwc (b)	Glück *n*
	lwcus	glücklich

	llac	locker, los
	Lladin (gb)	Latein *n*
	lladrad (g)	Diebstahl *m*, Einbruch *m*
	lladrata	stehlen
	lladd	töten, umbringen; schlachten, erschießen; mähen
	llaeth (g)	Milch *f*
ffatri (b)	*laeth*	Molkerei *f*
	llaeth (g) *sgim*	Magermilch *f*
	llafn (g) **rasel**	Rasierklinge *f*
	llafur (g)	Arbeit *f*
	llafurio	arbeiten
	llafurus	anstrengend
	llai	weniger
mwy neu	*lai*	ungefähr, circa
o	*leiaf*	wenigstens, mindestens
pam	*lai*	warum nicht
	llain (b)	Grundstück *n*, Grund *m*
	llais (g)	Stimme *f*
	llaith	feucht
y	**llall**	andere
y naill ... y	*llall*	der eine ... der andere
	llamu	springen
	llanc (g)	Jugendliche *m*, Typ *m*
	llanw	einfüllen
	llarpio	zerreißen
	llaw (b)	Hand *f*
codi	*llaw ar rywun*	winken
gwaith (g)	*llaw*	Handarbeit *f*
gyda	*llaw*	nebenbei, übrigens
ymlaen	*llaw*	im voraus, vorher
	llaw-drin	operieren
	llaw-fer (b)	Kurzschrift *f*
	llawbel (g)	Handball *m*
	llawen	fröhlich, heiter
	llawenhau	jubeln
	llawenydd (g)	Freude *f*
	llawer	viel, viele, jede Menge
	llawer gwaith	häufig, oft
	llawes (b)	Ärmel *m*

	llawfeddyg (g)	Chirurg *m*
	llawn	voll, komplett, satt, besetzt; genauso
	llawr (g)	Boden *m*; Stockwerk *n*, Etage *f*
	llawr (g) *isaf*	Erdgeschoß *n*, Untergeschoß *n*
i	*lawr*	hinunter, unter
	lle (g)	Ort *m*, Platz *m*
rhoi yn	*lle*	ersetzen
unrhyw	*le*	irgendwo
ym	*mhle*	wo
	lle (g) *cadw*	Reservierung *f*
	lle (g) *chwech*	Toilette *f*, WC *n*, Abort *m*, Klo *n*
	lled	teilweise
	lledaenu	verbreiten
	lledr (g)	Leder *n*
	lledu	ausbreiten
	llefain	heulen, weinen; sprechen
	llefrith (g)	Milch *f*
o	*leiaf*	wenigstens, mindestens
	lleiafrif (g)	Minderheit *f*
	lleian (b)	Nonne *f*
	lleiandy (g)	Kloster *n*
	lleidr (g)	Dieb *m*, Räuber *m*
	lleisio	sich ausdrücken
	llen (b)	Vorhang *m*
	llenwi	füllen, einfüllen, ausfüllen, anfüllen
	lleol	örtlich
pobl (b)	*leol*	Einheimische *m/f*
wedi ei	*leoli*	liegen, sich befinden
	lleoliad (g)	Lage *f*
	llesg	schlapp
	llesteirio	behindern
	llestr (g)	Kanne *f*, Kaffeekanne *f*
	llestri (ll)	Geschirr *n*
golchi	*llestri*	abwaschen
	lletchwithdod (g)	Verlegenheit *f*
	lletraws	quer
	lletwad (b)	Servierlöffel *m*
	llety (g)	Unterkunft *f*, Gästezimmer *n*; Vollpension *f*, Halbpension *f*

	lletya	gastieren, unterkommen
	llethol	überwiegend
	llethu	überwältigen
	lleuad (b)	Mond *m*
golau (g)'*r*	*lleuad*	Mondschein *m*
	llew (g)	Löwe *m*
cytser (g) *y*	*Llew*	Löwe *m*
	llewygu	einstürzen
	llewyrchu	glitzern
	lliain (g)	Tuch *n*, Handtuch *n*, Badetuch *n*, Leinen *n*
	lliain (g) *bwrdd*	Tischtuch *n*, Tischdecke *f*
	llid (g)	Zorn *m*; Entzündung *f*
	llif (g) **awyr**	Zug *m*
	llifeiriol	fließend
	llifo	fließen
	llifolau (g)	Scheinwerfer *m*
	llinach (b)	Stammbaum *m*
	llinell (b)	Linie *f*, Zeile *f*, Vers *m*
	llinyn (g)	Leine *f*
	llithro	ausrutschen, rutschen
	lliw (g)	Farbe *f*
	lliwgar	bunt, farbig
	lliwio	färben
	llo (g)	Kalb *n*
	llodrau (ll)	Hose *f*
	Lloegr (b)	England
	lloer (b)	Mond *m*
	lloergan (g)	Mondschein *m*
	llofnodi	unterschreiben
	llofruddio	umbringen
	llogi	mieten
	llong (b)	Schiff *n*
	llong (b) *ofod*	Raumschiff *n*
	llon	fröhlich, munter
	llond	voll, satt
cael	*llond bol*	genug haben von
	llongyfarch	gratulieren
	llongyfarchiad (g)	Glückwunsch *m*
	llonni	jubeln
	llonydd	ruhig

	llorwedd	waagerecht
	llosg (g) **haul**	Sonnenbrand *m*
	llosgi	brennen, verbrennen
	llowcio	fressen
	llucheden (b)	Blitz *m*
	lluchedu	blitzen
	lluchio	schleudern, werfen
	lludw (g)	Asche *f*
lori (b) *ludw*		Müllwagen *m*
Dydd Mercher Lludw		Aschermittwoch *m*
	lluddedig	müde
	llugoer	lauwarm
	llun (g)	Bild *n*, Foto *n*
tynnu llun		ein Foto aufnehmen, fotografieren
dydd **Llun**		Montag *m*
	Llundain (b)	London
	lluosog (g)	Mehrzahl *f*
	llusern (g)	Laterne *f*
	llusgo	schleppen, hinausschleppen
	llwch (g)	Staub *m*
blwch (g) *llwch*		Aschenbecher *m*
	llwfr	feige
	llwnc (g) **tost**	Halsschmerzen *pl*
	llwy (b)	Löffel *m*, Eßlöffel *m*, Kaffeelöffel *m*, Teelöffel *m*
	llwybr (g)	Weg *m*, Bahn *f*
llwybr (g) *llygad*		Abkürzung *f*
llwybr (g) *sglefrio*		Eisbahn *f*
llwybr (g) *tarw*		Abkürzung *f*
	llwyd	grau
	llwyddiannus	erfolgreich
	llwyddiant (g)	Erfolg *m*
	llwyddo	bestehen, schaffen, erreichen, gelingen, klappen
	llwyfan (g) **gorsaf**	Bahnsteig *m*
	llwyr	komplett, völlig
yn llwyr		gänzlich; insgesamt
	llwyth (g)	Last *f*
	llwythlong (b)	Frachter *m*
	llydan	breit, weit

	llyfn (g), **llefn** (b)	glatt
	llyfr (g)	Buch *n*, Taschenbuch *n*
siop (b)	*lyfrau*	Buchhandlung *f*
	llyfr (g) *ffôn*	Telefonbuch *n*
	llyfr (g) *nodiadau*	Notizbuch *n*
	llyfr (g) *siec*	Scheckheft *n*
	llyfrgell (b)	Bibliothek *f*
	llyfrgellydd (g)	Bibliothekar *m*
	llyfryn (g)	Heft *n*, Prospekt *m*, Broschüre *f*
	llyffant (g)	Frosch *m*
	llyffethair (b)	Fessel *f*
	llygad (gb)	Auge *n*
llwybr (g)	*llygad*	Abkürzung *f*
	llygoden (b)	Maus *f*
	llygoden (b) *Ffrengig*	Ratte *f*
	llygredd (g)	Umweltverschmutzung *f*
	llygredig	verschmutzt
	llynges (b)	Marine *f*
	llym	scharf, spitz; streng
	llyn (g)	See *m*
	llyncu	schlucken
y	*llynedd*	letztes Jahr
	llys (g)	Gericht *n*
	llyschwaer (b)	Stiefschwester *f*
	llysenw (g)	Spitzname *m*
	llysfam (b)	Stiefmutter *f*
	llysfrawd (g)	Stiefbruder *m*
	llysiau (ll)	Gemüse *n*, Kraut *n*
	llysieuwr (g)	Vegetarier *m*
	llysieuyn (g)	Kraut *n*
	llystad (g)	Stiefvater *m*
	llythyr (g)	Brief *m*
	llythyren (b)	Buchstabe *m*, Druckbuchstabe *m*
	llythyru	korrespondieren
cyfaill (g)	*llythyru*	Brieffreund *m*
	llyw (g)	Steuer *n*, Lenkrad *n*
	llywio	lenken
	llywodraeth (b)	Regierung *f*

mab (g)	Sohn *m*
mab-yng-nghyfraith (g)	Schwiegersohn *m*
mabolgampau (ll)	Leichtathletik *f*
mabolgampwr (g)	Sportler *m*
macyn (g)	Taschentuch *n*
madarchen (b)	Pilz *m*
maddau	entschuldigen
maddeuant (g)	Pardon *n*, Verzeihung *f*
mae [bod]	er/sie/es ist; es gibt
sut mae	hallo, wie geht's
mae'n ddrwg gen i	es tut mir leid
maeddu	schlagen
maen (g)	Stein *m*
maenordy (g)	Herrenhaus *n*
maer (g)	Bürgermeister *m*, Oberbürgermeister *m*
maes (g)	Feld *n*, Gebiet *n*, Spielfeld *n*
tu maes	außen, außerhalb
maes (g) *awyr*	Flughafen *m*, Flugplatz *m*
maes (g) *parcio*	Parkplatz *m*
maes (g) *pebyll*	Campingplatz *m*, Zeltplatz *m*
maestref (b)	Stadtrand *m*, Vorort *m*
maeth (g)	Nahrung *f*
mafonen (b)	Himbeere *f*
magl (b)	Falle *f*
magu	erziehen
magu pwysau	zunehmen
maharen (g)	Widder *m*
mai	daß
[mis] **Mai** (g)	Mai *m*
main	schmal, dünn, mager, schlank
mainc (b)	Bank *f*
maint (g)	Größe *f*, Menge *f*
maith	lang, langweilig, öde
amser maith yn ôl	früher
malu	zerbrechen
malurio	zerbröckeln
malwoden (b)	Schnecke *f*
mam (b)	Mutter *f*, Mutti *f*
mam-gu (b)	Großmutter *f*, Oma *f*
hen fam-gu (b)	Urgroßmutter *f*

	mam-yng-nghyfraith (b)	Schwiegermutter *f*
	mamiaith (b)	Muttersprache *f*
	man (gb)	Platz *m*, Ort *m*, Stelle *f*, Standort *m*
i fan hyn		her
nawr ac yn y man		ab und zu, von Zeit zu Zeit
ymhob man		überall
yn y fan		auf der Stelle
	man (gb) *talu*	Kasse *f*
	mân	fein
	mân siarad (gb)	Gerede *n*
	maneg (b)	Handschuh *m*
cig (g)	**manfriw**	Hackfleisch *n*
	mantais (b)	Vorteil *m*
cymryd mantais		profitieren
	manwl	genau, detailliert
	manyldeb (g)	Genauigkeit *f*
	manylion (ll)	Detail *n*, Einzelheit *f*
	manylyn (g)	Detail *n*, Einzelheit *f*
	map (g)	Plan *m*, Karte *f*, Landkarte *f*
	marc (g)	Kennzeichen *n*, Note *f*; Mark *f* [arian]
	marcio	kennzeichnen, markieren
	march (g)	Pferd *n*
	marchnad (b)	Markt *m*, Marktplatz *m*
	marchog (g)	Reiter *m*, Ritter *m*
	marchogaeth	reiten
	margarîn (g)	Margarine *f*
	marmalêd (g)	Marmelade *f*
	marw	sterben, ums Leben kommen
wedi marw		gestorben, tot
	marwol	tödlich
	marwolaeth (b)	Tod *m*
	mas	aus
tu fas		außen, außerhalb, draußen
	masg (g)	Maske *f*, Faschingsmaske *f*
	masnachdy (g)	Kaufhaus *n*
	masnachwr (g)	Geschäftsmann *m*, Kaufmann *m*
	mater (gb)	Angelegenheit *f*
	matras (gb)	Matratze *f*
	matsen (b)	Streichholz *n*
	math (g)	Typ *m*; Marke *f*

bob math o	allerlei
sut fath	was für
mathemateg (b)	Mathematik *f*
mawr	groß
diolch yn fawr	danke schön
mawredd (g)	Größe *f*
mawreddog	großartig
mawrfrydig	großzügig
dydd **Mawrth**	Dienstag *m*
[mis] **Mawrth** (g)	März *m*
mayonnaise (g)	Mayonnaise *f*
medal (gb)	Abzeichen *n*, Medaille *f*
[mis] **Medi** (g)	September *m*
medru	können
medrus	fähig, geschickt, fingerfertig
meddal	weich, zart
meddiannu	besitzen, verfügen über, belegen
meddwl	denken, glauben, meinen
meddwl dros	nachdenken, überlegen
meddyg (g)	Arzt *m*
meddyges (b)	Ärztin *f*
meddygfa (b)	Ordination *f*, Praxis *f*
meddyginiaeth (b)	Medikament *n*
mefusen (b)	Erdbeere *f*
megis	als
[mis] **Mehefin** (g)	Juni *m*
meic (g)	Mikrofon *n*
meillionen (b)	Kleeblatt *n*
meistr (g)	Meister *m*, Boß *m*, Chef *m*, Vorgesetzte *m/f*
meistres (b)	Herrin *f*, Vorgesetzte *m/f*
mêl (g)	Honig *m*
melfed (g)	Samt *m*
melodaidd	melodisch
melon (g)	Melone *f*
melyn (g), **melen** (b)	gelb
melynwy (g)	Eigelb *n*
melys	süß
melysion (ll)	Süßigkeit *f*, Praline *f*, Bonbon *m/n*
mellten (b)	Blitz *m*
melltennu	blitzen

	menyn (g)	Butter *f*
bara (g)	*menyn*	Butterbrot *n*
	menyw (b)	Frau *f*
	merch (b)	Mädchen *n*, Frau *f*, Tochter *f*
	merch (b) *ddibriod*	Fräulein *n*
	merch-yng-	Schwiegertochter *f*
	nghyfraith (b)	
dydd	**Mercher**	Mittwoch *m*
Dydd	*Mercher Lludw*	Aschermittwoch *m*
	merlen (b), **merlyn** (g)	Pony *n*
	mesur	messen
pren (g)	*mesur*	Lineal *n*
	mesurydd (g)	Maßband *n*
	metr (g)	Meter *m*
	metr (g) *sgwâr*	Quadratmeter *m*
	methedig	schwerbehindert
	methiant (g) [car]	Autopanne *f*
	methu	nicht können, schiefgehen, versagen
	mewn	in
tu	*mewn*	drinnen, in, innen, innerhalb
	mewn da bryd	pünktlich
	mewn gwirionedd	eigentlich, tatsächlich
treth (b)	*fewnforio*	Zoll *m*
	mewnfudo	einwandern
	mewnfudwr (g)	Immigrant *m*
	micro-don (b)	Mikrowelle *f*
	microffon (g)	Mikrofon *n*
	microsgop (g)	Mikroskop *n*
	migwrn (g)	Fußgelenk *n*
	mil (b)	tausend
	milfeddyg (g)	Tierarzt *m*
	miliwn (b)	Million *f*
	miliynydd (g)	Millionär *m*
	milwr (g)	Soldat *m*
	milltir (b)	Meile *f*
	min (g) **y coed**	Waldrand *m*
	miniog	scharf, spitz
	minlliw (g)	Lippenstift *m*
	mis (g)	Monat *m*

	mis (g) *ymprydio*	Fastenmonat *m*
	mitsio	schwänzen
	miwsli (gb)	Müesli *n*
	mochyn (g)	Schwein *n*
cig (g) *moch*		Schweinefleisch *n*, Schinken *m*
	mochyn (g) *cwta*	Meerschweinchen *n*
	modern	modern
	modrwy (b)	Ring *m*
	modryb (b)	Tante *f*
	modur (g)	Motor *m*
beic (g) *modur*		Motorrad *n*, Kraftrad *n*
	modd (g)	Mittel *n*, Art *f*
gwaetha'r modd		leider, unglücklicherweise
	fodd bynnag	zwar
	moel	kahl
pen (g) *moel*		Glatze *f*
	moesgar	höflich
	moethus	fein
	moethusrwydd (g)	Luxus *m*
	mofyn	wollen
	mogi	ersticken
	moment (b)	Moment *m*
	moped (g)	Mofa *n*, Moped *n*
	mor	so, wie
	môr (g)	Meer *n*, See *f*
salwch (g) *môr*		Seekrankheit *f*
y Môr Udd		Ärmelkanal *m*
y Môr Baltig		Ostsee *f*
Môr y Canoldir		Mittelmeer *m*
Môr Llychlyn		Ostsee *f*
	môr-forwyn (b)	Nixe *f*
	mordaith (b)	Schiffsreise *f*, Kreuzfahrt *f*, Überfahrt *f*
	morfil (g) **glas**	Blauwal *m*
	moronen (b)	Karotte *f*
	morwr (g)	Seemann *m*
	morwyn (b)	Jungfrau *f*
cytser (g) *y Forwyn*		Jungfrau *f*
	mudferwi	sieden
	mudiad (g)	Verein *m*

munud (gb)	Minute *f*
mur (g)	Mauer *f*
murddun (g)	Trümmer *pl*
mwclis (ll)	Halskette *f*, Perlenkette *f*
mwg (g)	Rauch *m*; Becher *m*
mwgwd (g)	Maske *f*, Faschingsmaske *f*
mwng (g)	Mähne *f*
mwll	schwül
Mwslimaidd	mohammedanisch
mwstard (g)	Senf *m*
mwstás[h] (g)	Oberlippenbart *m*, Schnurrbart *m*
mwy	mehr [viel]
mwy na thebyg	wahrscheinlich
mwy neu lai	ungefähr, circa
mwyaf	am meisten [viel]
gan mwyaf	hauptsächlich, meistens
gorau po fwyaf	je mehr ... desto
rhan fwyaf	überwiegend
mwyafrif (g)	Großteil *m*, Mehrheit *f*, Mehrzahl *f*
mwyn	mild, zart, lieb, nett, gutmütig
er mwyn	damit, um zu, zwecks
mwynglawdd (g)	Bergwerk *n*
mwynhau	genießen, sich unterhalten
mwyniant (g)	Freude *f*
dŵr (g) *mwynol*	Mineralwasser *n*
mwynwr (g)	Bergarbeiter *m*
mwytho	streicheln
myfi	ich
myfïol	egoistisch
myfyriwr (g)	Student *m*
myfyrwraig (b)	Studentin *f*
mygu	ersticken
mynach (g)	Mönch *m*
mynachlog (b)	Kloster *n*
mynd	fahren, gehen, sich begeben, vergehen
wedi mynd	ausgehen
mynd a dod	hin und zurück
mynd am dro	spazieren, spazierengehen
mynd ar gefn beic	radfahren
mynd ar gefn ceffyl	reiten

mynd ar goll	sich verlaufen
mynd i ffwrdd	fortfahren, abhauen, weggehen
mynd o chwith	schiefgehen
mynd ymlaen	weitermachen, fortsetzen, fortfahren, weitergehen
mynd yn	werden
mynd yn brin	ausgehen
mynedfa (b)	Eingang *m*, Einfahrt *f*, Einstieg *m*, Toreingang *m*
mynediad am ddim	Eintritt frei
mynegbost (g)	Straßenschild *n*, Wegweiser *m*
mynegi	ausdrücken
mynegiad (g)	Ausdruck *m*
mynegiant (g)	Ausdruck *m*
mynnu	befehlen, kommandieren, bestehen auf
mynwent (b)	Friedhof *m*
mynwes (b)	Brust *f*
yn fynych	oft
mynydd (g)	Berg *m*, Gebirge *n*

na, nag	als
na(c) … na(c) …	weder … noch
nad	nicht
Nadolig (g)	Weihnachten *n*
adeg (b) *y Nadolig*	Weihnachtszeit *f*
coeden (b) *Nadolig*	Weihnachtsbaum *m*
gwyliau (ll) *Nadolig*	Weihnachtsferien *pl*
Nadolig Llawen	frohe Weihnachten, fröhliche Weihnachten
nadu	heulen
naddwr (g) [pensiliau]	Anspitzer *m*
nage	nein
nai (g)	Neffe *m*
naill ai … neu	entweder … oder
y naill … y llall	der eine … der andere
nain (b)	Großmutter *f*, Oma *f*
hen nain (b)	Urgroßmutter *f*
nam (g)	Defekt *m*
napcyn (g)	Serviette *f*
narsisws (g)	Narzisse *f*
natur (b)	Wesen *n*, Natur *f*
naturiol	natürlich, selbstverständlich; ungezwungen
naw	neun
nawfed	neunte
nawr	eben, jetzt, nun
hyd yn awr	bisher
nawr ac yn y man	ab und zu, von Zeit zu Zeit
neb	keiner, niemand
nef (b), **nefoedd** (ll)	Himmel *m*
neges (b)	Nachricht *f*, Notiz *f*, Kommunikation *f*
negyddol	negativ
neidio	hüpfen, springen
neidr (b)	Schlange *f*
neilltuo	reservieren
neilltuol	speziell
neisied (b)	Taschentuch *n*
nemor	kaum
nenfwd (b)	Decke *f*
nerfus	angespannt, nervös

	nerth (g)	Kraft *f*, Stärke *f*
	nerthol	kräftig, stark
	nes	näher [nah]
hyd	*nes ymlaen*	bis bald, bis gleich
yn	*nes ymlaen*	später
	nesaf	nächste [nah]
drws	*nesaf*	nebenan
	nesáu	sich nähern
	neu	oder
	neuadd (b)	Halle *f*, Saal *m*, Aula *f*, Heim *n*, Studentenheim *n*
	neuadd (b) *chwaraeon*	Sporthalle *f*, Turnhalle *f*
	neuadd (b) *y dref*	Rathaus *n*
	newid	ändern, wechseln, umsteigen, einlösen, umziehen
	newid yn	werden
	newydd	gerade, neu
	newydd (g)	Neuigkeit *f*, Nachricht *f*, Tagesschau *f*
	newyddion (ll)	Nachrichten *pl*, Tagesschau *f*
	newyddiadurwr (g)	Journalist *m*
	newyn (g)	Hunger *m*
	newynog	hungrig
	nhw	sie
	ni	wir
	nicer (g)	Slip *m*
	nid	nicht
	nifer (gb)	Anzahl *f*, Menge *f*
	nifer o	mehrere, viele
	nifer o weithiau	zigmal
	niferus	zahlreich
	nionyn (g)	Zwiebel *f*
	nith (b)	Nichte *f*
	niwl (g)	Nebel *m*
	niwlog	nebelig, neblig
	niwtral	neutral
	nod (gb)	Lernziel *n*, Ziel *n*
	nodi	aufschreiben, Notizen machen
	nodio	nicken
	nodweddiadol	typisch
	nodyn (g)	Note *f*; Notiz *f*

	nofel (b)	Buch *n*, Roman *m*
	nofio	schwimmen
gwisg (b)	*nofio*	Badeanzug *m*
	nofiwr (g)	Schwimmer *m*
	nôl	holen, abholen
	nos (b)	Nacht *f*
canol (g)	*nos*	Mitternacht *f*
crys (g)	*nos*	Nachthemd *n*
hanner (g)	*nos*	Mitternacht *f*
	nos da	gute Nacht
	Nos (b) *Galan*	Sylvester *m/n*, Jahreswende *f*
	noswaith (b)	Abend *m*
	noswaith dda	guten Abend
	nudden (b)	Nebel *m*
	nwdl (b)	Nudel *f*, Teigwaren *pl*
	nwy (g)	Gas *n*
	nyddu	spinnen
	nyrs (b)	Arzthelferin *f*, Krankenpflegerin *f*, Krankenschwester *f*

O

	o	aus, von
	o'r blaen	vorig
	o'r diwedd	endlich, schließlich
	o'r gorau	in Ordnung
	o ... ymlaen	ab
	o amgylch	herum
	o bell ffordd	bei weitem
	o bosibl	eventuell, möglicherweise
	o bryd i'w gilydd	manchmal, von Zeit zu Zeit, zeitweise
	o flaen	vor
	o gwbl	gar, überhaupt
	o gwmpas	herum, um, ungefähr
	o hyd	immer noch, noch
	o leiaf	wenigstens, mindestens
	oblegid	da, weil
	ochr (b)	Seite f
wrth	ochr	neben
	od	komisch, seltsam
	odid	kaum
	oddi cartref	von zuhause
	oddi eithr	abgesehen von
	oed (g)	Alter n
hyd yn	oed	selbst, sogar, wenn auch
	oedolyn (g)	Erwachsene mf
	oedran (g)	Alter n
	oen (g)	Lamm n
cig (g)	oen	Lammfleisch n
	oer	kalt
teimlo'n	oer	frieren
	oeraidd	kühl
	oerfel (g)	Kälte f
	oergell (b)	Kühlschrank m
	oerllyd	kalt, kühl
	oes (b)	Alter n, Epoche f
	Oes (b) y Cerrig	Steinzeit f
	oes	es gibt; ja
	ofn (g)	Angst f
rhag	ofn	falls
	ofnadwy	furchtbar
	ofni	Angst haben, sich fürchten

258

ofnus	erschrocken
offer (ll)	Apparat *m*
offer (ll) *gwrthladrad*	Diebstahlsicherung *f*
offeren (b)	Messe *f*
offeryn (g)	Instrument *n*
offeryn (g) *cerdd*	Musikinstrument *m*
offerynnau (ll) *taro*	Schlagzeug *n*
yn ogystal â	sowohl … als auch
oherwydd	weil, da, denn; deshalb, deswegen
yn ôl	nach, zurück
troi yn ôl	umdrehen
ar ôl	nach; übrig
edrych ar ôl	pflegen, sich kümmern, in Schuß halten
un ar ôl y llall	einzeln
tu ôl	hinten, hinter
yn ôl ac ymlaen	hin und zurück
olaf	letzte
olew (g)	Öl *n*
tebot (g) *olew*	Ölkanne *f*
olew (g) *haul*	Sonnenöl *n*
ôl-gerbyd (g)	Anhänger *m*
olif (b)	Olive *f*
olion (ll)	Trümmer *pl*
olwyn (b)	Rad *n*
cadair (b) *olwyn*	Rollstuhl *m*
olwyn (b) *yrru*	Lenkrad *n*
oll	ganz
omled (g)	Omelett *n*
ond	aber, sondern, doch, jedoch; außer
dim ond	nur, erst, bloß
opera (b)	Oper *f*
oren (g)	Orange *f*, Apfelsine *f*
sudd (g) *oren*	Orangensaft *m*
organ (b)	Orgel *f*
organ (b) *geg*	Mundharmonika *f*
orgraff (b)	Rechtschreibung *f*
oriawr (b)	Armbanduhr *f*, Uhr *f*, Digitaluhr *f*
oriel (b)	Balkon *m*, Galerie *f*
oriog	launisch
os	falls, wenn, ob

heb	*os*	wirklich
	os amgen	sonst
	os gwelwch yn dda	bitte
	osgoi	ausweichen, meiden, vermeiden
ffordd (b)	*osgoi*	Umleitung *f*
haen (b)	*osôn*	Ozonschicht *f*
dim	*ots*	egal

P

	pa	was für
	pa fath	was für
	pa ffordd	wie
	pa mor aml	wie oft
	pa un, p'un	welche, wer
y	**Pab** (g)	Papst *m*
	pabell (b)	Zelt *n*
maes (g)	*pebyll*	Campingplatz *m*, Zeltplatz *m*
	pabi (g)	Mohn *m*
	paced (g)	Päckchen *n*, Packung *f*
	pacio	packen
	pad (g) **ysgrifennu**	Notizblock *m*
	padell (b)	Pfanne *f*, Bratpfanne *f*
	padlen (b)	Pedal *n*
	paen (g)	Scheibe *f*
	pafin (g)	Bürgersteig *m*, Gehsteig *m*
	palmant (g)	Bürgersteig *m*, Gehsteig *m*
	pam	warum, wieso, wozu
	pam lai	warum nicht
	pamffled (g)	Prospekt *m*
	pamffledyn (g)	Prospekt *m*
	pan	als, solange, während
	pancosen (b)	Pfannkuchen *m*
	pants (ll)	Unterhose *f*
	paprica (g)	Paprika *m*
	papur (g)	Papier *n*
arian (g)	*papur*	Geldschein *m*, Banknote *f*
	papur (g) *newydd*	Zeitung *f*
	papur (g) *wal*	Tapete *f*
	papuro	tapezieren
	para [parhau]	dauern, weitergehen
	parablu	plaudern
	paratoi	vorbereiten, zubereiten, bereiten
	parc (g)	Park *m*
	parc (g) *carafanau*	Campingplatz *m*
	parcio	abstellen, parken
maes (g)	*parcio*	Parkplatz *m*
	parchu	respektieren
	parchus	angesehen
	pardwn (g)	Pardon *m/n*

parhad (g)	Dauer *f*, Fortsetzung *f*
parhau	dauern, andauern, weitergehen, bleiben
parhaus	ununterbrochen
parod	fertig, bereit
arian (g) *parod*	Bargeld *n*, Kleingeld *n*
yn barod	bereits, längst, schon
parot (g)	Papagei *m*
parsel (g)	Päckchen *n*, Paket *n*
parti (g)	Fete *f*, Party *f*
partner (g)	Partner *m*
partneriaeth (b)	Partnerschaft *f*
Pasg (g)	Ostern *n*
gwyliau (ll) *'r Pasg*	Osterferien *pl*
pasio	bestehen; überholen
pasiwr (g)	Passant *m*
past (g) **dannedd**	Zahnpasta *f*
pasta (g)	Nudel *f*
pastai (b)	Kuchen *m*
pastwn (g)	Schläger *m*
pawb	jeder, jedermann
pe	wenn
pecyn (g)	Verpackung *f*
pedair (b), **pedwar** (g)	vier
pedal (g)	Pedal *n*
pedol (b)	Hufeisen *n*
pedronglog	viereckig
pedwar (g), **pedair** (b)	vier
pedwerydd (g),	vierter
pedwaredd (b)	
pefrio	blinken
peidio	aufhören
paid â becso	keine Angst
peilot (g)	Flugzeugpilot *m*
peintio	anmalen, anstreichen, bemalen, malen, streichen
peiriannydd (g)	Ingenieur *m*, Mechaniker *m*, Monteur *m*
peiriannydd (g) *trydan*	Elektrotechniker *m*
peiriant (g)	Apparat *m*, Maschine *f*
peiriant (g) *arian parod*	Geldautomat *m*
peiriant (g) *awtomatig*	Automat *m*

peiriant (g) *golchi*	Waschmaschine *f*
peiriant (g) *stereo*	Stereoanlage *f*, Anlage *f*
pêl (b)	Ball *m*
pêl-droed (b)	Fußball *m*
pêl-droediwr (g)	Fußballspieler *m*
pelen (b)	Kugel *f*
pêl-fasged (b)	Basketball *m/n*, Korbball *m/n*
pell	entfernt, weit
o bell ffordd	bei weitem
rheolaeth (b) *o bell*	Fernsteuerung *f*
yn bellach	weiter
pellennig	abgelegen
pell-reoledig	ferngesteuert
pellter (g)	Abstand *m*, Entfernung *f*, Strecke *f*
pen (g)	Kopf *m*, Ende *n*, Spitze *f*
ar ben	aus, zu Ende
ar ei ben ei hun	allein
dod i ben	enden, ausgehen; klarkommen
dwyn i ben	erledigen, vollenden
ffôn pen (g)	Kopfhörer *m*
pen (g) *moel*	Glatze *f*
pen (g) *tost*	Kopfschmerzen *pl*, Migräne *f*
penblwydd (g)	Geburtstag *m*
penblwydd (g) *hapus*	alles Gute zum Geburtstag
pencampwr (g)	Meister *m*
pencampwriaeth (b)	Meisterschaft *f*
pendant	bestimmt, gewiß, unbedingt
penderfyniad (g)	Entscheidung *f*
penderfynu	beschließen, entscheiden
pendics (g)	Blinddarm *m*
penelin (gb)	Ellbogen *m*, Ellenbogen *m*
pengaled	beharrlich
pen-glin (g)	Knie *n*
penglog (b)	Schädel *m*
penigamp	dufte
pennaeth (g)	Chef *m*, Vorgesetzte *m*
yn bennaf [pennaf]	hauptsächlich, überwiegend, vornehmlich
pennill (g)	Vers *m*
pennod (b)	Kapitel *n*, Folge *f*

pennog (g)	Hering *m*
penodi	ernennen
pen-ôl (g)	Po *m*
pensel (b), **pensil** (g)	Bleistift *m*, Farbstift *m*, Stift *m*
pensiwn (g)	Pension *f*
pentan (g)	Kamin *m*
pentref (g)	Dorf *n*, Ort *m*, Ortschaft *f*
pentref (g) *Olympaidd*	Olympiadorf *n*
pentwr (g)	Stapel *m*, Häufchen *n*
penwythnos (g)	Wochenende *n*
perchennog (g)	Besitzer *m*, Eigentümer *m*
perchenogi	besitzen
peren (b)	Birne *f*
pererin (g)	Pilger *m*
pererindod (gb)	Wallfahrt *f*
perfedd (ll)	Innereien *pl*
perffaith	perfekt
perffeithio	vervollständigen
perfformiad (g)	Leistung *f*; Vorführung *f*, Vorstellung *f*
perfformio	auftreten
peri	verursachen
perlysiau (ll)	Gewürz *n*, Kraut *n*, Heilkraut *n*
perllan (b)	Obstgarten *m*
persain	melodisch
persawr (g)	Parfüm *n*
persawrus	aromatisch
persli (g)	Petersilie *f*
person (g)	Mensch *m*, Person *f*
personol	persönlich
personoliaeth (b)	Persönlichkeit *f*
perswadio	überreden
pert	hübsch, niedlich, schön
perthyn	gehören, angehören
perthynas (gb)	Verhältnis *n*, Beziehung *f*; Verwandte *mf*
perygl (g)	Gefahr *f*
peryglus	gefährlich
peswch, pesychu	husten
petrol (g)	Benzin *n*, Treibstoff *m*
gorsaf (b) *betrol*	Tankstelle *f*
petryal (g)	Rechteck *n*

	peth (g)	Ding *n*, Gegenstand *m*, Sache *f*
unrhyw	*beth*	irgendwas
	pethau (ll)	Krimskrams *m*, Zeug *n*
mân	*bethau* (ll)	Krimskrams *m*, Zeug *n*
	piano (g)	Klavier *n*
	pibell (b)	Pfeife *f*
	picell (b)	Speer *m*
	picnic (g)	Picknick *n*
	picwnen (b)	Wespe *f*
	pigfain	spitz
	pigo	aussuchen, auswählen; pflücken; stechen
	pigyn (g)	Spitze *f*
	pil (g)	Schale *f*
	pili-pala (g)	Schmetterling *m*
	pilio	schälen
	pin (g) **inc**	Füller *m*
	pin (g) *bawd*	Reißzwecke *f*
	pinafal (g)	Ananas *f*
	pinc	rosa
	pinsiaid (g) **o halen**	Prise *f* Salz
	pinsiwrn (g)	Pinzette *f*
	pishyn (g)	Stück *n*
cneuen (b)	**bistasio** [pistasio]	Pistazie *f*
	pistol (g)	Pistole *f*
	piti	wie schade!
	piwrî (g)	Püree *n*, Kartoffelpüree *n*
	planed (b)	Planet *m*
	planhigyn (g)	Pflanze *f*, Topfpflanze *f*
	plannu	pflanzen
	plas (g)	Palast *m*
	plastig (g)	Kunststoff *m*
	plastr (g)	Pflaster *n*; Gips *m*
	plastr (g) *gludiog*	Heftpflaster *n*
	plasty (g)	Schloß *n*, Palast *m*
	plât (g)	Teller *m*, Platte *f*
	platfform (g)	Bahnsteig *m*
	plentyn (g)	Kind *n*
unig	*blentyn* (g)	Einzelkind *n*
	pleser (g)	Freude *f*
gyda	*phleser*	gern geschehen, mit Freude

plet (b)	Falte *f*
pletio	falten
pleth (b)	Zopf *m*
plicio	schälen
plisgyn (g)	Schale *f*
ploryn (g)	Pickel *m*
pluen (b)	Feder *f*
plwyf (g)	Gemeinde *f*
plyg (g)	Falte *f*
plygu	falten, klappen, abbiegen
plymio	eintauchen, tauchen
pôb	gebacken
pob	jeder, jeweils
pob dymuniad da	alles Gute
pobi	backen
pobl (b)	Mensch *m*, Leute *pl*, Volk *n*
pobl (b) *leol*	Einheimische *m/f*
poblogaidd	beliebt, populär
pobydd (g)	Bäcker *m*
poced (gb)	Tasche *f*, Sack *m*
pocedu	einstecken
poen (gb)	Schmerz *m*, Beschwerde *f*
poen (gb) *yn y bol*	Bauchschmerzen *pl*
poeni	sich Sorgen machen, stören, nerven
poenus	schmerzhaft; weh
poeri	spucken
poeth	heiß; scharf
poethi	erhitzen, heizen
pôl (g) **piniwn**	Befragung *f*, Umfrage *f*
polyn (g)	Pfahl *m*, Holzstange *f*
pont (b)	Brücke *f*
popeth	alles
popeth yn iawn	in Ordnung
popty (g)	Ofen *m*
porfa (b)	Gras *n*, Weide *f*, Wiese *f*
porffor	purpur
Portiwgal (b)	Portugal
Portiwgaleg (b)	Portugiesisch *n*
Portiwgeaidd	portugiesisch
porth (g)	Tor *n*
porthladd (g)	Hafen *m*, Hafenstadt *f*

	portread (g)	Steckbrief *m*
	pôs (g)	Puzzle *n*, Rätsel *n*, Kreuzworträtsel *n*
	posibilrwydd (g)	Möglichkeit *f*
	posibl	möglich
o	*bosibl*	eventuell, möglicherweise
	positif	positiv
	post (g)	Post *f*
cerdyn (g)	*post*	Ansichtskarte *f*, Postkarte *f*
swyddfa (b)	*bost*	Postamt *n*, Post *f*
	poster (g)	Plakat *n*, Poster *n*
	postio	einwerfen
	postmon (g)	Briefträger *m*
	postyn (g)	Pfahl *m*
	pot (g)	Kännchen *n*, Kanne *f*, Kaffeekanne *f*
	potel (b)	Flasche *f*
banc (g)	*poteli*	Altglas *n*
	potes (g)	Hühnersuppe *f*, Suppe *f*
	powdr (g) **golchi**	Waschpulver *n*
	powlen (b)	Schale *f*, Schüssel *f*
	practis (g)	Praxis *f*
	pralin (g)	Praline *f*
	prawf (g)	Prüfung *f*
	preifat	privat
gwersi (ll)	*preifat*	Nachhilfe *f*
	pren (g)	Holz *n*, Baum *m*
	pren (g) *mesur*	Lineal *n*
	prentis (g)	Auszubildende *m/f*
	pres (g)	Messing *n*
	presgripsiwn (g)	Rezept *n*
	preswylfa (b)	Wohnort *m*
	preswylio	wohnen, bewohnen
	preswyliwr (g)	Bewohner *m*
	preswylydd (g)	Bewohner *m*
	pridd (g)	Erde *f*
	prif-	Haupt-
	prifathro (g)	Schuldirektor *m*, Leiter *m*
	prifddinas (b)	Hauptstadt *f*
	priffordd (b)	Bundesstraße *f*
	Prif Weinidog (g)	Ministerpräsident *m*
	prifysgol (b)	Universität *f*, Uni *f*

prin	selten, kaum
go brin	kaum
mynd yn brin	ausgehen
prinder (g)	Mangel *m*
priod (gb)	Partner *m*, Gatte *m*, Gattin *f*
priod	verheiratet
priodas (b)	Ehe *f*, Heirat *f*, Hochzeit *f*
priodi	heiraten
wedi priodi	verheiratet
priodol	geeignet, passend
pris (g)	Preis *m*, Kosten *pl*
pris (g) *gostyngol*	Ermäßigung *f*
problem (b)	Problem *n*
profi	prüfen, testen, kontrollieren, kosten, erleben
profiad (g)	Erlebnis *n*, Erfahrung *f*
cael profiad	erleben
proffwydo	voraussagen
prosesydd (g) **geiriau**	Textverarbeitung *f*
prosiect (g)	Projekt *n*
protein (g)	Eiweiß *n*
pruddglwyfus	deprimiert
pryd (g)	Zeit *f*; Essen *n*
pryd (g) *o fwyd*	Gericht *n*, Mahlzeit *f*, Speise *f*
pryd	wann
ar hyn o bryd	jetzt, momentan
ar yr un pryd	gleichzeitig
mewn da bryd	pünktlich
o bryd *i'w gilydd*	manchmal, von Zeit zu Zeit, zeitweise
pryd hynny	damals
Prydain Fawr (b)	Großbritannien
Prydeinig	britisch
Prydeiniwr (g)	Brite *m*
pryder (g)	Sorge *f*
pryderu	sich Sorgen machen
pryderus	besorgt
prydferth	schön, wunderschön
prydlon	pünktlich
pryf (g) **copyn**	Spinne *f*
pryf (g) *genwair*	Köder *m*

pryfyn (g)	Insekt *n*
prynhawn (g)	Nachmittag *m*
prynhawn/pnawn da	guten Tag
prynu	kaufen, lösen, besorgen
prysur	geschäftig, eilig, unternehmungslustig; besetzt
prysurdeb (g)	Hektik *f*
pump, pum	fünf
pumed	fünfte
punt (b)	Pfund *n*
pupur (g)	Peperoni *f/pl*, Pfeffer *m*
pupur (g) *coch/gwyrdd*	Paprika *m*
pur	rein
pwdin (g)	Pudding *m*, Nachtisch *m*
pwdlyd	launisch
pŵer (g)	Macht *f*
pwerus	mächtig
pŵl	trüb
pwlofer (gb)	Pullover *m*, Pulli *m*
pwll (g) **glo**	Bergwerk *n*
pwll (g) *nofio*	Schwimmbad *n*
pwmp (g) **petrol**	Zapfsäule *f*
pwmpernicl (g)	Pumpernickel *n*
pwnc (g)	Fach *n*, Schulfach *n*, Thema *n*, Gegenstand *m*
pwns (g) [diod]	Bowle *f*
pwrpas (g)	Zweck *m*
pwrs (g)	Portemonnaie *n*, Geldbeutel *m*
pwy	wer, wessen
Gwlad **Pwyl** (b)	Polen
Pwylaidd	polnisch
Pwyleg (b)	Polnisch *n*
pwyll (g)	Klugheit *f*, Vorsicht *f*
pwynt (g)	Punkt *m*
pwyntio at	zeigen
pwys (g)	Pfund *n*
ar **bwys**	neben
pwysau (g)	Gewicht *n*
colli pwysau	abnehmen
pwysedd (g)	Druck *m*
pwysedd (g) *aer*	Luftdruck *m*
pwysig	wichtig, dringend

pwysigrwydd (g)	Bedeutung *f*
pwysleisio	unterstreichen
pwyso	wiegen; drücken
pwyth (g)	Stich *m*
pymtheg	fünfzehn
un ar bymtheg	sechzehn
pyped (g)	Marionette *f*, Puppe *f*
pysen (b)	Erbse *f*
pysgneuen (b)	Erdnuß *f*
pysgodyn (g)	Fisch *m*
pysgodyn (g) *aur*	Goldfisch *m*
cytser (g) *y Pysgod*	Fische *pl*
pysgod (ll) *cregyn*	Muschel *f*
pysgota	angeln, fischen
pysgotwr (g)	Fischer *m*

R

raced (b)	Schläger *m*, Tennisschläger *m*
racŵn (g)	Waschbär *m*
radio (g)	Rundfunk *m*, Radio *m/n*
radis (gb)	Radieschen *n*
rafioli (ll)	Ravioli *pl*
ras (b)	Rennen *n*
ras (b) *geffylau*	Pferderennen *n*
rasel (b) **drydan**	Rasierapparat *m*
record (b)	Platte *f*, Schallplatte *f*
recordio	aufnehmen
recordydd (g) **fideo**	Videogerät *n*, Videorekorder *m*
recordydd (g) *tâp*	Kassettenrecorder *m*
reis (g)	Reis *m*
rinsio	ausspülen
robin goch (g)	Rotkehlchen *n*
rŵan	jetzt, nun
rwbel (g)	Trümmer *pl*
rwber (g)	Gummi *m/n*, Radiergummi *m*
rwdlan	quatschen
Rwsia (b)	Rußland
Rwsiaidd	russisch
Rwsieg (b)	Russisch *n*
rysait (b)	Kochrezept *n*, Rezept *n*

	rhacsyn (g)	Lumpen *m*
	rhad	billig, preisgünstig, preiswert
yn	*rhad*	kostenlos
	rhadlon	gutmütig
yn	*raddol*	allmählich
	rhaffordd (b) **fynydd**	Seilbahn *f*
	rhag	bevor, vor
	rhag ofn	falls
	rhagair (g)	Einleitung *f*
	rhagarchebiad (g)	Voranmeldung *f*
	rhagarweiniad (g)	Einleitung *f*
	rhagdybio	vermuten
	rhagfarn (b)	Vorurteil *n*
	rhagfarn (b) *hiliol*	Rassismus *m*
	rhagfarnllyd	voreingenommen
	rhagflaenydd (g)	Vorgänger *m*
[mis]	**Rhagfyr** (g)	Dezember *m*
	rhaglen (b)	Programm *n*, Sendung *f*
	rhaglen (b) *deledu*	Fernsehsendung *f*
	rhagnodi	verschreiben
	rhagnodyn (g)	Rezept *n*
	rhagolwg (g)	Aussicht *f*
	rhagolygon (ll) *y tywydd*	Wetterbericht *m*, Wettervorhersage *f*
	rhagor	mehr [viel]
	rhagori ar	übertreffen
	rhagorol	herrlich
	rhagweld	vorhersehen
	rhai	einige, mehrere, paar, welche, einzeln
bod	*rhaid*	müssen, verpflichtet sein
	rhamantus	romantisch
	rhan (b)	Teil *m*, Portion *f*, Ausschnitt *m*, Auszug *m*; Rolle *f*
cymryd	*rhan*	teilnehmen
	rhan fwyaf	überwiegend
	rhan (b) *fwyaf*	Großteil *m*, Mehrzahl *f*
	rhanbarth (g)	Gegend *f*, Region *f*
	rhanedig	geteilt
	rhannol	teilweise
	rhannu	teilen, austeilen, verteilen
	rhastl (b)	Gestell *n*

rhedeg	laufen, rennen
rhedeg i ffwrdd	weglaufen
rhedegfa (b)	Piste *f*, Skipiste *f*
rhedfa (b) **sgïo**	Piste *f*, Skipiste *f*
rhediad (g)	Lauf *m*, Piste *f*
rhegi	schimpfen
rheng (b)	Reihe *f*
rheiddiadur (g)	Heizung *f*
rheilen (b)	Gleis *n*
rheilffordd (b)	Eisenbahn *f*, Bahn *f*
rheilffordd (b) *danddaearol*	Untergrundbahn *f*
rhent (g)	Miete *f*
rhentu	mieten
rheol (b)	Grundregel *f*, Spielregel *f*
rheolaeth (b)	Herrschaft *f*
rheolaeth (b) *o bell*	Fernsteuerung *f*
rheolaidd	regelmäßig
rheoli	kontrollieren
rheolwr (g)	Leiter *m*
rheolwr (g) *o bell*	Fernsteuerung *f*
rhes (b)	Reihe *f*, Linie *f*, Streifen *m*
tŷ (g) *rhes*	Reihenhaus *n*
rhestl (b)	Gestell *n*
rhestr (b)	Liste *f*
rhestr (b) *siopa*	Einkaufszettel *m*, Einkaufsliste *f*
rhestren (b)	Inventar *n*
rheswm (g)	Ursache *f*, Grund *m*
rhesymol	vernünftig, preisgünstig, preiswert, billig
rhew (g)	Frost *m*, Eis *n*
rhewgell (b)	Gefriertruhe *f*, Tiefkühltruhe *f*
rhewgist (b)	Gefriertruhe *f*, Tiefkühltruhe *f*
rhewi	frieren
rhewllyd	eiskalt, frostig
rhidyll (g)	Sieb *n*
rhieni (ll)	Eltern *pl*
rhif (g)	Nummer *f*, Zahl *f*, Ziffer *f*
rhif (g) *ffôn*	Telefonnummer *f*
rhifo	zählen
rhifyn (g)	Nummer *f*

	rhigol (b)	Rille *f*
	rhin (b)	Essenz *f*
	rhisgl (ll)	Rinde *f*
	rhith (g)	Schein *m*
	rhodio	bummeln
	rhodd (b)	Geschenk *n*
	rhoddi	geben
	rhoi	geben, reichen, überlassen
	rhoi'n ôl	zurückgeben
	rhoi benthyg	leihen, auslegen
	rhoi gwybod	Bescheid sagen, informieren, mitteilen
	rhoi'r gorau i	aufhören
	rhoi yn lle	ersetzen
	rholio	rollen, ausrollen
esgid (b)	*rolio*	Rollschuh *m*
	rholyn (g)	Rolle *f*; Roulade *f*
	rhos (b)	Heide *f*
	rhostio	grillen
	rhuban (g)	Band *n*
	rhuddygl (g)	Radieschen *n*
	Rhufain (b)	Rom
	rhugl	fließend
	rhuthro	rasen
	rhwbio	reiben, einreiben; abwischen
	rhwng	zwischen
	rhwyd (b)	Netz *n*
	rhwydwaith (g)	Netzwerk *n*
	rhwydd	leicht
	rhwyf (b)	Ruder *n*
	rhwyfo	rudern
	rhwyg (g)	Riß *m*
	rhwygo	schlitzen, zerreißen, abreißen
	rhwyllog (g)	Mullbinde *f*
	rhwymyn (g)	Band *n*, Verband *m*, Mullbinde *f*
	rhwystr (g)	Sperre *f*
	rhwystro	behindern
	rhy	zu
	rhybudd (g)	Achtung *f*

rhybuddio	mahnen
rhych (gb)	Rille *f*
rhydd	frei, los, locker
dolur (g) *rhydd*	Durchfall *m*
rhyddid (g)	Freiheit *f*
rhyfedd	komisch, seltsam, unheimlich
rhyfeddol	wunderbar
rhyfel (g)	Krieg *m*
y Rhyfel Byd Cyntaf	der Erste Weltkrieg
yr Ail Ryfel Byd	der Zweite Weltkrieg
rhyngwladol	international
rhynnu	frieren
rhythu	glotzen
rhyw	sicher
rhyw (b)	Geschlecht *n*
rhywbeth	etwas
rhywfaint	einige, paar, welche, etwas
rhywun	jemand, man

S

sacsoffôn (g)	Saxophon *n*
sach (b)	Sack *m*, Tüte *f*
sach (b) *gysgu*	Schlafsack *m*
dydd **Sadwrn**	Samstag *m*, Sonnabend *m*
Saesneg (b)	Englisch *n*
Saesnes (b)	Engländerin *f*
saeth (b)	Pfeil *m*
saethu	schießen, erschießen
saethydd (g)	Schütze *m*
cytser (g) *y Saethydd*	Schütze *m*
safadwy	fest
safle (gb)	Standort *m*, Lage *f*, Stelle *f*
safle (gb) *adeiladu*	Baustelle *f*
safnio	fressen
safon (b)	Niveau *n*
saib (g)	Pause *f*
saig (b)	Speise *f*
saim (g)	Fett *n*, Schmalz *n*
Sais (g)	Engländer *m*
saith	sieben
sâl	krank, übel
sâl môr	seekrank
salad (g)	Salat *m*
hufen (g) *salad*	Mayonnaise *f*
salami (g)	Salami *f*
salw	häßlich
salwch (g)	Krankheit *f*
salwch (g) *môr*	Seekrankheit *f*
sanctaidd	heilig
sandal (gb)	Sandale *f*
sardîn (g)	Sardelle *f*
sawdl (gb)	Ferse *f*
sawl	wie viele
sawl gwaith	x-fach, zigmal
saws (g)	Soße *f*
saws (g) *tomato/coch*	Ketchup *n*, Tomatenketchup *n*
Sbaen (b)	Spanien
Sbaenaidd	spanisch
Sbaeneg (b)	Spanisch *n*
sbaner (g)	Schraubenschlüssel *m*
sbâr	übrig

sbectol (b)	Brille *f*
sbectol (b) *haul*	Sonnenbrille *f*
sbeis (g)	Gewürz *n*
sbeislyd	scharf
sbigoglys (g)	Spinat *m*
sbïo	schauen
sboncen (b)	Squash *n*
sboncio	hüpfen
sboncyn (g)	Heuschrecke *f*
ffair (b) *sborion*	Flohmarkt *m*
sbri (g)	Spaß *m*
sbwriel (g)	Abfall *m*, Mist *m*, Müll *m*
sebon (g)	Seife *f*
sedd (b)	Sitz *m*, Sitzplatz *m*
sef	nämlich, und zwar
sefydlu	gründen
sefyll	stehen
sefyllfa (b)	Lage *f*
sengl	alleinstehend, ledig, unverheiratet
tocyn (g) *sengl*	Einzelfahrschein *m*
seibiant (g)	Pause *f*
seiclo	radfahren
seimllyd	fettig
seinio	ertönen, klingen
Seisnig	englisch
seithfed	siebente, siebte
sêl (b)	Sonderangebot *n*
seler (b)	Keller *m*, Untergeschoß *n*
seleri (b)	Sellerie *m*
selogyn (g)	Fan *m*
selsig (ll), **selsigen** (b)	Wurst *f*, Fleischwurst *f*
serch (g)	Liebe *f*
serch	obwohl
serch hynny	trotzdem
serchus	lieb
seren (b)	Stern *m*
seren (b) *ffilm*	Filmstar *m*
set (b)	Set *n*, Satz *m*
sffêr (b)	Kugel *f*
sgarff (b)	Halstuch *n*, Schal *m*

sgert (b)	Rock *m*
sgert (b) *fini*	Minirock *m*
sgi (b)	Ski *m*, Schi *m*
sgïo	Ski fahren, Ski laufen
sglefrio	eislaufen, Schlittschuh laufen
esgid (b) *sglefrio*	Schlittschuh *m*
llwybr (g) *sglefrio*	Eisbahn *f*
sglefrolio	Rollschuh fahren
sgleinio	glänzen, leuchten
sglodion (ll) [tatws]	Pommes *pl* frites
sgolor (g)	Wissenschafter *m*
sgorio	punkten
sgorpion (g)	Skorpion *m*
cytser (g) *y Sgorpion*	Skorpion *m*
sgrialu	Skateboard fahren
sgrîn (b)	Bildschirm *m*, Leinwand *f*; Windschutzscheibe *f*
sgriwdreifer (g)	Schraubenzieher *m*
sgwâr (gb)	Platz *m*
metr (g) *sgwâr*	Quadratmeter *m*
sgwarnog (b)	Hase *m*
sgwarog	kariert
sgwrs (b)	Gespräch *n*, Konversation *f*, Unterhaltung *f*, Dialog *m*
sgwrsio	plaudern, sprechen
sgŵter (g)	Autoscooter *m*
siaced (b)	Jacke *f*
siachmat (g)	Schachmatt *n*
siafio	sich rasieren
siafft (b)	Schacht *m*
sialc (g)	Kreide *f*
sialóts (ll)	Schalotte *f*
siampaen (gb)	Champagner *m*, Schaumwein *m*, Sekt *m*
sianel (b)	Kanal *m*
siarad	sprechen, reden, diskutieren
siarad ar y ffôn	telefonieren
mân siarad	Gerede *n*
siarcol (g)	Zeichenkohle *f*
siawns (b)	Chance *f*, Gelegenheit *f*
sibols (ll), **sibwns** (ll)	Schalotte *f*

sicr	sicher
yn *sicr*	bestimmt
sicrhau	gewährleisten, befestigen
sicrwydd (g)	Sicherheit *f*, Pfand *n*
sidan (g)	Seide *f*
sidydd (g)	Sternkreis *m*
arwydd (gb) *y* *sidydd*	Sternzeichen *n*
siec (b)	Scheck *m*
llyfr (g) *siec*	Scheckheft *n*
siec (b) *deithio*	Reisescheck *m*
siecrog	kariert
sifft (b)	Schicht *f*
sigâr (b)	Zigarre *f*
sigarét (b)	Zigarette *f*
siglo	schütteln
sigo	verstauchen
silff (b)	Regal *n*
sillafu	buchstabieren
simnai (b)	Kamin *m*
simpansî (g)	Schimpanse *m*
sinamon (g)	Zimt *m*
sinc (g)	Waschbecken *n*, Geschirrspülbecken *n*, Spüle *f*
Sinderela	Aschenputtel *n*
sinema (b)	Kino *n*
sioc (g)	Schreck *m*
siocled (g)	Schokolade *f*
diod (b) *siocled*	Kakao *m*
sioe (b) **ffasiwn**	Modeschau *f*
siomedig	deprimiert, enttäuscht
Siôn Corn	Sankt Nikolaus
sionc	aktiv, dynamisch, unternehmungslustig
sioncyn (g) **y gwair**	Heuschrecke *f*
siop (b)	Geschäft *n*, Laden *m*, Kaufhaus *n*, Warenhaus *n*
siop (b) *dybaco*	Tabakladen *m*, Trafik *f*
siop (b) *emau*	Juwelier *m*
siop (b) *fara*	Bäckerei *f*
siop (b) *flodau*	Florist *m*
siop (b) *lyfrau*	Buchhandlung *f*
siopa (g)	Einkauf *m*

279

	siopa	einkaufen
	sip (g)	Zippverschluß *m*, Reißverschluß *m*
Cyngor (g)	*Sir*	Landtag *m*
	siriol	fröhlich, sympathisch
	siswrn (g)	Schere *f*
	siwgr (g)	Zucker *m*
	siwgr (g) *candi*	Zuckerwatte *f*
	siwgr (g) *eisin*	Zuckerguß *m*
	siwmper (b)	Pullover *m*, Pulli *m*
	siwr	sicher
	siwrnai (b)	Fahrt *f*, Reise *f*
	siwt (b)	Anzug *m*
	siwt (b) *nofio*	Badeanzug *m*
	sledio	rodeln
	sleisen (b)	Schnitte *f*
	smocio	rauchen
	smotyn (g)	Fleck *m*, Klecks *m*
	smwddio	bügeln
haearn (g)	*smwddio*	Bügeleisen *n*
	smygu	rauchen
	soffa (b)	Sofa *n*, Couch *f*
	sôn am	erzählen; sich handeln um
	sosban (b)	Kochtopf *m*, Topf *m*, Suppentopf *m*
	sosej (b)	Würstchen *n*, Fleischwurst *f*, Wurst *f*
	soser (b)	Untertasse *f*
	stabl (b)	Stall *m*
	stad (b) **dai**	Wohnsiedlung *f*
	stad (b) *ddiwydiannol*	Industriegebiet *n*
	stadiwm (b)	Stadion *n*
	staen (g)	Fleck *m*, Klecks *m*
	stamp (g)	Briefmarke *f*, Postwertzeichen *n*
	stampio	entwerten, frankieren *n*
	stâr (b)	Treppe *f*
	steil (g) **gwallt**	Frisur *f*
	stêm (g)	Dampf *m*
peiriant (g)	*stereo*	Stereoanlage *f*, Anlage *f*
	stesion (b)	Bahnhof *m*
	sticer (g)	Aufkleber *m*, Sticker *m*
	sticio	kleben
	stiw (g)	Ragout *n*, Eintopf *m*

	stiward (g)	Steward *m*
	stiwardes (b)	Stewardeß *f*
	stocrestr (b)	Inventar *n*
	stôf (b) **lo**	Kohleofen *m*
	stôl (b)	Sitz *m*, Stuhl *m*
	stondin (gb)	Bude *f*
	stondin (gb) *byrbryd*	Büffet *n*
	stondin (gb) *hufen iâ*	Eisbude *f*
	stop (g)	Aufenthalt *n*
	stopio	halten, anhalten, stehenbleiben; aufhören
	stordy (g)	Lager *n*, Magazin *n*, Speicher *m*
	storfa (b)	Abstellraum *m*
	stori (b)	Märchen *n*, Roman *m*, Geschichte *f*
	stori (b) *dditectif*	Krimi *m*
	storio	aufbewahren
	storm (b)	Gewitter *n*, Sturm *m*
	stormus	stürmisch
	strapen (b)	Träger *m*
	streic (b)	Streik *m*
	streipen (b)	Streifen *m*
	strelio	ausspülen
	stribed (g)	Streifen *m*
	stribed (g) *comig*	Comic *m*
	strwdl (gb) **afalau**	Apfelstrudel *m*
	stryd (b)	Straße *f*
	stumog (b)	Magen *m*
	stwnsh (g)	Püree *n*
	sudd (g)	Saft *m*
	sudd (g) *oren*	Orangensaft *m*
	suddo	sinken
	sugno	saugen
	sugnydd (g) **llwch**	Staubsauger *m*
dydd	**Sul**	Sonntag *m*
y	**Sulgwyn** (g)	Pfingsten *n*
	sut	wie
	sut bynnag	jedenfalls, sowieso
	sut mae	hallo, wie geht's
	sŵ (g)	Tiergarten *m*, Zoo *m*
	Swedaidd	schwedisch
	Swedeg (b)	Schwedisch *n*

sŵfenir (g)	Andenken *n*
swil	schüchtern
y **Swistir**	Schweiz *f*
Almaeneg y Swistir	Schwyzerdütsch
Swistirwr (g)	Schweizer *m*
swits (g)	Schalter *m*
swllt (g)	Schilling *m*
swm (g)	Summe *f*
sŵn (g)	Geräusch *n*, Lärm *m*
swnio	ertönen, klingen
swnllyd	laut
swp (g)	Häufchen *n*
swper (gb)	Nachtmahl *n*, Abendessen *n*, Abendbrot *n*
swydd (b)	Arbeit *f*, Beruf *m*, Job *m*, Beschäftigung *f*, Stelle *f*, Arbeitsplatz *m*
swyddfa (b)	Büro *n*
swyddfa (b) *bost*	Postamt *n*, Post *f*
swyddfa (b) *deithio*	Reisebüro *n*
swyddfa (b) *eiddo coll*	Fundbüro *n*
swyddfa (b)*'r heddlu*	Polizeirevier *n*, Polizeiwache *f*
swyddogaeth (b)	Pflicht *f*
swynol	reizvoll
sych	trocken; niederschlagsfrei
syched (g)	Durst *m*
torri syched	Durst löschen
sychedig	durstig
sychu	trocknen, abwischen, abtrocknen
sychwr (g) **gwallt**	Fön *m*, Haarfön *m*
yn sydyn	plötzlich, auf einmal
syfïen (b)	Erdbeere *f*
sylfaenu	gründen
sylw (g)	Achtung *f*; Bemerkung *f*
talu sylw	beachten
sylweddoli	bemerken
sylwgar	aufmerksam
sylwi	beobachten, merken
syllu	glotzen
symffoni (gb)	Symphonie *f*
syml	bescheiden, einfach

282

symud	versetzen; einziehen, übersiedeln, umziehen; rühren
syndod (g)	Überraschung *f*
synhwyro	spüren, wahrnehmen
synhwyrol	vernünftig, klug, sinnvoll
syniad (g)	Idee *f*, Ahnung *f*
synied	sich vorstellen
synnu	staunen; überraschen
synnwyr (g)	Sinn *m*, Klugheit *f*, Vernunft *f*
synnwyr (g) *y fawd*	Faustregel *f*
sypyn (g)	Häufchen *n*
syrcas (b)	Zirkus *m*
syrffedu	genug haben von, sich langweilen
syrffio	surfen
syrthio	fallen, stürzen
syrthio mewn cariad	sich verknallen
syrthio i gysgu	einschlafen
system (b)	System *n*
syth	direkt, gerade
syth ymlaen	geradeaus

ta beth, ta waeth	sowieso
tabl (g)	Tabelle *f*
tabl (g) *caloriau*	Kalorientabelle *f*
tabled (b)	Tablette *f*, Schmerztablette *f*
taclus	nett, gepflegt
tacluso	aufräumen, putzen, abräumen, räumen
tacsi (g)	Taxi *n*
[mis] **Tachwedd** (g)	November *m*
tad (g)	Vater *m*, Vati *m*
tad-cu (g)	Großvater *m*, Opa *m*
hen dad-cu (g)	Urgroßvater *m*
tad-yng-nghyfraith (g)	Schwiegervater *m*
taenu	legen; streichen, belegen
taer	dringend
taeru	bestehen
tafarn (gb)	Gasthaus *n*, Gasthof *m*, Kneipe *f*, Bar *f*
tafell (b)	Scheibe *f*, Schnitte *f*
taflen (b) **waith**	Arbeitsbogen *m*
tafliad (g)	Einwurf *m*
taflod (b)	Dachboden *m*
taflu	werfen; würfeln
taflu i mewn	einwerfen
tafod (g)	Zunge *f*
tafodiaith (b)	Dialekt *m*
tafol (b)	Waage *f*
tagfa (b) **draffig**	Stau *m*
taid (g)	Großvater *m*, Opa *m*
hen daid (g)	Urgroßvater *m*
tail (g)	Mist *m*
tair (b), **tri** (g)	drei
taith (b)	Fahrt *f*, Reise *f*, Schiffsreise *f*
taith (b) *ddirgel*	ins Blaue fahren
tâl (g)	Gebühr *f*
tâl (g) *cofrestru*	Aufnahmegebühr *f*
tal	groß
talaith (b) **ffederal**	Bundesland *n*
taldra (g)	Größe *f*
taleb (b)	Beleg *m*, Bon *m*, Rechnung *f*
talent (b)	Fähigkeit *f*
taliad (g)	Gebühr *f*

	talu	zahlen, bezahlen
man (gb)	*talu*	Kasse *f*
	talu sylw	beachten
	talu toll	verzollen
ers	*talwm*	längst
	tamaid (g)	Häppchen *n*, Imbiß *m*
	tambwrîn (g)	Tamburin *n*
	tân (g)	Feuer *n*
allanfa (b)	*dân*	Notausgang *m*
	tân (g) *fforest*	Waldbrand *m*
	tân (g) *gwyllt*	Feuerwerk *n*
	tan	bis, unter
	tan toc	bis bald
	tanddaearol	unterirdisch
rheilffordd (b)	*danddaearol*	Untergrundbahn *f*
trên (g)	*tanddaearol*	U-Bahn *f*
	tanffordd (b)	Unterführung *f*
	taniad (g)	Schuß *m*
	tanio	zünden
	tanlinellu	unterstreichen
	tanwydd (g)	Treibstoff *m*
	tâp (g)	Band *n*
	tap (g)	Hahn *m*
	taranu	donnern
	tarddu	stammen, entstehen
	tarfu	stören
	targed (g)	Ziel *n*
	tarian (b)	Schild *m*
	taro	schlagen
offerynnau (ll)	*taro*	Schlagzeug *n*
	tarten (b)	Torte *f*
	tarth (g)	Nebel *m*
	tarw (g)	Stier *m*
cytser (g) *y*	*Tarw*	Stier *m*
	tarwden (b) **y traed**	Fußpilz *m*
	tasg (b)	Aufgabe *f*
	taten (b), **tatws** (ll)	Kartoffel *f*, Bratkartoffel *f*
	tatws (ll) **pwnio**	Kartoffelpüree *n*
	taw	daß

	T.A.W. [treth (b) ar werth]	Mehrwertsteuer *f*
	tawel	leise, still
	tawelu	beruhigen
	tawelwch (g)	Ruhe *f*
	te (g)	Tee *m*
	tebot (g)	Teekanne *f*
	tebot (g) *olew*	Ölkanne *f*
	tebyg	ähnlich
mwy na	*thebyg*	wahrscheinlich
yn	*debyg*	wahrscheinlich
	tebygol	möglich, wahrscheinlich
	teclyn (g)	Gerät *n*
	teclyn (g) *agor tun*	Dosenöffner *m*
	techneg (b)	Technik *f*
	technoleg (b)	Technik *f*
	teg	fair, schön
	tegan (g)	Spielzeug *n*
trên (g)	*tegan*	Modelleisenbahn *f*
	tegell (g)	Kessel *m*, Kanne *f*
	tei (gb)	Krawatte *f*, Schlips *m*
	teiar (g)	Reifen *m*
	teiar (g) *fflat*	Reifenpanne *f*
	teigr (g)	Tiger *m*
	teilyngu	verdienen
	teim (g)	Thymian *m*
	teimlad (g)	Gefühl *n*, Ahnung *f*
	teimlo	fühlen, spüren
	teimlo'n oer	frieren
	teip (g)	Typ *m*
	teipiadur (g)	Schreibmaschine *f*
	teipio	tippen, eintippen
	teirgwaith	dreimal
	teisen (b)	Kuchen *m*, Bäckerei *f*
	teisen (b) *gaws*	Käsekuchen *m*
	teisen (b) *sinsir*	Lebkuchen *m*
	teisennwr (g)	Konditor *m*
	teitl (g)	Titel *m*
	teits (ll)	Strumpfhose *f*
	teithio	fahren, reisen, verreisen

swyddfa (b)	*deithio*	Reisebüro *n*
	teithiwr (g)	Fahrgast *m*, Passagier *m*
trên (g)	*teithwyr*	Personenzug *m*
	teledu (g)	Fernsehen *n*, Fernseher *n*
rhaglen (b)	*deledu*	Fernsehsendung *f*
	telesgop (g)	Fernrohr *n*
	tenau	dünn, mager, schlank, schmal
	tennis	Tennis *n*
	tennis (g) *bwrdd*	Tischtennis *n*
	tennyn (g) [ci]	Leine *f*
	teras (g)	Terrasse *f*
tŷ (g)	*teras*	Reihenhaus *n*
	terfyn (g)	Ende *n*, Schluß *m*, Grenze *f*
	terfynu	enden
	terfysgu	randalieren
	tes (g)	Hitze *f*
	testun (g)	Text *m*, Thema *n*, Fach *n*, Schulfach *n*, Gegenstand *m*, Stoff *m*
	teulu (g)	Familie *f*
	teuluaeth (b)	Hauswirtschaft *f*
	teuluol	familiär
	tew	dick
	tewhau	zunehmen
	T.G.A.U.	Mittlere Reife
	ti	du
	til (g)	Kasse *f*
	tîm (g)	Mannschaft *f*, Arbeitsgruppe *f*
	tindroi	bummeln
	tip (g)	Tip *m*; Trinkgeld *n*
	tipyn	ein bißchen, wenig
	tir (g)	Land *n*, Gelände *n*, Grundstück *n*, Grund *m*, Gut *n*
	tirffurf (g)	Gelände *n*, Landschaft *f*
	tiriogaeth (b)	Revier *n*
	tirion	nett
	tirlun (g)	Landschaft *f*, Gelände *n*
	tirwedd (b)	Landschaft *f*
	titw tomos las (g)	Blaumeise *f*
	tiwb (g)	Tube *f*
	tiwlip (g)	Tulpe *f*
	tiwnio	stimmen

	tlawd	arm
	tlodi (g)	Elend *n*
	tlws	hübsch, niedlich
	tlysau (ll)	Schmuck *m*
	to (g)	Dach *n*
	toc	bald
	tocyn (g)	Karte *f*, Schein *m*, Fahrschein *m*, Fahrkarte *f*
	tocyn (g) *dwyffordd*	Rückfahrkarte *f*, Zweifahrtenkarte *f*
	tocyn (g) *mynediad*	Eintrittskarte *f*
	tocyn (g) *sengl*	Einzelfahrschein *m*
	toddi	schmelzen, zergehen
	toes (g)	Teig *m*
	toesen (b)	Krapfen *m*
	toiled (g)	Toilette *f*, WC *n*, Klo *n*
	tolio	knausern
	tollau (ll) **tramor**	Zoll *m*
talu	*toll*	verzollen
	tomato (g)	Tomate *f*
saws (g)	*tomato*	Ketchup *n*, Tomatenketchup *n*
	tomen (b)	Stapel *m*
	tomen (b) *wrtaith*	Komposthaufen *m*
	ton (b)	Welle *f*
	torcalonnus	deprimierend
	toredig	verfallen
	torf (b)	Menge *f*, Gedrängel *n*
	torheulo	bräunen, sich sonnen
	toriad (g)	Unterbrechung *f*, Pause *f*, Störung *f*; Schlitz *m*, Schnitt *m*; Auszug *m*
	toriad (g) *i lawr*	Autopanne *f*, Panne *f*
	torri	brechen, zerbrechen; schneiden, mähen; ausfallen
wedi	*torri*	kaputt
	torri allan/mas	ausbrechen; ausschneiden
	torri barf	sich rasieren
	torri syched	Durst löschen
	torrwr (g) **gwallt**	Friseur *m*
	torth (b)	Laib *m*
	tôst (g)	Toast *m*
	tost	weh, krank
gwddf (g)	*tost*	Halsschmerzen *pl*

288

pen (g)	**tost**	Kopfschmerzen *pl*, Migräne *f*
	tra	solange, während
	trac (gb)	Piste *f*
	tracwisg (b)	Trainingsanzug *m*
	trachefn	wieder
	traddodiad (g)	Tradition *f*
	traddodiadol	traditionell
	traean (g)	Drittel *n*
	traeth (g)	Strand *m*
	trafaelu	reisen
	traflyncu	fressen, verschlingen
	trafnidiaeth (b)	Verkehr *m*
	trafnidiaeth (b) *gyhoeddus*	öffentliches Verkehrsmittel *n*
	trafod	besprechen, diskutieren
	trafferth (gb)	Problem *n*
	traffig (g)	Verkehr *m*
	traffordd (b)	Autobahn *f*
	trais (g)	Gewalt *f*
	tramffordd (b)	Straßenbahn *f*
gwlad (b)	**dramor** [tramor]	Ausland *n*
	trampolîn (g)	Trampolin *n*
	traul (b)	Verbrauch *m*
	trawiad (g) **ar y galon**	Herzinfarkt *m*
ar	*draws*	über
dod ar	*draws*	unterkommen
	trechu	überwältigen
	tref (b)	Stadt *f*
neuadd (b) *y*	*dref*	Rathaus *n*
	tref (b) *ffynhonnau*	Kurort *m*
	trefn (b)	Ordnung *f*, Reihenfolge *f*, System *n*
	trefniant (g)	Termin *m*
	trefnu	sortieren, einordnen; organisieren, veranstalten; besorgen
	trem (b)	Blick *m*
	trên (g)	Zug *m*
	trên (g) *bwganod*	Geisterbahn *f*
	trên (g) *tanddaearol*	U-Bahn *f*
	trên (g) *tegan*	Modelleisenbahn *f*
	trên (g) *teithwyr*	Personenzug *m*

	treth (b)	Steuer *f*
	treth (b) *fewnforio*	Zoll *m*
	treuliau (ll)	Spesen *pl*
	treulio	verbringen, verbrauchen
	tri (g), **tair** (b)	drei
	trigain	sechzig
	trigfan (b)	Heim *n*, Wohnort *m*
	trigo	bewohnen, wohnen
	trigolyn (g)	Bewohner *m*, Einwohner *m*
	trin	behandeln
dyn (g)	*trin gwallt*	Friseur *m*
	triniaeth (b)	Behandlung *f*
	trio	probieren, versuchen, anprobieren
	triongl (g)	Dreieck *n*
	trionglog	dreieckig
	trip (g)	Ausflug *m*, Ausfahrt *f*
	tripled (g)	Drilling *m*
	trist	traurig, deprimierend
chwarae	**triwant**	schwänzen
	tro (g)	Mal *n*
ar y	*tro*	jeweils
	tro (g)	Wanderung *f*
mynd am	*dro*	spazieren, spazierengehen
	tro (g) *i siopa*	Einkaufsbummel *m*
	tro (g), **troad** (g)	Kurve *f*
aros eich	*tro*	Schlange stehen
hen	*dro*	schade
eich	*tro chi yw hi*	dran sein
	troad (g) **y flwyddyn**	Jahreswende *f*
	trochi	baden, eintauchen
	troed (gb)	Fuß *m*
ar	*droed*	zu Fuß
	troed-rolio	Rollschuh fahren
	troedfedd (b)	Fuß *m*
	troedio	treten, stapfen
	troedlath (b)	Pedal *n*
	troelli	schleudern
	trofa (b)	Kurve *f*
	troi	wenden, umdrehen, abbiegen; rühren, verrühren

troi tudalen	umblättern
troi ymlaen	andrehen, anschalten, einschalten
troi yn	werden
troi yn ôl	umdrehen
troli (gb)	Kofferkuli *m*
trôns (g)	Unterhose *f*
trosglwyddo	versetzen
trosi	übersetzen; umdrehen
trowsus (g)	Hose *f*
truan (g)	Tropf *m*
truan	arm
trueni	schade, wie schade !
trwch (g)	Schicht *f*
trwchus	dick
trwm (g), **trom** (g)	schwer
trwmped (g)	Trompete *f*
trwsiadus	gepflegt
trwsto	donnern
trwy	durch
trwydded (b) **deithio**	Paß *m*
trwydded (b) *yrru*	Führerschein *m*
trwyn (g)	Nase *f*
trychfil (g)	Insekt *n*
trychineb (gb)	Unglück *n*, Katastrophe *f*
trydan (g)	Strom *m*, Elektrizität *f*
trydanol	elektrisch
trydanwr (g)	Elektriker *m*
trydar	zwitschern
trydydd (g), **trydedd** (b)	dritte
trylwyr	intensiv
trymaidd	schwül
trysor (g)	Schatz *m*
trywsus (g)	Hose *f*
trywsus (g) *nofio*	Badehose *f*
Tsieineaidd	chinesisch
tu allan, tu fas	außen, außerhalb, draußen
tu blaen	vorn
tu cefn	hinten
tu hwnt i	jenseits
tu maes	außen, außerhalb

	tu mewn	drinnen, in, innen, innerhalb
	tu ôl	hinten, hinter
	tua	circa, etwa, ungefähr
	tuag at	gegen
	tuag yn ôl	rückwärts
	tudalen (gb)	Seite *f*
troi	*tudalen*	umblättern
	tun (g)	Dose *f*, Konserve *f*
	tun (g) *olew*	Ölkanne *f*
	tunnell (b)	Tonne *f*
	tusw (g)	Strauß *m*
	twll (g)	Loch *n*, Schlitz *m*
	twll (g) *colomen*	Fach *n*
	twmpath (g)	Stapel *m*
	twnel (g)	Tunnel *m*
	twp	blöd, dumm, doof
	twpsyn (g)	Dummkopf *m*, Idiot *m*
	twr (g)	Turm *m*
	twr (g) *achles*	Komposthaufen *m*
	twrci (g)	Pute *f*
	Twrcïaidd	türkisch
	twrist (g)	Tourist *m*
	twrnai (g)	Rechtsanwalt *m*
	twrnamaint (g)	Turnier *n*
	twrw (g)	Krach *m*, Lärm *m*
	twt	nett
	twt lol !	Quatsch!
	twtio	räumen, aufräumen
	twym	warm, heiß, beheizt
	twymo	einheizen, erhitzen
	twymyn (b)	Fieber *n*
	twymyn (b) *y gwair*	Heuschnupfen *m*
	twyn (g)	Düne *f*
	tŷ (g)	Haus *n*, Wohnhaus *n*
gwraig (b)	*tŷ*	Hausfrau *f*
	tŷ (g) *bach*	Toilette *f*, Klo *n*, WC *n*, Abort *m*, Gästetoilette *f*
	tŷ (g) *bwyta*	Restaurant *n*
	tŷ (g) *dan yr un to*	Doppelhaus *n*
	tŷ (g) *gwydr*	Gewächshaus *n*
	tŷ (g) *rhes, tŷ* (g) *teras*	Reihenhaus *n*

tyb (gb)	Meinung *f*
tybaco (g)	Tabak *m*
siop (b) *dybaco*	Tabakladen *m*, Trafik *f*
tybied	staunen
tyddyn (g)	Bauernhaus *n*
tyfu	wachsen, anwachsen, gedeihen
tyngu	schimpfen; schwören
tymer (b)	Laune *f*, Stimmung *f*
tymestl (b)	Gewitter *n*
tymheredd (g)	Temperatur *f*
tymor (g)	Trimester *n*; Jahreszeit *f*
tyn	angespannt, eng
tyner	zart
tynion (ll)	Strumpfhose *f*
tynnu	ziehen; anziehen; pflücken
tynnu'n dda gyda rhywun	gut auskommen mit jemandem, leiden können
tynnu croen	schälen
tynnu llun	ein Foto aufnehmen, fotografieren, zeichnen
tynnu trwy ddŵr	spülen, ausspülen
tynnwr (g) **corcyn**	Korkenzieher *m*
tyrfa (b)	Menge *f*, Gedrängel *n*, Leute *pl*
tyrfo	donnern
tyrnsgriw (g)	Schraubenzieher *m*
tyst (g)	Zeuge *m*, Zeugin *f*
tystiolaeth (b)	Zeugnis *n*
tystysgrif (b)	Zeugnis *n*
tywallt	eingießen
tywel (g)	Handtuch *n*, Badetuch *n*
tywod (ll)	Sand *m*
castell (g) *tywod*	Sandburg *f*
tywydd (g)	Wetter *n*
rhagolygon (ll) *y tywydd*	Wetterbericht *m*, Wettervorhersage *f*
tywyll	dunkel
tywynnu	scheinen
tywys	führen
tywysog (g)	Prinz *m*
tywysoges (b)	Prinzessin *f*

theatr (b)	Theater *n*

U

uchder (g)	Höhe *f*
uchel	hoch; laut
uchod	oben
U.D.A. [Unol Daleithiau America]	USA, Vereinigte Staaten *pl*
udo	heulen
ufudd	brav
ufuddhau	folgen
ugain	zwanzig
Ulw-Ela	Aschenputtel
un	ein, eine, eins
yr un (gb)	dieselbe, derselbe
yr un mor	genauso
unrhyw un	irgendwer
un a hanner	anderthalb
un ar bymtheg	sechzehn
un ar ddeg	elf
un ar ôl y llall	einzeln
unawdydd (g)	Solist *m*
undeb (g)	Union *f*; Gewerkschaft *f*
yr Undeb Ewropeaidd	Europäische Union *f*
unfarn	einheitlich
unfed ar ddeg	elfte
unfrydedd (g)	Einklang *m*
unffordd	einfach [tocyn]
unffurf	einheitlich
uniad (g)	Verbindung *f*
unig	einzig
yn unig	allein, nur
unig blentyn (g)	Einzelkind *n*
unigolyn (g)	Individuum *n*
unigryw	einmalig
yn union	genau, exakt, eben
ar eich union	sofort
uniongyrchol	direkt

unionsyth	aufrecht
uno	verbinden, vereinigen
unochrog	schief
unrhyw	beliebig
unrhyw beth	irgendwas
unrhyw le	irgendwo
unrhyw un	irgendwer
unwaith	einmal
ar unwaith	auf der Stelle, gleich, sofort
unwaith eto	noch einmal, noch mal
utgorn (g)	Trompete *f*
uwch	höher [hoch]
uwchben	drauf, oben, über
ysgol (b) *uwchradd*	Oberstufe *f*

wal (b)		Wand *f*, Mauer *f*
waled (b)		Brieftasche *f*
walkman (gb)		Walkman *m*
ward (b)		Abteilung *f*
warden (gb) [neuadd]		Herbergsmutter *f*, Herbergsleiter *m*, Herbergsvater *m*
wastad		stets
wats (b)		Armbanduhr *f*
wedi		nach
wedi ei leoli		liegen, sich befinden
wedi marw		gestorben, tot
wedi priodi		verheiratet
wedi torri		kaputt
wedi ysgaru		geschieden
wedyn		danach, anschließend, dann, im Anschluß daran, nachher
weiren (b) **bigog**		Stacheldraht *m*
weithiau		ab und zu, manchmal, zeitweise
winwnsyn (g)		Zwiebel *f*
wrth		an, bei, neben, während
bod	*wrthi*	sich beschäftigen
wrth gwrs		jawohl, natürlich, selbverständlich
wrth ochr		neben
ŵy (g)		Ei *n*
ŵy (g) *Pasg*		Osterei *n*
yr	*wyddor* (b)	Alphabet *n*
wylo		weinen
wyneb (g)		Gesicht *n*, Oberfläche *f*
wynionyn (g)		Zwiebel *f*
ŵyr (g)		Enkel *m*
wyres (b)		Enkelin *f*
wyth		acht
wythfed		achte
wythnos (b)		Woche *f*
wythnosol		wöchentlich

	y, yr, 'r	der, die, das; pro
	ychwanegu	hinzufügen
yn	*ychwanegol*	dazu, zusätzlich
	ychydig	wenig, ein bißchen, etwas, einige
	ŷd (g)	Getreide *n*
creision (ll)	*ŷd*	Cornflakes *pl*, Flakes *pl*
	yfed	trinken
	yfory	morgen
	ynganiad (g)	Aussprache *f*
	ynghyd	zusammen, gemeinsam
	ynglŷn â	bezüglich
	ym-	sich [e.e. ymolchi = sich waschen]
	yma	hier, da, her
	ymadael	verlassen, abfahren, fortfahren
	ymadawiad (g)	Abfahrt *f*, Abflug *m*
	ymadrodd (g)	Bemerkung *f*, Ausdruck *m*
	ymafael	greifen
	ymaith	weg
	ymarfer (gb)	Übung *f*, Training *n*, Praxis *f*
esgid (b)	*ymarfer*	Sportschuh *m*, Turnschuh *m*
	ymarfer	üben
	ymarfer gymnasteg	turnen
	ymarferol	praktisch
	ymatal rhag	verzichten
	ymbarél (g)	Regenschirm *m*, Sonnenschirm *m*
	ymbil	flehen
	ymbincio	sich aufputzen, sich schön machen
	ymborth (g)	Ernährung *f*, Futter *n*
	ymchwiliad (g)	Suche *f*, Untersuchung *f*
	ymchwilydd (g)	Forscher *m*
	ymdoddi	schmelzen, zergehen
	ymdopi	klarkommen, schaffen; auskommen
	ymdrech (b)	Mühe *f*
	ymdrechu	sich bemühen, versuchen
	ymdrin â	behandeln
	ymdrochi	baden, eintauchen
	ymddangos	abzeichnen, erscheinen, scheinen
	ymddeoliad (g)	Pensionierung *f*
	ymddiddan (g)	Dialog *m*, Konversation *f*
	ymddiddan	sich unterhalten

	ymddiddori	sich interessieren
	ymddiheuro	entschuldigen
	ymddiswyddiad (g)	Rücktritt *m*
	ymddiswyddo	abdanken, zurücktreten
	ymennydd (g)	Gehirn *n*, Hirn *n*
	ymestyn	ausstrecken; reichen
	ymffrost (g)	Angabe *f*
	ymffrostio	angeben
	ymgais (gb)	Versuch *m*
	ymgartrefu	sich einleben
	ymgeisio	versuchen
	ymgeledd (g)	Betreuung *f*
	ymgom (b)	Plausch *m*, Dialog *m*
	ymgomio	plaudern
	ymgymryd â	übernehmen
	ymgynnull	versammeln
	ymhellach	weiter
	ymhlith	inmitten
	ymhob man	überall
	ymholiad (g)	Untersuchung *f*
	ymlacio	sich erholen
wedi	*ymlacio*	entspannt, aufgelockert
	ymladd	kämpfen
	ymlaen	vorwärts, vor, in Fahrtrichtung
edrych	*ymlaen*	sich freuen
hyd nes	*ymlaen*	bis bald, bis gleich
mynd	*ymlaen*	weitermachen, fortsetzen, fortfahren, weitergehen
o ...	*ymlaen*	ab
syth	*ymlaen*	geradeaus
troi	*ymlaen*	andrehen, anschalten, einschalten
	ymlaen llaw	im voraus, vorher
	ymlid	verfolgen
	ymlusgo	kriechen
	ymlwybro	stapfen
	ymofyn	holen
	ymolchi	baden, sich waschen
ystafell (b)	*ymolchi*	Bad *n*, Badezimmer *n*, Waschraum *m*
	ymosod ar	überfallen
	ymosodiad (g)	Überfall *m*, Anschlag *m*

ymprydio	fasten
mis (g) *ymprydio*	Fastenmonat *m*
ymroi i	sich dranmachen, sich widmen
ymrwymiad (g)	Zusage *f*
ymsefydlu	sich einleben
ymuno â	beitreten
ymweld â	besuchen, gastieren, besichtigen,
ymweliad (g)	Besuch *m*
ymwelwr (g)	Besucher *m*, Besuch *m*, Tourist *m*, Gast *m*
ymwelydd (g)	Besucher *m*, Besuch *m*, Tourist *m*, Gast *m*
ymwneud â	betreffen, sich handeln um, sich beschäftigen
yn ymwneud â	bezüglich
ymwrthod â	verzichten
ymylon (ll)	Vorort *m*
ymylu ar	grenzen
ymylwe (b)	Spitze *f*
ymyrraeth (b)	Störung *f*
ymysg	inmitten, unter, zwischen
ymysgaroedd (ll)	Innereien *pl*
yn	in, innerhalb
yn y fan	auf der Stelle
yna	da, dort; worauf, woraufhin
ynfyd	verrückt, wahnsinnig
ynfydrwydd (g)	Wahnsinn *m*
ynfytyn (g)	Dummkopf *m*, Narr *m*
ynni (g) **trydanol**	Elektrizität *f*
yno	dahin, dort, hin, drüben
ynte	nicht wahr
ynteu	dann, oder
Ynyd (g)	Fastnacht *f*
ynys (b)	Insel *f*
ynysu	isoliert
ysbaid (gb)	Moment *m*
ysbienddrych (g)	Fernglas *n*, Fernrohr *n*
ysbïwr (g)	Spion *m*
ysbryd (g)	Geist *m*
ysbyty (g)	Krankenhaus *n*, Spital *n*, Klinik *f*
ysgadenyn (g)	Hering *m*
ysgafn	leicht, mild

ysgaru	sich scheiden lassen
wedi ysgaru	geschieden
ysgewyllen (b)	Rosenkohl *m*
ysgol (b)	Leiter *f*; Schule *f*
gwisg (b) *ysgol*	Schuluniform *f*
ysgol (b) *eilradd*	Hauptschule *f*
ysgol (b) *gyfun*	Gesamtschule *f*
ysgol (b) *gynradd*	Grundschule *f*
ysgol (b) *ramadeg*	Gymnasium *n*
ysgol (b) *uwchradd*	Oberstufe *f*, Realschule *f*
ysgol (b) *yrru*	Fahrschule *f*
ysgolhaig (g)	Forscher *m*
ysgolheiges (b)	Forscherin *f*
ysgrechian	schreien
ysgrepan (b)	Brieftasche *f*
ysgrifbin (g) **inc**	Füller *m*
ysgrifbin (g) *pêl*	Kugelschreiber *m*, Kuli *m*
ysgrifenedig	schriftlich
ysgrifennu	schreiben
pad (g) *ysgrifennu*	Notizblock *m*
ysgrifennydd (g)	Sekretär *m*
ysgrifenyddes (b)	Sekretärin *f*
ysgubell (b)	Besen *m*
ysgubo	kehren
ysgubol	überwiegend
ysgwyd	schütteln
ysgwydd (b)	Schulter *f*
ysgyfarnog (b)	Hase *m*
ysmala	komisch
ystadegaeth (b)	Statistik *f*
ystafell (b)	Zimmer *n*, Raum *m*
ystafell (b) *ddosbarth*	Klassenzimmer *n*, Klassenraum *m*
ystafell (b) *fyw*	Wohnzimmer *n*
ystafell (b) *groeso*	Diele *f*, Eingangshalle *f*
ystafell (b) *wely*	Schlafzimmer *n*, Schlafraum *m*
ystafell (b) *ymolchi*	Bad *n*, Badezimmer *n*, Waschraum *m*
ystlum (g)	Fledermaus *f*
ystlyswr (g)	Linienrichter *m*

yn ystod	während
ystrywgar	raffiniert
ystumio	verrenken
ystyfnig	beharrlich
ystyr (gb)	Sinn *m*, Bedeutung *f*, Gehalt *m*, Definition *f*
ystyried	nachdenken, überlegen
ystyrlon	sinnvoll
ysu	jucken
yswiriant (g)	Versicherung *f*, Versicherungswesen *n*
yswiriant (g) *iechyd*	Krankenkasse *f*

Ymarferion Defnyddio Geiriadur

1. Mae'r geiriau yn y geiriadur wedi'u trefnu yn ôl yr wyddor

   a/ä b c d e f g h i j k l m n o/ö p q r s/ß t u/ü v w x y z

   Aildrefnwch y grwpiau canlynol o lythrennau yn ôl trefn yr wyddor. Bydd gennych chwe gair Almaeneg:

   cath   *seni*   *ster*   *milf*   *pigs*   *torab*

2. Rhowch y geiriau sydd ym mhob rhestr yn nhrefn yr wyddor.
   Chwiliwch am eu hystyr yn y geiriadur. Beth yw thema pob colofn?

rot	*klein*	*Wolke*	*an*	*Waage*
gelb	*groß*	*Nebel*	*in*	*Skorpion*
braun	*dick*	*Regen*	*bei*	*Zwilling*
grün	*dünn*	*Schnee*	*vor*	*Stier*
blau	*alt*	*Sonne*	*hinter*	*Krebs*
lila	*jung*	*Wind*	*unter*	*Wassermann*
rosa	*schlank*	*Gewitter*	*auf*	*Steinbock*
schwarz	*brav*	*Sturm*	*über*	*Löwe*

3. Faint o eiriau sydd ym mhob llinell?
   Edrychwch amdanyn nhw yn y geiriadur. Beth yw ystyr pob un?

   a. *HausauserMausanzuheißlesenSack*
   b. *vielihrTuchsollengrünverlierenzufrieden*
   c. *ApothekeTheaterlustighörenabwirunterBrot*
   d. *konstruierenjungichRäuberhelfenanhinteroder*
   e. *KönigInselzurnaßwalisischGeflügelsondernbesser*
   f. *mehrumoftdunebeligKrankheitbesorgtTaxi*

4. Mae gan sawl gair fwy nag un ystyr. ';' sy'n gwahanu'r ystyron yn y geiriadur

e.e. der **Schein** (-e) = goleuni (g); tocyn (g); rhywbeth ffug, rhith (g)

Mae tri ystyr gwahanol i'r gair *Schein*.
Chwiliwch am ddeg gair arall sydd â mwy nag un ystyr.

5. Weithiau mae'n anodd cael un gair Cymraeg i gyfateb yn union â'r gair Almaeneg. Felly rhown fwy nag un gair.

Bydd cyd-destun y frawddeg yn dangos pa un i'w ddefnyddio.

e.e. **erzählen** (gw) adrodd, sôn am

6. Os oes ffurfiau tafodieithol Cymraeg gwahanol ar gael, maen nhw'n cael eu cynnwys.

e.e. die **Milch** llaeth (g), llefrith (g)

Chwiliwch am enghreifftiau eraill o dafodiaith.

7. Dydy'r gair Cymraeg ddim yn rhoi ystyr union y gair Almaeneg bob tro. Weithiau mae geiriau Almaeneg yn ymddangos mewn cyd-destun arbennig, e.e. mewn dywediad neu farddoniaeth. Mae'r rhain mewn *italig*.

e.e. die **Höhe** (-n) uchder (g)
   in die Höhe i fyny, lan

Chwiliwch am y geiriau canlynol a sylwch sut mae'r ystyr yn wahanol mewn dywediad:

einmal *Andenken* *löschen* *mehr* *spät*

8. Ewch i lawr y 'grisiau' geiriau. Defnyddiwch dair llythyren olaf un gair i ddechrau gair newydd. Sawl gris sydd gennych? Defnyddiwch y geiriadur i'ch helpu.

eisk\alt
  Alt\bau
    Baust\off
      of\fen
        Fens\ter

9. Enwau yw geiriau am bethau a syniadau. Bydd *der, die, das* o flaen pob enw yn y geiriadur. Mae dwy ffurf ar bob enw: **unigol** am un, a **lluosog** am fwy nag un. Trefnwch y geiriau canlynol mewn dau grŵp (unigol a lluosog):

Hase	*Eltern*	*Gemüse*	*Unterschied*	*Ideen*	*Schuhe*
Äpfel	*Tasse*	*Alter*	*Farben*	*Band*	*Zufälle*

Chwiliwch am y ffurfiau yn y geiriadur.

10. Mae'r lluosog yn ymddangos mewn cromfachau, e.e. mae (**-n**) yn golygu bod rhaid ychwanegu **-n** at y gair unigol.

e.e. die **Kiste** (-n)   cist (b), blwch/bocs (g) mawr

Felly, **Kisten** ydy'r lluosog. Mae terfyniadau lluosog eraill heblaw **-n**. Ellwch chi dod o hyd iddyn nhw?

11. Yn mewn rhai achosion rydych chi'n darganfod (-¨) am y lluosog. Mae hynny yn golygu bod y llafariad **a, o** neu **u** yn y gair, yn newid i **ä, ö** neu **ü** yn y lluosog.

e.e. der **Hafen** (-¨)   harbwr (g), porthladd (g)

Felly, **Häfen** ydy'r lluosog. Chwiliwch am enghreifftiau eraill.

12. Mae rhai geiriau yn edrych yn unffurf yn yr unigol a'r lluosog - yn arbennig geiriau sy'n gorffen yn **-er, -el** neu **-en** ar ôl **der** neu **das**. Dim ond y fannod sy'n gwahanu'r ffurfiau:

der Drucker (unigol)   *die* Drucker (lluosog)
der Henkel (unigol)   *die* Henkel (lluosog)

Sut mae lluosog y geiriau uchod yn ymddangos yn y geiriadur?

Chwiliwch hefyd am luosog y geiriau hyn:

Dichter   *Kapitel*   *Himmel*   *Hörer*   *Hufeisen*

Does dim lluosog i bob enw. Dydy rhai byth yn cael eu defnyddio ond yn yr unigol, yn arbennig gydag enwau am ddefnydd a hylif, a phethau na allwch eu rhifo. Edrychwch am:

Käse   *Milch*   *Leder*   *Gemüse*   *Müll*

13. Chwiliwch am ffurf unigol y canlynol yn y geiriadur. Chwiliwch am y fannod hefyd bob tro.

Kinder	*Suppen*	*Väter*	*Bauern*	*Sterne*
Eier	*Puppen*	*Brüder*	*Schwestern*	*Hände*
Räder	*Schulen*	*Teller*	*Kartoffeln*	*Füße*
Bücher	*Raben*	*Löffel*	*Semmeln*	*Aufzüge*
Bilder	*Tomaten*	*Maler*	*Gabeln*	*Stühle*
Denkmäler	*Katzen*	*Onkel*	*Leitern*	*Weine*
Häuser	*Neffen*	*Lehrer*	*Wurzeln*	*Nüsse*
Blätter	*Türen*	*Wagen*	*Federn*	*Töpfe*

14. Yn Almaeneg mae llawer o eiriau wedi'u llunio wrth uno geiriau eraill.
Crëwch un gair allan o ddau air neu fwy. Edrychwch amdanyn nhw yn y
geiriadur. P'un o'r elfennau yn y gair cyfansawdd sy'n gyfrifol am genedl
yr enw cyfan?

e.e. *das Auto + die Bahn = die Autobahn*

der Zahn + der Arzt =
die Kinder + der Garten =
fahren + die Karte + der Schalter =
das Haus + die Frau =
die Bahn + der Hof =
die Schule + die Tasche =
rechnen + die Aufgabe =
vor + verkaufen + die Stelle =

15. Edrychwch ar y geiriau hyn. Gwnewch ddau air allan o un.
Beth ydy ystyr yr enw cyfansawdd, a beth ydy ystyr y ddau air ar wahân?

e.e. *Autobahn = das Auto + die Bahn*

der Apfelbaum =
die Weltmeisterschaft =
die Hausaufgabe =
die Großmutter =
der Deutschlehrer =
die Schularbeit =
der Spanischkurs =
der Fußball =

16. Tarddair yw gair sy'n dod o air arall, yn aml gyda newid yn ei sillafiad.
Trwy ychwanegu terfyniad neu **umlaut** gallwch greu geiriau newydd,
e.e. allan o'r gair *Kleid* 'ffrog' mae hi'n bosibl dweud: *klei**den*** 'gwisgo' a
*Klei**dung*** 'gwisg'. Dyma ddau enghraifft arall:

kurz	→ ***Kürz**e*	*lang*	→ ***Läng**e*
	→ ***kürz**lich*		→ ***läng**st*
	→ ***kürz**en*		→ ***lang**sam*
	→ *Ab**kürz**ung*		→ *ent**lang***

Ysgrifennwch yr enw am rywun sy'n gwneud y weithred hon:

lehren   →   *der Lehrer*
radfahren
randalieren
reiten
schwimmen
spielen
nicht rauchen

17. Drwy ychwanegu'r terfyniad -*in* at enw rydych chi'n creu ei ffurf fenywaidd:

    e.e. der Amerikaner (Americanwr)   → die Amerikaner**in** (Americanes)
         der Arbeiter   → die Arbeiter**in**
         der Arzt   → die Ärzt**in**

Chwiliwch am enghreifftiau eraill.

18. Beth yw gair gwreiddiol y tarddeiriau hyn?

Gesundheit
Stärke
Größe
Geschwindigkeit
Krankheit
kräftig
Schnelligkeit
lustig
nebelig

19. Mae terfyniadau yn gallu gwneud tarddeiriau. Mae'r tarddeiriau â'r un terfyniad yn perthyn i'r un genedl. Edrychwch ar y geiriau hyn:

*Wohn**ung**, Heiz**ung**, Abkürz**ung**, Richt**ung**, Pack**ung**, Untersuch**ung*** *Krank**heit**, Gesund**heit**, Frei**heit**, Gelegen**heit**, Mehr**heit**, Sicher**heit*** *Ak**tion**, Injek**tion**, Interpreta**tion**, Defini**tion**, Informa**tion**, Por**tion*** *Gesell**schaft**, Gemein**schaft**, Herr**schaft**, Land**schaft**, Mann**schaft***

Beth yw cenedl yr enwau â'r terfyniadau uchod?

20. Ansoddair yw gair sy'n disgrifio rhywbeth neu rywun,
e.e. *ein rotes Auto* = 'car coch'. Trefnwch yr ansoddeiriau hyn mewn
grwpiau yn ôl eu hystyr:

a. lliwiau:
b. bwydydd:
c. tywydd:
d. nodweddion personol:

*blau, braun, dick, dünn, gelb, grau, groß, grün, gut, häßlich, heiß, hübsch,
jung, kalt, klein, klug, köstlich, naß, nebelig, regnerisch, rosa, rot, salzig,
sauer, scharf, schlank, schwarz, sonnig, stürmisch, süß, weiß, windig,
wolkig*

21. Mae gan yr ansoddair Almaeneg dair ffurf:
(1) ffurf gyffredin, (2) ffurf gymharol a (3) ffurf eithaf:

e.e. (1) *schnell* 'cyflym'   (1) *klein* 'bach'
  (2) *schneller* 'cyflymach'   (2) *kleiner* 'llei'
  (3) *am schnellsten* 'cyflymaf' (3) *am kleinsten* 'lleiaf'

Mae'r ansoddeiriau rheolaidd i gyd yn ffurfio'r cymharol fel *schnell* a *klein*
uchod, ond mae'r ansoddeiriau afreolaidd yn ei ffurfio mewn ffordd
wahanol. Edrychwch am y geiriau canlynol a llenwch y daflen i ddangos
sut mae'r ansoddeiriau afreolaidd hyn yn ffurfio'u graddau cymharol ac
eithaf.

klug	*klüger*	*am klügsten*
alt		
gesund		
groß		
kurz		
dunkel		
übel		
teuer		
hoch		
nah		
gern		
viel		

22. Chwiliwch ansoddeiriau sy'n groes eu hystyr i'r rhai canlynol:

weiß, heiß, hungrig, krank, tief, klug, teuer

Yn aml mae'r ystyr croes yn cael ei ffurfio trwy roi'r rhagddodiad *un-* o flaen y gair, e.e. *gesund* → *ungesund.*
Ffurfiwch wrthwyneb ansoddeiriau hyn:

freundlich, höflich, glücklich, sichtbar, abhängig, bequem

23. Rhowch y geiriau isod mewn grwpiau - ansoddair, enw neu ferf.

enw	ansoddair	berf
Aufzug	*billig*	*ausziehen*

Aufzug, ausziehen, billig, Buch, dunkel, durstig, Einkauf, elegant, Fahrpreis, Fahrrad, froh, früh, füttern, grün, gut, heiter, hell, Hund, kommen, Liebe, machen, pünktlich, Reise, Schi, schlecht, sehen, spät, Spiel, spielen, teuer, tief, tippen, Vater, verkaufen, vorlesen, Waschmaschine, zeigen, ziehen, zuhören

24. Mae adferfau yn dweud ymhle neu pryd mae'r weithred yn digwydd,
e.e. *Heute lese ich die Zeitung* (Heddiw rydw i'n darllen y papur).
Dyma rai adferfau:

hier, da, dort, vorne, hinten, oben, unten, heute, morgen, gestern, abends, mittags, morgens, montags, bald, gleich, immer, a.y.y.b.

25. Arddodiaid yw'r geiriau bach Cymraeg *i, o, at, wrth,* a.y.y.b. sy'n rheoli'r enw sy'n eu dilyn.
Yn Almaeneg maen nhw'n rheoli cyflwr yr enw.
Mae'r geiriadur yn dweud pa gyflwr sy'n dilyn yr arddodiad.

    e.e. **bei** (+dat)   wrth, ger, yn agos i; yn nhŷ rhywun
            ↓

    Dativ / derbyniol

    Ystyr hyn yw bod yr enw ar ôl *bei* yn cymryd y cyflwr derbyniol,
    e.e. *bei meinem Freund.*

26. Ar ôl arddodiaid Almaeneg mae hi'n bosibl cael un o dri chyflwr, sef:

    Akkusativ (gwrthrychol)
    Dativ (derbyniol)
    Genitiv (genidol)

    Chwiliwch am y arddodiaid hyn. Pa gyflwr sy'n eu dilyn?

    an, auf, bei, entlang, hinter, in, seit, über, unter, von, vor, während, wegen, zu, zwischen

27. Mae berfau yn disgrifio gweithred - rhywbeth sy'n cael ei wneud.
Mae ffurfiau gwahanol i'r berfau.
Edrychwch am y ferf *essen.* Rydych chi'n darganfod:

    essen (ißt-aß-gegessen)   bwyta

    Y ffurf gyntaf yn y cromfachau ydy presennol y trydydd person unigol afreolaidd (sef *er/sie/es* neu 'fe/hi' yn Gymraeg). Mae'r ffurf hon yn dangos sut i ffurfio ail berson unigol y ferf gryf hefyd.

    du ißt
    er/sie/es ißt

    Mae'r ddwy ffurf arall yn y cromfachau yn dangos y gorffennol syml a'r gorffennol cyfansawdd, e.e. *er aß* ='bwytodd' neu 'roedd e'n bwyta' ac *er hat gegessen* ='mae e wedi bwyta'.

28. Gyda rhan fwyaf y berfau cryf dim ond y llafariad sy'n newid.
Felly mae'r geiriadur yn rhoi y llafariaid priodol mewn cromfachau.

e.e. **fahren** (ä-u-a)   mynd, teithio; gyrru
     stoßen (ö-ie-o)   gwthio
     reiben (ei-ie-ie)   rhwbio, rhwto

Mae'r llafariad gyntaf yn dangos sut i ffurfio ail a thrydydd person unigol
presennol y berfau cryf.

ich fahre	*ich stoße*	*ich reibe*
du fährst	*du stößt*	*du reibst*
er fährt	*er stößt*	*er reibt*

Mae'r llafariaid eraill yn dangos sut i ffurfio'r gorffennol:

er fuhr	**er stieß**	**er rieb**
er ist gefahren	**er hat gestoßen**	**er hat gerieben**

Chwiliwch am y berfau hyn a meddyliwch sut i ffurfio'r presennol neu'r
gorffennol:

schreiben, helfen, blasen, greifen, kommen, klingen, lassen, melken

29. Mae (gw), sef 'gwan', yn dilyn y berfau rheolaidd. Mae'r berfau gwan yn
cymryd terfyniad *-t* yn y gorffennol a dydyn nhw ddim yn newid llafariad.

e.e. **spülen** (gw)   golchi, gwared ar sebon, tynnu trwy ddŵr
     zeigen (gw)   dangos; pwyntio at
     beten (gw)   gweddïo

Mae ffurfiau gorffennol *spülen* yn rheolaidd:

er spülte	*er zeigte*	*er betete*
er hat gespült	*er hat gezeigt*	*er hat gebetet*

Edrychwch yn y geiriadur i weld sut i ffurfio gorffennol y berfau hyn:

senden, kennen, können, dürfen, müssen, sollen, wollen

30. Gall rhagddodiad newid ystyr y berfau Almaeneg.
Cymharwch y berfau canlynol:

kaufen	suchen	geben	stehen	gehen
einkaufen	aussuchen	angeben	aufstehen	ausgehen
verkaufen	besuchen	ausgeben	bestehen	hineingehen
	versuchen	begeben	entstehen	schiefgehen
		durchgeben	feststehen	vergehen
		nachgeben	überstehen	weggehen
		zugeben	verstehen	zergehen

Mae rhai rhagddodiaid yn datgysylltu oddi wrth y ferf,
e.e. *einkaufen: ich kaufe ein* 'rwyf fi'n siopa'.
Yn y geiriadur mae / rhwng y ddwy elfen yn dangos hynny. Pa rai o'r
berfau uchod sy'n gwahanu?

yn gwahanu: *ein/kaufen* ...
ddim yn gwahanu: *verkaufen* ...

Ydych chi'n gallu ychwanegu enghreifftiau eraill?
Pa ragddodiaid fydd byth yn gwahanu oddi wrth y ferf? Gwnewch restr
ohonyn nhw.

31. Chwiliwch am gyfieithiad y geiriau a llenwch y croesair.

1 penwythnos
2 dydd Sadwrn
3 mis Awst
4 mynegbost
5 mis Mai

A dydd Llun
B dydd Mawrth
C mis Mehefin
D mis Medi
E noswaith
F gêm

32. Yn y pôs hwn mae un rhif i bob llythyren.
Mae pob un o'r wyth enw ar draws â chysylltiad â thraffig.

1 F	2 A	3 H	4 R	4	2	5		
6	2	7	8	9	2	10	11	12
1	6	13	10	14	11	13	10	
11	15	7	11	12	16	2	3	12
2	13	8	17	16	13	7		
1	2	3	4	18	2	4	8	11
9	17	3	12	19	17	16	15	6
19	17	8	17	4	4	2	5	

314

CYFARWYDDIADAU

Arbeitet in Gruppen!	Gweithiwch mewn grwpiau!
Bausteine	Briciau adeiladu
Beantworte die Fragen!	Ateba'r cwestiynau!
Beispiel	Enghraifft
Beschreibe dein Haus!	Disgrifia dy gartref
Beschreibe dich!	Disgrifia dy hunan!
Beschrifte!	Rho label [ar]
Bilde/bildet Paare	Gwna/gwnewch barau
Bildsprache	Iaith luniau
Bringe … in die richtige Reihenfolge	Rho … yn y drefn iawn
Das tut mir leid	Mae'n ddrwg gen i
Falsch oder richtig	Cywir neu anghywir
Finde die richtigen Antworten	Chwilia am yr atebion cywir
Finde heraus …!	Chwilia …!
Finde jemanden …	Chwilia am rywun …
Frage und Antwort	Cwestiwn ac ateb
Führt die Anweisungen aus	Gweithredwch y cyfarwyddyd
Füll die Lücken aus	Llenwa'r bylchau
Füll die Sprechblasen aus	Llenwa'r swigod siarad
Gib weitere Beispiele!	Rho enghreifftiau eraill
Gruppenspiel	Gêm grŵp
Haben Sie …?	Oes gennych chi …?
Hast du …?	Oes gen ti …?
Hör zu und wiederhole!	Gwranda a dweud eilwaith
Hören, lesen und verstehen	gwrando, darllen a deall
Ich verstehe nicht	Dydw i ddim yn deall
Ich weiß es nicht	Dydw i ddim yn gwybod
Ihr müßt herumgehen …	Rhaid i chi symud o gwmpas …
In die richtige Spalte	I'r golofn iawn
Jetzt bist du dran!	Dy dro di yw hi
Kannst du den Plan beschriften	Elli di labelu'r map
Kannst du ... beschreiben?	Elli di ddisgrifio?
Könnt ihr die Sätze verbessern?	Ellwch chi berffeithio'r brawddegau
Könnt ihr die Wörter zuordnen?	Ellwch chi roi'r geiriau mewn parau?
Könnt ihr weitermachen?	Ellwch chi fynd ymlaen?
Kreuze sie an!	Ticia nhw! Rho ✔ wrthyn nhw!
Langsamer!	Yn arafach! Gan bwyll!
Lerntip	Cyngor dysgu

Lernzielkontrolle	Rhestr wirio
Lies den Brief!	Darllen y llythyr
Lies eine Zahl vor!	Darllen y rhif
Lies und hör zu!	Darllen a gwrando
Mach eine Umfrage	Gwna bôl piniwn
Macht das Buch zu!	Caewch eich llyfrau
Mit der Stoppuhr	Gyda watsh amseru
Namenspiel	Gêm enwau
Nochmal!	Unwaith eto!
Nützliche Redewendungen	Ymadroddion defnyddiol
Ordne die Bilder den Wörtern zu	Trefna'r lluniau a'r geiriau
Ordne!	Rho mewn trefn! Trefna!
Partnerspiel	Gêm gyda phartner, gwaith pâr
Rate mal!	Dyfala!
Satzbildung	Ffurfio brawddeg
Schau im Wörterbuch nach!	Edrych yn y geiriadur!
Schlag in der Wortliste nach!	Edrych yn yr eirfa!
Schreib ab und füll aus!	Copïa a llenwa!
Schreib auf!	Noda ar bapur!
Schreib die Ergebnisse auf!	Ysgrifenna'r canlyniadau ar bapur!
Schreib die Fragen ab!	Copïa'r cwestiynau!
Schreib eine Liste!	Ysgrifenna restr!
Schreib einen Bericht!	Ysgrifenna adroddiad!
Schriftlich	Yn ysgrifenedig
Singt mit!	Canwch gyda mi!
Spaß mit Zahlen	Hwyl â rhifau
Spielt in Gruppen!	Chwaraewch mewn grwpiau!
Sprachtips	Cyngor iaith
Stell dir vor!	Dychmyga!
Stellt euch gegenseitig Aufgaben!	Rhowch dasgau/gwestiynau i'ch gilydd
Stimmt das?	Ydy hynny'n iawn?
Tippfehler	Camgymeriad teipio
Trag die Wörter in die richtige Spalte ein!	Rhowch y geiriau yn y golofn iawn
Übe den Dialog!	Ymarfer yr ymddiddan
Überlegt euch weitere Beispiele!	Meddyliwch am enghreifftiau eraill
Übertrage die Tabelle auf einen Zettel!	Copïa'r tabl ar bapur!
Übt zu zweit!	Ymarfer mewn parau!
Vergleicht eure Ergebnisse!	Cymharwch eich canlyniadau!
Verschlüsselt schreiben	Ysgrifennu mewn côd

Vervollständige den Text!	Gorffen y testun
Wähle ein Foto aus!	Dewis lun
Was bedeutet …?	Beth ydy ystyr …?
Was bestellen sie?	Beth maen nhw'n gofyn amdano?
Was für … haben sie?	Pa fath … sy gyda nhw?
Was gehört nicht hierher?	Beth sy'n anaddas yma?
Was gibt es …?	Beth ydy …?
Was hat … vergessen?	Beth anghofiodd … ?
Was ist für euch wichtig?	Beth sy'n bwysig i chi?
Was ist mit ihnen los?	Beth sy'n bod arnyn nhw?
Was kostet …?	Faint mae … yn ei gostio?
Was machen sie gern?	Beth maen nhw'n hoffi ei wneud?
Was meint ihr?	Beth rydych chi'n feddwl?
Was paßt wozu?	Beth sy'n cytuno â?
Was weißt du?	Beth wyt ti'n ei wybod?
Was würdest du sagen?	Beth fase ti'n ei ddweud?
Weiterspielen	Chwarae ymlaen
Welche Buchstaben fehlen?	Pa lythrennau sydd eisiau?
Welchen Tag haben wir heute?	Pa ddiwrnod ydy hi heddiw?
Wer bin ich?	Pwy ydw i?
Wer spricht?	Pwy sy'n siarad?
Wie findest du …?	Sut wyt ti'n hoffi …?
Wie gut kennst du ihn/sie?	Wyt ti'n ei nabod e/hi'n dda?
Wie heißt … auf deutsch?	Beth ydy … yn Almaeneg?
Wie heißt … auf walisisch?	Beth ydy … yn Gymraeg?
Wie schreibt man …	Sut wyt ti'n sillafu …
Wie siehst du aus?	Sut wyt ti'n edrych?
Wie spät ist es?	Faint o'r gloch ydy hi?
Wie viele …?	Sawl …?
Wiederhole!	Unwaith eto! Dwed eto!
Wiederholung	Adolygiad
Wo gehören sie hin?	Ble mae eu lle nhw?
Wo sind sie?	Ble maen nhw?
Wo wohnst du?	Ble rwyt ti'n byw?
Wohin wollen sie?	I ble rydych chi eisiau mynd?
Wortfamilien	Teulu geiriau
Zeichne … ab	Copïa …!
Zu Hause	Gartref
zum Auswendiglernen	I'w ddysgu ar eich cof